COMITÉ D'ENTREPRISE
BARCLAYS BANK PLC
183, Avenue Daumesnil
75575 PARIS CEDEX 12
Tél. : 01 55 78 73 38

Le Dernier Juif

Noah GORDON

LE DERNIER JUIF

Traduit de l'anglais (États-Unis)
par Emmanuelle Farhi

Titre original :
The Last Jew

© Noah Gordon, 1999.
© Éditions Michel Lafon, pour la traduction française, 2001.
7-13, boulevard Paul-Émile-Victor - Île de la Jatte
92521 Neuilly-sur-Seine Cedex

*Pour Caleb, Emma
et ma grand-mère,
avec tout mon amour.*

I

Le premier fils

Tolède, Castille
Le 23 août 1489

1

Le fils de l'orfèvre

Et pourtant, se disait Bernardo Espina, la journée avait commencé sous de bons auspices.

En cette fin de matinée, le dispensaire bondé s'était presque vidé. Il ne restait que deux patients et une femme enceinte, venue accompagner son père qui souffrait d'une mauvaise toux. Or cette dernière eut la bonne idée de perdre les eaux précisément lors de cette visite.

Le médecin fit sortir tout le monde pour se consacrer à sa délivrance. Comme elle avait déjà enfanté cinq fois, l'expulsion s'effectua assez vite et bientôt le nourrisson apparut, tout rose et tout gluant. Espina l'enveloppa de ses grosses mains et tapota ses robustes fesses. Le petit *peón* poussa un hurlement strident, provoquant la joie et les rires de ceux qui l'entendirent de l'extérieur.

Ragaillardi par l'heureux événement, Bernardo vit dans cette naissance la promesse d'un après-midi fort agréable. Une fois sa consultation terminée, il n'avait plus d'obligation jusqu'au lendemain. Le soleil estival dardait ses rayons implacables dans un ciel d'azur et, par cette chaleur étouffante, Espina projetait d'emmener sa famille au bord de la rivière, avec un panier de victuailles et une bonne bouteille de *tinto*. Abrités sous le feuillage, Estrella et lui pourraient bavarder tranquillement, pendant que leurs enfants s'égailleraient dans l'eau.

Mais ces projets de détente devaient tourner court. Il en avait presque terminé avec son dernier malade lorsqu'un

11

moine, revêtu de la robe brune des novices, pénétra dans la cour, brinquebalant sur un âne épuisé par un trajet trop long sous la canicule.

Avec un air important, mêlé d'excitation contenue, le visiteur déclara que la présence du señor médecin était requise par le *padre* Sebastián Alvarez, au prieuré de l'Assomption.

– Le prieur souhaite vous voir dans les plus brefs délais.

À l'évidence, le religieux savait qu'Espina était un *converso*. Sa déférence de pure forme vis-à-vis d'un membre du corps médical dissimulait mal le mépris traditionnel du clergé à l'égard des juifs.

Bernardo hocha la tête en signe d'assentiment. Il ordonna à ses gens de servir au messager de quoi se sustenter et de veiller à ce que son animal se désaltère. Avant de répondre à l'appel impérieux du *padre*, il se soulagea d'une envie pressante, se rafraîchit le visage ainsi que les mains et avala en hâte un morceau de pain. Le moine était encore à table lorsqu'il se mit en chemin.

Depuis sa conversion, onze ans auparavant, Bernardo s'était abandonné sans réserve à sa nouvelle foi : il observait tous les jours saints, se rendait quotidiennement à la messe et se dévouait corps et âme à l'Église. Il entreprit donc de satisfaire la volonté du prêtre avec diligence, tout en prenant soin de ménager sa jument.

Il arriva au prieuré hiéronymite[1] juste au moment où les cloches sonnaient l'angélus. Quatre frères convers apportaient un panier de pain et un chaudron de *sopa boba*, un bouillon léger préparé par les religieux pour nourrir les pauvres rassemblés à la porte du monastère.

Le médecin trouva le *padre* Sebastián Alvarez en train d'arpenter le cloître, absorbé dans une vive conversation avec le sacristain.

Le *padre*, d'âge moyen, se distinguait par son regard, où se lisait une constante anxiété, une crainte de ne pas remplir sa mission sacrée avec assez de zèle. Contrairement à beaucoup

---

1. Relatif à l'ordre de Saint-Jérôme. *(N.d.T.)*

de ses semblables, il se montrait toujours très affable dans ses relations avec les convertis. En apercevant Espina, il renvoya son interlocuteur et salua le visiteur au nom du Christ. Sans autre préambule, il entra dans le vif du sujet, la mine grave :

– On a retrouvé un adolescent gisant sous nos oliviers.

Bernardo accueillit cette information par un lent hochement de tête, mais son esprit lui lançait déjà un avertissement. Certes, il vivait dans un monde violent, où la découverte de cadavres n'était, hélas, que trop fréquente. Cependant, face à un corps inerte, ses compétences médicales paraissaient dérisoires et, de ce fait, il ne voyait pas pourquoi on en appelait à ses services.

– Suivez-moi.

Le prieur le conduisit dans la cellule d'un moine, où le défunt était étendu. L'odeur douceâtre de la mort infestait la pièce, déjà envahie par les mouches. Bernado Espina retint son souffle, dans le vain espoir d'échapper aux émanations nauséabondes.

En soulevant la couverture placée sur la dépouille pour en préserver la pudeur, il vit un garçon livide qu'il reconnut avec un pincement au cœur. Il se signa aussitôt, d'un geste machinal dont il n'aurait pu dire s'il lui était inspiré par le désir de bénir ce jeune juif, par le besoin de se rassurer lui-même ou par la simple présence du *padre*.

Ce dernier se tourna vers lui.

– Nous désirons tout savoir des circonstances de ce décès. Ou, du moins, en apprendre les principaux tenants et aboutissants.

Bernardo acquiesça, perplexe.

Sebastián Alvarez lui confirma l'identité de la victime :

– Il s'agit de Meïr, fils d'Helkias Toledano. Son père est l'un des plus fameux orfèvres de Castille.

Espina connaissait bien les Toledano : des juifs fervents et entêtés, honnissant ceux qui, comme lui, avaient délibérément renoncé à la foi de leurs ancêtres.

– Si j'ai bonne mémoire, il avait près de quinze ans, précisa-t-il. En tout cas, il a à peine eu le temps de sortir de l'enfance. Est-ce ainsi qu'on l'a trouvé ?

– Oui. *Fray* Angelo cueillait des olives juste après matines quand il l'a aperçu.

– Puis-je l'examiner, *padre ?*

Le prêtre lui signifia son accord d'un mouvement impatient de la main.

Le visage du garçon était lisse et innocent. Mais son corps présentait des hématomes sur le torse et les bras, des égratignures sur les cuisses, trois entailles superficielles dans le dos et une blessure plus profonde à gauche de la poitrine, au niveau de la troisième côte. Autour de son anus déchiré subsistaient des traces de sperme. Des gouttes de sang séché perlaient de sa gorge tranchée.

Sebastián fit signe au médecin de le suivre jusqu'à la chapelle, où les deux hommes s'agenouillèrent sur les dalles de pierre pour réciter le Notre Père. Après quelques instants de recueillement, le prêtre se rendit jusqu'à un petit cabinet situé derrière l'autel et revint avec un coffret en bois de santal, dont il sortit un tissu de soie écarlate. Il déplia l'étoffe odorante sous le regard de son hôte, pour dévoiler un fragment sec et blanc, d'à peine un demi-empan de longueur.

– Savez-vous ce que c'est ?

Avec une réticence manifeste, le *padre* tendit l'objet au médecin, qui l'approcha de la flamme vacillante d'un cierge.

– Il s'agit d'un ossement humain, mon père.

– C'est exact, mon fils.

Bernardo Espina se retrouvait sur un terrain épineux, car ses commentaires témoignaient d'un savoir illicite aux yeux de l'Église, acquis au fil de longues heures passées dans la clandestinité devant une table de dissection. Selon la doctrine chrétienne, cette pratique constituait un péché. Cependant, Espina s'y était initié bien avant son baptême, lors de son apprentissage au côté de Samuel Provo, un médecin juif qui s'adonnait en secret à cette science.

Après un temps de réflexion, il regarda le prieur droit dans les yeux.

– En fait, c'est une section de fémur, l'os le plus long du corps, que l'on pourrait situer vers l'extrémité inférieure, juste au-dessus du genou.

Il soupesa le fragment et l'étudia sous tous les angles avant de conclure :

— Il provient de la jambe droite d'une femme.

— Vous pouvez déterminer cela à partir d'une simple observation ?

— Oui.

— Sachez, mon fils, que cet ossement représente un lien des plus sacrés avec Notre Sauveur.

Une sainte relique !

Jamais Espina n'aurait espéré en voir une d'aussi près.

— Un martyr ?

— *Santa Ana*, répondit posément Sebastián.

Le médecin mit un certain temps à mesurer la portée de cette information. Vraiment ! Sainte Anne, mère de la Vierge Marie ? Assurément non, songea-t-il, sans se rendre compte que, saisi par l'émotion, il prononçait ces mots à voix haute.

— Eh si, mon fils. Cet ossement nous a été envoyé par Son Éminence le cardinal Rodrigo Lancol, et son origine a été certifiée par les plus grands experts de Rome.

Le chirurgien, aux gestes d'ordinaire si sûrs, sentit sa main trembler. Avec précaution, il rendit le fragment au prêtre, puis retomba à genoux pour se signer.

Une fois sorti, Bernado Espina remarqua dans l'enceinte du prieuré la présence d'hommes armés, qui ne portaient pas l'habit des moines.

— Vous n'avez pas vu ce garçon hier soir, quand il était encore en vie, *padre* ? demanda-t-il.

— Non.

Sebastián Alvarez marqua une courte pause, avant de lui expliquer enfin pourquoi il l'avait sollicité.

— Notre couvent avait commandé à l'orfèvre Helkias une belle châsse ciselée en or et en argent, en forme de ciboire, destinée à renfermer notre relique durant quelques années, le temps de trouver les fonds nécessaires pour ériger un véritable sanctuaire digne de sainte Anne.

« Les croquis de l'artisan promettaient un magnifique objet, à la hauteur de sa noble fonction. Le jeune Meïr devait nous le livrer hier soir. D'ailleurs, près de son cadavre, on a retrouvé une sacoche de cuir vide.

« Ses assassins peuvent aussi bien être juifs que chrétiens. Votre profession vous ouvre les portes de nombreuses maisons et de nombreuses existences. En outre, vous êtes chrétien, mais, de par vos origines, vous demeurez aussi juif. J'aimerais donc que vous découvriez l'identité des meurtriers.

Bernardo Espina tenta de masquer son embarras face à l'aplomb monumental de ce religieux, convaincu, à tort, qu'un converti était le bienvenu dans tous les milieux.

– Je suis sans doute la dernière personne à qui vous devriez confier une telle mission, révérend.

– Tel est pourtant mon désir, répliqua le prêtre, avant de poursuivre, avec l'entêtement amer et implacable de ceux qui ont renoncé aux délices de ce monde pour tout miser sur l'au-delà : vous allez démasquer ces scélérats, mon fils, et nous aider à combattre les démons qui déshonorent notre Église. Vous devez accomplir le dessein de Dieu.

2

Un cadeau du ciel

Le *padre* Sebastián ne doutait pas des qualités du frère Julio Pérez, qualités qui, le moment venu, vaudraient au moine de lui succéder à la tête de la communauté. Cependant, ce sacristain à la foi inébranlable témoignait aussi d'une innocence excessive qui le rendait parfois crédule ou trop confiant. En l'occurrence, c'était lui qui avait engagé les six hommes d'armes chargés de patrouiller les terres du monastère et le prêtre trouvait assez préoccupant que, parmi eux, seuls trois leur fussent connus.

Sebastián avait conscience que l'avenir du prieuré de l'Assomption, comme le sien propre, reposait dans le coffret en bois enfermé dans la chapelle. La présence de cette relique l'emplissait de gratitude et d'émerveillement. D'inquiétude, aussi : la détenir représentait à la fois un honneur inestimable et une charge lourde de responsabilités.

Sebastián Alvarez avait eu la révélation de sa sainte mission à Valence, alors qu'il avait à peine douze ans. Par une nuit terrifiante, il s'était brusquement réveillé dans la chambre qu'il partageait avec ses frères, Augustin et Juan Antonio. C'est alors que, se reflétant sur la surface polie d'une aiguière en céramique noire, éclairée par les rayons blafards de la lune, lui était apparue la forme floue de Jésus sur la croix. Il se rendormit jusqu'au matin, d'un sommeil lourd et paisible.

Il s'était bien gardé de relater cette expérience à ses proches. Ses aînés l'auraient raillé pour son imagination trop fertile.

Son père, un baron qui considérait que son lignage et ses terres lui donnaient toute licence de se comporter comme une brute, l'aurait rossé pour sa sottise. Quant à sa mère, il ne pouvait rien attendre d'elle : elle vivait en femme soumise, dans la crainte de son époux, et ne parlait que très rarement à ses enfants.

Jamais Sebastián ne révéla à quiconque que Dieu l'avait choisi, élu, pour recevoir cette vision, et néanmoins ce souvenir resta gravé dans sa mémoire. De ce jour, il manifesta une piété sans faille, qui incita naturellement ses parents à l'orienter vers une carrière cléricale.

Après son ordination, il s'était humblement satisfait des fonctions anodines qu'on lui avait attribuées. Augustin, en qualité de premier-né, avait hérité du titre paternel et des propriétés à Valence. De son côté, Juan Antonio avait fait un excellent mariage à Tolède : son épouse Elienor appartenait en effet à l'illustre famille Borgia, si bien qu'au bout de six ans, par l'intermédiaire de ces puissantes relations, Sebastián fut introduit dans l'archevêché de la ville.

On le nomma bientôt chapelain d'un nouveau monastère hiéronymite et assistant de son supérieur. Dépourvu de ressources, le couvent de l'Assomption ne possédait aucun domaine, à l'exception du lopin sur lequel il se dressait. Mais, moyennant un fermage, les religieux avaient le droit d'exploiter une oliveraie et, par charité, Juan Antonio les autorisait à cultiver des vignes en bordure de ses terres. La communauté ne recevait que peu de donations et n'attirait aucun riche novice désireux de consacrer sa vie à Dieu.

Quand le Seigneur rappela à Lui le supérieur du couvent, Sebastián Alvarez fut élu prieur et accepta cet honneur, même s'il le savait dû – en partie – à sa parenté avec Juan Antonio. Ses cinq premières années à la tête du monastère entamèrent son enthousiasme. Pourtant, malgré la misère noire, il succombait au péché de vanité et se laissait aller à nourrir des rêves plus glorieux.

Après tout, le prestigieux ordre cistercien avait été créé par une poignée d'hommes zélés et indigents. Dès qu'une de leurs communautés comptait soixante moines, douze d'entre eux partaient fonder un nouveau monastère. C'est ainsi que ce courant religieux s'était répandu dans toute l'Europe. Le père Sebastián se disait que son modeste prieuré pouvait connaître un destin aussi florissant, si seulement le ciel lui montrait la voie.

En l'an de grâce 1488, la communauté religieuse de Castille fut honorée par la venue d'un éminent visiteur de Rome. Issu de la famille Borgia, le cardinal Rodrigo Lancol était né près de Séville. Son oncle, le pape Calixte III, l'avait adopté et Rodrigo était devenu un homme redouté, doté d'un pouvoir inouï au sein de l'Église.

Les liens des clans Alvarez et Borgia, amis de longue date, s'étaient renforcés grâce au mariage d'Elienor et de Juan Antonio. Celui-ci figurait déjà parmi les courtisans les plus populaires du royaume et même, disait-on, parmi les favoris de la reine. Or son épouse était la cousine germaine du cardinal Lancol. Sebastián vit donc dans la visite du prélat une chance à saisir.

– Une relique... dit-il à sa belle-sœur.

Il détestait solliciter cette femme, dont il ne supportait pas la prétention, l'hypocrisie et le tempérament tyrannique.

– La relique d'un martyr, même d'un saint mineur. Si Son Éminence pouvait intercéder auprès du pape pour gratifier le prieuré d'un tel objet, cela nous permettrait de sortir de la misère. Je suis certain que, sur votre prière, il nous viendra en aide.

– Je n'oserais pas ! protesta Elienor.

Mais Sebastián se montra de plus en plus pressant, et elle finit par céder. Pour se débarrasser de cet importun, et par amour pour son mari, elle promit à son beau-frère de plaider sa cause auprès de son oncle, Garci Borgia Junez, qui allait héberger Rodrigo Lancol.

Avant de quitter l'Espagne, le cardinal Lancol célébra une messe à laquelle assistèrent tous les moines, prêtres et prélats de la région dans la cathédrale de Tolède. À l'issue de l'office, Sebastián l'aperçut de loin, entouré d'admirateurs, arborant fièrement sa mitre d'évêque, sa crosse majestueuse et son pallium offerts par le pape. Le prieur crut à une seconde apparition.

En la circonstance, il ne fit aucune tentative pour approcher Lancol, Elienor lui ayant assuré que son oncle, Garci Borgia Junez, avait déjà transmis sa requête. Ce dernier avait fait valoir que les chevaliers et soldats de toute l'Europe avaient traversé l'Espagne après chacune des grandes croisades et dépouillé le pays de ses saintes reliques, déterrant les ossements des cimetières et pillant les lieux de culte sur leur passage. Par conséquent, si Son Éminence envoyait un fragment sacré au prêtre espagnol, devenu l'un de ses parents par alliance, cela constituerait une juste réparation qui lui vaudrait d'être adulé en Castille.

Désormais, cette affaire reposait entre les mains de Dieu, et de ses serviteurs, à Rome.

À compter de cet instant, le prêtre vécut dans une attente qui lui sembla interminable. Au début, il osait encore s'imaginer recevant une relique dotée du pouvoir surnaturel d'exaucer les prières des chrétiens et de consoler les affligés. Un tel objet saurait attirer les fidèles et les donateurs des régions les plus lointaines. Le petit prieuré deviendrait un monastère vaste et prospère et lui-même accéderait à la gloire.

Mais à mesure que les jours et les semaines s'écoulaient, il s'efforça d'oublier son rêve. Il avait quasiment perdu tout espoir lorsqu'il fut convoqué aux bureaux de l'archevêché. La serviette, expédiée deux fois par an de Rome à Tolède, venait d'arriver et elle contenait, entre autres choses, un pli scellé pour le *padre* Sebastián Alvarez, du prieuré de l'Assomption.

Le caractère inhabituel de ce message, adressé par les plus hautes instances à un humble prêtre, éveilla la curiosité de l'évêque auxiliaire Guillermo Ramero, qui le tendit à Sebastián. Ramero attendait impatiemment qu'en bon ecclésiastique, respectueux de sa hiérarchie, le prieur l'ouvrît en sa présence pour lui en révéler la teneur. Au grand dam de l'auxiliaire, le *padre* Alvarez prit simplement le paquet et repartit en hâte.

Une fois arrivé au prieuré, il s'isola pour faire sauter le cachet de cire d'une main tremblante. Il s'agissait d'un document intitulé *Translatio Sanctae Annae*. Tout en le parcourant, le religieux s'assit à une table, abasourdi par les mots qu'il déchiffrait. Ils contaient l'histoire d'une dépouille vénérable : celle de la mère de la Sainte Vierge.

Hanna la Juive, épouse de Joachim, morte à Nazareth, où on l'avait inhumée, était révérée par les chrétiens depuis l'aube de leur histoire. Peu après son décès, deux de ses cousines, l'une comme l'autre prénommées Marie, ainsi qu'un parent plus lointain, Maximin, avaient quitté la Terre sainte pour répandre la bonne parole en pays étranger. Avant leur départ, des disciples leur avaient offert un coffret de bois qui contenait des ossements de la mère de sainte Marie. Nos voyageurs avaient traversé la Méditerranée et débarqué à Marseille. Là, les deux femmes s'étaient installées dans un village de pêcheurs afin d'accomplir leur œuvre de prosélytisme. Or cette région côtière étant la proie de fréquentes invasions, Maximin, chargé de mettre le coffret en lieu sûr, poursuivit son chemin jusqu'à Apt, où il déposa les reliques.

Elles allaient y demeurer pendant des centaines d'années. Au VIII⁰ siècle, le roi des Francs, que ses soldats surnommaient Carolus Magnus – Charlemagne –, se rendit dans cette ville et lut avec effarement l'inscription figurant sur la châsse : « Ici reposent les vestiges de sainte Anne, mère de la Glorieuse Vierge Marie. »

Le souverain guerrier sortit les ossements de l'étoffe mitée qui les protégeait et ressentit, au travers de ce contact physique, la présence même de Dieu. Il ordonna qu'on fît un inventaire de ces fragments, dont il envoya une copie au pape. Il en offrit quelques-uns à ses amis les plus proches, en conserva certains, qu'il expédia à Aix-la-Chapelle, et laissa le reste sous la garde de l'évêque d'Apt et de ses successeurs. En l'an 800, à l'issue de décennies où il déploya son génie militaire, il fut sacré empereur d'Occident. Et pour l'occasion, il fit broder sur sa robe l'effigie de sainte Anne.

Entre-temps, les trois autres reliques de la sainte subsistant à Nazareth avaient été extraites de leur sépulcre et confiées au Saint-Père. Elles dormirent plus de cent ans dans les catacombes romaines. En 830, un certain Duesdona, trafiquant d'objets sacrés et diacre de l'Église, perpétra un pillage complet de cet ossuaire et livra le butin aux monastères allemands de Fulda et de Mulheim, auxquels il vendit, entre autres, les restes de saint Sébastien, saint Fabien, saint Alexandre, sainte Félicité, saint Félicien et saint Urbain. Cependant, pour une raison inconnue, il négligea d'emporter avec lui les trois fragments de sainte Anne qui, une fois l'outrage découvert, furent transférés par les autorités religieuses et conservés en sécurité dans une resserre durant des siècles.

C'était l'une de ces trois précieuses reliques que le *padre* Sebastián devait recevoir.

Pour témoigner de sa gratitude face à ce présent inestimable, Sebastián passa vingt-quatre heures à rendre grâce, agenouillé dans la chapelle, sans boire ni manger. Lorsqu'il tenta de se relever, il ne sentait plus ses jambes et on dut le transporter dans sa cellule. Finalement, lorsque Dieu lui eut redonné des forces, il s'en fut trouver Juan Antonio et Garci Borgia pour leur montrer la *Translatio*. Ces derniers consentirent à financer la confection d'un reliquaire en attendant l'érection d'un sanctuaire approprié. Ils passèrent donc en revue les plus prestigieux artisans susceptibles de façonner un tel ouvrage et Juan Antonio suggéra de s'adresser à Helkias Toledano, un orfèvre juif réputé pour l'originalité de ses modèles et la finesse de son exécution.

Sebastián s'était entretenu avec l'artisan concernant la conception du reliquaire et ils étaient convenus d'un prix. Du reste, le prêtre trouvait séduisante l'idée de convertir cette âme juive au culte du Christ par le truchement d'un travail à la gloire du Sauveur.

Les croquis d'Helkias confirmaient le talent exceptionnel de ce maître. La coupe, le socle carré et le couvercle seraient confectionnés en argent massif poli. Sur la gauche, deux figurines de femmes en filigrane d'argent, vues de dos, représenteraient la mère de la Vierge ainsi que Marie elle-même, encore adolescente et reconnaissable grâce à son auréole. À l'opposé, un crucifix, en argent massif lui aussi, au pied duquel figurerait l'Enfant Jésus, symboliserait l'avènement de la nouvelle religion qui allait voir le jour bien après la mort de Hanna. Le ciboire entier serait orné de plantes caractéristiques de l'univers de sainte Anne : raisins et olives, grenades et dattes, figues et froment, orge et épeautre.

Le *padre* Sebastián redoutait la réaction des deux donateurs, qui auraient pu désapprouver ce projet et imposer leurs propres idées. Mais pour son plus grand plaisir, Juan Antonio et Garci Borgia se montrèrent fortement impressionnés par les dessins de l'artisan.

Néanmoins, au bout de quelques semaines, le prieur s'aperçut que la nouvelle de la bonne fortune du prieuré s'était propagée. Selon toute vraisemblance, une personne bien informée de son entourage – peut-être l'orfèvre ou l'un des deux mécènes, à moins qu'il ne se fût agi d'une indiscrétion émanant de Rome – avait divulgué la chose.

Sebastián remarqua que certains membres de la communauté religieuse de Tolède, avec qui il n'avait pas eu maille à partir jusqu'alors, lui jetaient des regards chargés de malveillance. Il reçut ainsi la visite de l'évêque auxiliaire Guillermo Ramero, venu au monastère pour en inspecter la chapelle, la cuisine et les cellules.

– L'Eucharistie est le corps même du Christ, déclara-t-il à Sebastián à brûle-pourpoint. Quelle relique pourrait rivaliser avec cela ?

– Aucune, Votre Excellence, répondit humblement le prêtre.

– Si un fragment ayant appartenu à la Sainte Famille devait être offert à la ville de Tolède, il conviendrait de le mettre sous la garde de l'archevêché, et non pas d'une institution subalterne.

Cette fois, le prieur se contenta de fixer son interlocuteur droit dans les yeux avec une expression péremptoire d'où avait disparu toute modestie. Ramero émit un grognement irrité avant de repartir avec sa suite.

Bientôt, il devint évident que le secret était bel et bien éventé, y compris parmi les moines et les novices du prieuré. En effet, lorsque le *padre* Sebastián se décida enfin à mettre frère Julio dans la confidence, il s'aperçut que ce dernier savait déjà le fin mot de l'histoire grâce à l'un de ses cousins, cha- noine au chapitre du diocèse.

Le parent du sacristain lui avait d'ailleurs expliqué que, depuis que la rumeur s'était répandue, les divers courants reli- gieux se préparaient à une action radicale. Les franciscains et les bénédictins avaient dépêché de virulents messages de pro- testation à Rome. Les cisterciens, furieux qu'un ossement de la vénérable mère de la Sainte Vierge se retrouvât chez les hiéronymites, avaient trouvé un dignitaire prêt à plaider leur cause auprès du Saint-Siège. Même au sein de l'ordre de Saint- Jérôme, on disait qu'un fragment d'une telle importance ne devait pas revenir à un prieuré aussi misérable.

Dès lors, il était clair pour le père Sebastián et le frère Julio que le moindre incident empêchant la livraison de la relique mettrait le prieuré dans une position des plus précaires, et les deux hommes passaient de nombreuses heures agenouillés, en prière.

Par une chaude journée d'été, un homme barbu, vêtu aussi pauvrement qu'un *peón*, arriva au prieuré de l'Assomption, au moment où l'on servait la *sopa boba*. Il avala le bouillon avec autant d'avidité que ses commensaux dépenaillés, puis demanda à voir le père Sebastián Alvarez. Une fois seul avec lui, il déclina enfin son identité. Il s'appelait le *padre* Tullio Brea et venait du Saint-Siège de Rome pour transmettre la bénédiction de Son Éminence le cardinal Rodrigo Lancol. Sur ces mots, il tira de son baluchon élimé un petit coffret en bois, contenant l'étoffe de soie parfumée couleur sang qui envelop- pait l'ossement sacré.

Tullio Brea resta au prieuré seulement jusqu'aux vêpres. À peine l'office achevé, il disparut aussi discrètement qu'il était arrivé et reprit son chemin dans l'obscurité.

Après son départ, Sebastián songea, avec un peu d'envie, à la liberté de cet homme qui servait Dieu en parcourant le monde incognito. Il loua aussi l'intelligence et la sagesse de sa hiérarchie, qui avait choisi un émissaire discret et sans escorte pour livrer un présent aussi précieux. Il décida donc de suivre cet exemple et fit savoir au juif Helkias qu'une fois le reliquaire terminé, il devrait être porté au monastère à la nuit tombée, et par un messager solitaire.

C'est ainsi que l'orfèvre lui envoya son fils, qui, comme celui de Dieu, connut le sacrifice suprême. Le jeune Meïr n'était pas chrétien et ne pouvait donc prétendre au paradis, mais le *padre* Sebastián invoqua le Seigneur pour le salut de son âme. Son assassinat, doublé du vol du coffret, révélait la détermination de ceux qui convoitaient la relique. Le prêtre pria également pour la réussite du médecin à qui il avait confié la sainte mission de les démasquer.

3

Un juif chrétien

« Le père prieur est l'un des êtres les plus dangereux qui soient : un sage susceptible de se conduire comme un fou », se disait Bernardo Espina, furieux, en reprenant sa route. En effet, le médecin savait qu'il était la personne la moins indiquée pour glaner des informations auprès des juifs comme des chrétiens, car son statut de *converso* lui attirait le dédain des fidèles des deux religions.

Il connaissait bien l'histoire de ses aïeux. Selon la légende, son premier ancêtre à s'installer en Ibérie était jadis prêtre au Temple de Salomon. Comme beaucoup de leurs semblables, les Espina avaient survécu à la domination des rois wisigoths, puis des conquérants maures et chrétiens, en respectant scrupuleusement la nation qui les accueillait et ses lois monarchiques, ainsi que le professaient les rabbins.

Au fil du temps, les juifs s'étaient hissés aux échelons les plus élevés de la société espagnole. Ils avaient servi les souverains successifs en qualité de vizirs et prospéré dans les métiers de médecins, diplomates, prêteurs, financiers, marchands, collecteurs d'impôts, fermiers et artisans. Parallèlement, chaque génération avait subi des massacres, vivement cautionnés – sinon encouragés – par l'Église.

« Les juifs sont influents et dangereux. Ils sèment le doute parmi les chrétiens », avait sévèrement déclaré à Bernardo le prêtre qui l'avait baptisé.

Depuis leur création, les membres des ordres mendiants, dominicains et franciscains confondus, avaient incité le petit peuple – *el pueblo menudo* – à nourrir envers les Israélites une haine implacable. Après l'extermination de cinquante mille juifs en 1391, des centaines de milliers d'entre eux avaient embrassé la religion du Christ pour sauver leur vie ou pour préserver leur statut dans une société qui leur était violemment hostile. Même si d'aucuns, comme Espina, vouaient un culte sincère à Jésus, beaucoup de ces soi-disant catholiques continuaient, en secret, à vénérer le Dieu de l'Ancien Testament. Le phénomène avait pris de l'ampleur, à telle enseigne qu'en 1478 le pape Sixte IV avait approuvé l'établissement d'une Sainte Inquisition pour démasquer et anéantir ces faux chrétiens.

Certains juifs appelaient les convertis *los Marranos*, « les porcs », car ils les vouaient à la damnation éternelle, sans aucune chance de ressusciter lors du Jugement dernier. D'autres, plus charitables, les qualifiaient d'*anousim* – « contraints » en hébreu –, sous-entendant que le Seigneur pardonnait à ceux que l'on avait forcés à abjurer leur foi et qu'Il comprenait leur désir de survivre.

Espina ne relevait pas de cette catégorie. Dès l'enfance, intrigué par Jésus, il contemplait à la dérobée, par les portes entrouvertes de la cathédrale, le personnage crucifié que son père et d'autres désignaient parfois comme « le pendu ». Jeune apprenti médecin, cherchant à soulager l'humanité de ses maux, il avait été sensible à la souffrance du Christ, et son intérêt initial pour le Sauveur s'était mué en une foi brûlante, puis en un désir d'accéder lui-même à cette pureté chrétienne, à cet état de grâce qui – il en avait la certitude – dépassait de loin l'amour qu'un homme pouvait porter à une femme.

Il se convertit au catholicisme à l'âge de vingt-deux ans, un an après avoir obtenu son titre de docteur. Sa famille avait porté le deuil et récité le Kaddish, la prière des morts. Son père, Jacob Espina, jadis rempli d'affection et de fierté à son égard, ne lui adressait plus la parole et feignait de ne pas le reconnaître quand il le croisait dans la rue. Il mourut la même année et Bernardo n'apprit son décès qu'une semaine après ses funérailles. Le jeune homme dit une neuvaine pour le salut de son âme, mais ne put s'empêcher de dire également la prière juive des défunts, pleurant seul dans sa chambre, privé de la présence réconfortante de ses coreligionnaires d'autrefois.

Les *conversos* riches ou notables étaient acceptés par la noblesse et la classe moyenne et nombre d'entre eux épousèrent d'« anciens chrétiens ». Bernardo Espina lui-même s'unit à Estrella de Aranda, issue d'une lignée aristocratique. Dans ses premiers élans d'optimisme, dus à son intégration au sein de sa belle-famille et à sa nouvelle ferveur religieuse, il avait nourri l'espoir illusoire que ses patients l'accueilleraient comme un des leurs, comme un « juif accompli » qui avait reconnu leur Messie. Il ne fut toutefois pas trop surpris de constater que sa conversion n'avait en rien diminué leur mépris.

La raison en était peut-être que, quelques décennies avant sa naissance, les magistrats de Tolède avaient édicté le décret suivant : « Nous déclarons que, conformément à la loi, les prétendus convertis, descendants de pervers ancêtres juifs, doivent être considérés comme infâmes et ignominieux, incompétents et indignes d'occuper une quelconque fonction publique au sein de la cité de Tolède et dans tous les territoires relevant de sa juridiction ou d'exercer la moindre autorité sur les vrais chrétiens de la Sainte Église catholique. »

La région abritait de multiples communautés monastiques, certaines excessivement modestes, telles que le prieuré de l'Assomption, d'autres aussi vastes qu'un petit village. Sous la monarchie catholique, la vocation religieuse séduisait de nombreux individus, issus de toutes les classes sociales. Au sein de la noblesse, les fils cadets ou *segundones*, exclus de l'héritage paternel par la loi du majorat, s'orientaient vers une carrière ecclésiastique, où ils pouvaient espérer une promotion rapide grâce à leurs accointances. De même, les plus jeunes sœurs d'une fratrie entraient souvent au couvent, en raison des dots excessives exigées pour le mariage et consacrées en priorité à leurs aînées. Les plus démunis, quant à eux, se tournaient vers le monachisme, qui, au travers d'une prébende ou d'un bénéfice, constituait leur seule chance d'échapper à la pauvreté et au servage.

Cet essor des divers courants spirituels avait entraîné une compétition féroce entre eux pour obtenir un soutien financier. Ainsi, la relique de sainte Anne pouvait assurer l'avenir du prieuré de l'Assomption, mais le *padre* Sebastián avait aussi parlé à Bernardo Espina de la convoitise et des stratagèmes dont elle faisait l'objet parmi les bénédictins, les franciscains, les hiéronymites et qui sait combien d'autres. Le médecin craignait donc de se retrouver pris entre plusieurs factions puissantes, qui n'hésiteraient pas à l'écraser ou à lui infliger le même sort qu'à Meïr Toledano.

Espina entreprit d'abord de reconstituer les faits et gestes du jeune homme au cours des dernières heures précédant son assassinat.

La demeure d'Helkias Toledano se trouvait dans un hameau construit entre deux synagogues. La plus importante ayant été réquisitionnée par l'Église, les juifs priaient désormais dans le petit temple Samuel Ha-Levi, dont la magnificence remontait à des temps plus fastes.

La communauté israélite était assez restreinte et tout le monde savait qui avait renié sa foi, qui prétendait l'avoir fait et qui avait refusé le baptême. Ses membres ne frayaient pas avec les « nouveaux chrétiens », sauf en cas d'absolue nécessité. C'est ainsi que, quatre ans auparavant, l'orfèvre avait consulté le docteur Espina car son épouse Esther, une femme pieuse issue d'une prestigieuse lignée de rabbins, dépérissait à vue d'œil. En désespoir de cause, l'artisan avait donc fait appel au médecin renégat, qui avait tout tenté pour la soigner et imploré Jésus de l'épargner. Le Seigneur ne l'avait pas exaucé.

À présent, Bernardo passait sans s'arrêter devant la demeure de l'infortuné Helkias, conscient que, sous peu, deux moines du prieuré de l'Assomption y conduiraient, chargé sur un âne, le corps de son fils aîné.

Les deux synagogues avaient été érigées des siècles auparavant par les premières générations de juifs, qui, conformément au précepte antique selon lequel un lieu de culte devait être bâti sur le site le plus haut du village, avaient choisi le sommet des falaises abruptes surplombant le Tage. La jument du médecin cheminait nerveusement trop près du bord.

– Sainte Mère de Dieu ! s'écria-t-il en tirant sur les rênes.

Il sourit malgré lui à ce juron et repensa à la précieuse relique : la grand-mère du Sauveur elle-même, c'était incroyable !

Puis il imagina Meïr ben Helkias en ce lieu, attendant avec impatience la tombée de la nuit. Le jeune homme devait avoir l'habitude d'effectuer ce trajet dans l'obscurité. Espina se rappelait les nombreuses fois où, le samedi soir, en compagnie de son père, il était lui-même venu sur ces hauteurs, au crépuscule, guetter l'apparition dans le ciel des trois premières étoiles marquant la fin du Shabbat.

Il chassa aussitôt cette pensée de son esprit, comme il avait coutume d'occulter tous ses souvenirs de jeunesse.

Certes, Helkias s'était montré avisé d'envoyer un adolescent de quinze ans, seul, pour livrer le reliquaire. Un garçon à l'allure insignifiante, portant une banale besace de cuir, avait plus de chances de passer inaperçu qu'un émissaire armé, qui aurait attiré l'attention sur un éventuel trésor.

Hélas, cette précaution n'avait pas suffi.

Bernardo descendit de selle et tira sa monture sur le sentier escarpé. Juste en bordure de la falaise se trouvait un abri de pierre, construit autrefois par des soldats romains pour précipiter dans le fleuve les condamnés à mort. Les garçons de Tolède évitaient cet endroit la nuit, car, selon la légende, on y entendait le gémissement des défunts.

Lorsque le passage se fit moins pentu et plus praticable, il remonta sur sa jument afin de se diriger vers la rive. Il dépassa le pont d'Alcántara, que le jeune homme n'avait sans doute pas emprunté, traversa la rivière au niveau du gré, un peu plus en aval, et rejoignit le chemin menant au prieuré de l'Assomption. La zone qu'il parcourait était aride et le sol n'offrait guère plus qu'une maigre pâture. Il entendit des bêlements et aperçut un large troupeau en train de brouter, sous l'œil distrait de son berger, Diego Diaz.

— *Buenas tardes*, señor Bernardo.

— *Buenas tardes*, señor Diaz.

Espina mit pied à terre et laissa sa jument paître avec les moutons.

— Dites-moi, Diego, connaissez-vous le dénommé Meïr, fils d'Helkias le juif ?

— Le neveu d'Aron Toledano, le fromager ?

— Précisément. Quand l'avez-vous vu pour la dernière fois ?

— Hier soir, assez tôt. Il livrait des fromages pour son oncle et, contre un *sueldo* seulement, il m'en a vendu un que j'ai mangé pour mon petit déjeuner de ce matin. Il était tellement bon que je regrette de ne pas lui en avoir pris deux.

Il fit une pause, puis jeta un regard interrogateur à Espina.

— Pourquoi le recherchez-vous ? Il a fait quelque chose de mal ?

— Non, non, pas du tout.

— Ah ! vous me rassurez ! Ce petit juif n'est pas un coquin.

— Et vous avez rencontré quelqu'un d'autre dans les parages hier soir ?

Le berger raconta alors au médecin que, peu après le départ de l'adolescent, deux cavaliers étaient passés sans même le saluer et avaient manqué de le renverser.

— Deux, dites-vous ?

Bernardo savait qu'il pouvait se fier à la précision du vieil homme. Il avait dû lui paraître étonnant de croiser des voyageurs armés dans la nuit sans se faire voler un agneau ou deux.

— La lune était haute et j'ai pu voir un homme d'armes – sûrement un chevalier, car il portait une cotte de mailles assez raffinée –, accompagné d'un prêtre ou d'un moine, dont je n'ai pas bien distingué la robe, mais qui avait le visage... comment dire ?... le visage d'un saint.

— Je ne comprends pas.

— En fait, il avait la beauté de ceux qui ont été touchés par la grâce : on aurait dit la face d'un saint.

En prononçant ces mots, il se signa. Puis il grogna en remarquant que quatre moutons s'éloignaient un peu, et courut envoyer son chien à leurs trousses.

Curieux, pensa Bernardo. Un visage touché par la grâce ?

Il remonta sur sa jument.

– Le Christ soit avec vous, señor Diaz.

– Le Christ soit avec vous, señor Espina, lui répondit le berger avec une moue sarcastique.

Un peu plus loin s'étendaient des terres riches et fertiles. Bernardo traversa des vignes et plusieurs champs. Dans celui qui jouxtait l'oliveraie du prieuré, il fit halte et attacha sa jument à un buisson. L'herbe avait été foulée et les traces de sabots confirmaient les dires du berger : elles attestaient bien de la présence de deux chevaux différents.

Quelqu'un avait sans doute eu vent de la commande passée à l'orfèvre et, sachant son ouvrage presque terminé, avait surveillé sa maison pour guetter le moment de la livraison. Et c'était là que l'agression s'était produite. Personne n'avait pu entendre les cris de Meïr. L'oliveraie se trouvait dans une zone inhabitée, à bonne distance du monastère.

Du sang marquait l'endroit où l'adolescent avait probablement été blessé au côté par une lance.

Le long de cette piste piétinée que Bernardo arpentait à pas lents, les cavaliers avaient poursuivi Meïr ben Helkias et l'avaient frappé dans le dos.

Ici, ils s'étaient emparés du sac de cuir et de son précieux contenu, abandonnant deux fromages blanchâtres, l'un encore intact et l'autre écrasé, semblables à ceux que Diego avait décrits. Les fourmis en faisaient à présent leur festin.

Ensuite, ils avaient forcé le garçon à sortir du sentier et à chercher refuge sous les oliviers, où ils l'avaient attrapé puis violenté, avant de lui trancher la gorge.

Bernardo se sentit en proie à une subite faiblesse. Son enfance n'était pas si lointaine et il n'avait pas oublié sa crainte et son appréhension face à des étrangers armés, sa terreur due à la cruauté dont il pouvait être la cible. Ces émotions resurgissaient en lui, aussi vivaces que jadis.

Il se mit à la place de Meïr. Il entendait ses assaillants, respirait leur odeur, voyait approcher ces ombres menaçantes.

Ces grands chevaux se dirigeant sur lui dans l'obscurité.

La traque.

Le viol.

Les lames tranchantes lacérant sa peau, pénétrant sa chair.

Espina chancela sous le soleil couchant, se dirigea machinalement vers sa jument et s'enfuit de ce lieu maudit avant la tombée de la nuit.

4

L'interrogatoire

Espina comprit vite qu'il ne pourrait glaner qu'une quantité très limitée d'informations concernant le meurtre du jeune homme et le vol du ciboire. Les maigres indices dont il disposait provenaient de son examen du cadavre, de sa conversation avec le berger et de son inspection du lieu du crime. Au bout d'une semaine passée à écumer la ville, il se retrouvait bredouille et regrettait d'avoir négligé ses patients. Il se replongea donc dans son travail quotidien, plus sûr et plus gratifiant.

Neuf jours après sa convocation au prieuré de l'Assomption, il décida de rendre visite au *padre* Sebastián : il souhaitait l'informer du caractère peu fructueux de ses recherches et invoquer ce prétexte pour mettre un terme à sa mission.

Le temps s'était un peu rafraîchi. Son dernier malade était un vieillard décharné, qui souffrait de difficultés respiratoires. En posant son oreille sur la maigre poitrine, Espina entendit un raclement attestant de graves problèmes pulmonaires et ne laissant aucun espoir de guérison. Il recherchait dans sa pharmacopée une infusion qui, faute d'être curative, adoucirait son agonie, lorsque deux hommes armés, d'apparence négligée, entrèrent dans le dispensaire, la démarche conquérante, tels les nouveaux propriétaires des lieux.

Ils se présentèrent comme des soldats de l'*alguacil*, le bailli de Tolède.

Le premier, courtaud, au torse bombé et à l'expression faussement affable, prit la parole :

– Bernardo Espina ?

– C'est moi. En quoi puis-je vous être utile, señor *?*

– Il faut que vous veniez avec nous toutes affaires cessantes.

– Que se passe-t-il ?

– Le Saint-Office requiert votre présence.

– Le Saint-Office ?

Le médecin tenta de garder son calme.

– Très bien. Je vous prie d'attendre dehors. J'en aurai terminé avec ce monsieur dans un court instant.

– C'est hors de question. Vous devez nous suivre sans plus attendre, lança le second homme d'une voix ferme.

Espina se dirigea vers la porte et appela Joan Pablo, son homme à tout faire, qui bavardait avec le fils du vieillard sous le porche.

– Va dire à la señora de préparer du vin frais et du pain avec de l'huile et du miel pour ces hôtes.

Les deux visiteurs se regardèrent. Le plus petit acquiesça. Son compagnon demeura inexpressif, mais n'émit pas d'objection.

Bernardo versa la potion destinée au malade dans une petite fiole en terre qu'il reboucha. Il finissait de donner ses instructions au fils du mourant quand son épouse arriva en courant, suivie par une domestique portant la collation demandée. Le visage d'Estrella se figea lorsqu'il lui expliqua ce qui se passait.

– Mais que peut donc te vouloir l'Inquisition ?

– Ils ont sans doute besoin d'un médecin, répondit-il, et cette pensée les apaisa tous les deux.

Tandis que les gardes se sustentaient, Joan Pablo sella la jument de son maître.

Fort heureusement, les enfants de Bernardo se trouvaient chez un voisin, où un moine leur enseignait le catéchisme chaque semaine. Au moins, ils ne le verraient pas partir, tel un criminel, flanqué de ces deux cavaliers en armes.

Des ecclésiastiques en robe noire passaient dans le corridor où Bernado Espina attendait assis sur un banc de bois. De temps en temps, un garde escortait un homme ou une femme, au visage blafard, qui prenait place dans le couloir ou disparaissait dans le bâtiment pour ne plus revenir.

Au crépuscule, une fois les torches allumées, Bernardo se décida à se lever pour parler à un vigile, installé derrière une petite table. Il lui demanda qui il devait voir. En guise de réponse, son vis-à-vis lui adressa un regard absent et lui fit signe de se rasseoir.

Au bout d'un moment, un autre soldat vint trouver le vigile.

– Celui-là est pour *fray* Bonestruca, les entendit-il murmurer.

Espina était né à Tolède et y avait passé toute sa vie. Comme le prieur l'avait fait remarquer, en qualité de médecin il connaissait bon nombre de ses habitants, religieux ou laïcs. Pourtant le nom de Bonestruca n'évoquait rien de familier.

Un garde apparut enfin, qui demanda à Bernardo de le suivre dans un dédale de corridors, jusqu'à une petite cellule éclairée par une torche. Un moine l'y attendait. Ce dernier devait être récemment arrivé à l'évêché de Tolède, car, si Espina l'avait croisé ne fût-ce qu'une fois dans la rue, il s'en serait souvenu : une masse de cheveux épais et noirs, longs et mal coupés, un front large, des sourcils noirs, de très grands yeux marron, un nez aquilin, une bouche large aux lèvres fines et un menton carré à la fossette prononcée se combinaient en un visage extraordinaire.

Le visage d'un saint, avait dit Diego Diaz.

Pourtant, il ne ressemblait en rien à celui de Jésus, tel que Bernardo l'avait admiré dans les statues et les peintures des églises. De prime abord, cette physionomie dégageait une forme de réconfort et de piété, qui semblaient refléter l'essence même de la bonté divine. Mais lorsque Espina croisa le regard de l'homme, il y lut une froideur redoutable, qui lui fit perdre ses moyens.

– Vous avez interrogé des gens au sujet d'un reliquaire récemment dérobé au juif Helkias, déclara Bonestruca de but en blanc. En quoi cette affaire vous intéresse-t-elle ?

– Je... C'est-à-dire que... le prieur Sebastián Alvarez... m'a demandé d'enquêter sur la disparition du reliquaire et sur la mort du garçon chargé de le livrer.

– Et qu'avez-vous découvert ?

36

Le religieux avait prononcé ces paroles sur un ton encourageant, presque amical, qui rasséréna quelque peu le médecin.

— L'adolescent en question était le fils de l'orfèvre.

— Oui, j'ai entendu dire cela. Quoi d'autre ?

— Rien de plus.

Bonestruca s'adossa à son siège et croisa ses longs doigts sur son habit noir.

— Depuis combien de temps exercez-vous en qualité de médecin ?

— Depuis onze ans.

— Vous avez fait votre apprentissage ici ?

— Oui, ici même, à Tolède.

Espina sentit sa bouche s'assécher.

— Chez le maître Samuel Provo, ajouta-t-il.

— Ah oui, Samuel Provo. J'ai entendu parler de lui, dit le frère sur un ton anodin. Un grand médecin, non ?

— Oui, un praticien de renom.

— C'était un juif.

— Oui.

— Combien d'enfants a-t-il circoncis, à votre avis ?

Bernardo baissa les paupières et prit son temps avant de répondre :

— Il ne pratiquait pas la circoncision.

— Et combien de bébés avez-vous circoncis en un an ?

— Aucun.

— Allons, allons, poursuivit le moine patiemment. Combien de ces opérations avez-vous effectuées, non seulement sur des juifs, mais aussi, peut-être, sur des Maures ?

— Je n'ai jamais rien fait de tel. Au fil des années, il est vrai que j'ai procédé à quelques ablations de prépuces, mais il s'agissait d'actes purement chirurgicaux. Vous comprenez, lorsqu'on ne nettoie pas régulièrement ou correctement le sexe d'un enfant, cela provoque une inflammation parfois purulente, à laquelle il faut remédier. Cela étant, chez les juifs comme chez les Maures, cette intervention est confiée à des religieux et accompagnée de rituels particuliers.

— Et lors de ces opérations, vous ne récitiez aucune prière ?

— Non.

— Pas même un *Pater Noster* ?

— Je prie chaque jour pour le rétablissement de mes patients et l'accomplissement de ma mission, révérend.

— Vous êtes marié, señor *?*

— Oui.

— Comment s'appelle votre épouse ?

— Señora Estrella de Aranda.

— Des enfants ?

— Trois, deux filles et un fils.

— Votre femme et vos enfants sont catholiques ?

— Oui.

— Et vous êtes juif, non ?

— Non ! Je suis chrétien depuis onze ans. Et totalement dévoué au Christ !

La beauté de cet homme rendait encore plus terrifiant son regard, à présent cynique, qui semblait pénétrer jusqu'au tréfonds de l'âme, comme s'il connaissait les moindres failles, les moindres fautes d'Espina.

Soudain, il frappa dans ses mains pour appeler le garde qui attendait derrière la porte. Bonestruca lui signifia, d'un léger signe de la main, de reconduire son interlocuteur.

Le garde escorta Bernardo Espina le long des couloirs et des escaliers abrupts.

Doux Jésus, Vous savez que j'ai essayé, Vous savez...

Dans les sous-sols du bâtiment se trouvaient les salles où les détenus étaient interrogés. Pour les faire parler, on employait le *potro*, un cadre triangulaire sur lequel on écartelait le prisonnier pour disloquer ses articulations, ou la *toca*, qui consistait à enfoncer un linge dans la gorge et à verser de l'eau, jusqu'à ce que la suffocation entraîne des aveux ou le trépas.

Seigneur, je Te supplie... je T'implore...

Son appel fut peut-être entendu. Lorsqu'il atteignit la sortie, le soldat lui enjoignit de rejoindre sa jument et de rentrer chez lui.

Il repartit au pas, pour prendre le temps de se ressaisir et de pouvoir rassurer Estrella sans trahir son angoisse.

II

Le deuxième fils

Tolède, Castille
Le 30 mars 1492

5

Yonah Ben Helkias

— Je vais emmener Eléazar à la rivière. Nous attraperons peut-être du poisson pour le dîner. D'accord, *abba*[1] ?

— Tu en as terminé avec le polissage ?

— Presque.

— Presque ou tout à fait ? Un travail est fini ou il ne l'est pas.

Helkias avait prononcé cette phrase sur le ton froid qui blessait toujours Yonah. Parfois, ce dernier avait envie de soutenir le regard indifférent de son père et de lui dire : Meïr est mort, mais Eléazar et moi, nous sommes toujours vivants. Nous existons aussi.

Il lui restait encore une demi-douzaine d'objets massifs à polir. À contrecœur, il trempa son chiffon dans la mixture épaisse et nauséabonde, composée d'urine et de fiente réduite en poudre, et se remit à frotter sans relâche.

Il avait appris le goût de l'amertume très tôt, depuis la mort de sa mère. L'assassinat de son frère avait constitué une épreuve plus douloureuse encore, parce qu'il était alors en âge de comprendre le caractère irrévocable de cette perte. Il avait plus de treize ans et était considéré, selon la loi hébraïque, comme un homme adulte.

Bien plus que cette majorité religieuse, l'adversité l'avait fait mûrir de manière précoce. Il avait dû affronter la mort de

_____
1. « Papa » en hébreu. *(N.d.T.)*

41

sa mère puis celle de son frère aîné, et surtout l'abattement de son père, jadis si fort, à présent comme insensibilisé par l'affliction, en proie à un vide affectif terrible que le garçon ne savait comment combler.

On ignorait tout des assassins de Meïr. Quelques semaines après le meurtre, Helkias avait entendu dire que le docteur Espina enquêtait sur ce funeste événement. En compagnie de Yonah, il s'était donc rendu chez lui, mais ils avaient trouvé sa maison abandonnée. Joan Pablo, l'ancien domestique du médecin, emportait ce qui restait des meubles.

– Mon maître est parti avec sa femme et ses enfants, leur avait-il annoncé.

– Où ?

– Aucune idée.

Alors, l'orfèvre était allé au couvent de l'Assomption pour s'entretenir avec le père Alvarez. En y arrivant, il avait cru un instant s'être trompé de chemin. Derrière le portail s'alignaient des chariots, à côté desquels trois femmes piétinaient des grappes rouges dans une grande cuve. Par la porte de l'ancienne chapelle, Helkias avait aperçu des paniers d'olives et de raisins.

L'une des ouvrières lui apprit qu'on avait fermé le monastère et que l'ordre hiéronymite avait loué la propriété à un fermier.

Interrogée sur le sort du *padre* Sebastián, elle avait souri et haussé les épaules, sans cesser son ouvrage.

Yonah faisait tout son possible pour assumer les responsabilités de Meïr, même si, à l'évidence, il se révélait incapable de le remplacer, en tant qu'apprenti orfèvre, en tant que fils ou en tant qu'aîné. Le regard morne de son père amplifiait son propre chagrin. Trois printemps s'étaient écoulés depuis la mort de son frère, mais il vivait dans une demeure irrémédiablement marquée par le deuil.

En soupirant, il regarda devant lui les cruches à vin noircies qu'il lui fallait encore astiquer quand son père parut soudain se rappeler la question qu'il lui avait posée une demi-heure auparavant.

– Tu n'iras pas à la rivière. Va chercher Eléazar et ne vous éloignez pas de la maison. Ce n'est pas le moment, pour nous autres juifs, de courir de risque.

C'était Yonah qui s'occupait d'Eléazar, un charmant garçonnet de sept ans aux joues roses et au regard tendre. Il entretenait le souvenir de leur frère disparu en lui racontant des histoires à son sujet et en lui jouant des mélodies sur les trois cordes de sa guitare mauresque. Il lui avait d'ailleurs promis de l'initier à cet instrument, comme Meïr l'avait fait avec lui.

Le petit s'amusait à la guerre, au moyen de pierres et de branches, quand il le rejoignit.

– Dis, Yonah, tu m'apprends à faire de la musique ?

– Pas maintenant.

– Tu vas à la rivière ? Je peux venir avec toi ?

– Non, nous avons du travail, répondit Yonah, adoptant de manière inconsciente les intonations sévères de son père.

Tous deux étaient assis dans un coin, à polir l'argenterie, lorsque David Mendoza et le rabbin José Ortega pénétrèrent dans l'atelier. Les deux hommes formaient un assemblage pour le moins insolite : d'un côté, le robuste maçon d'âge mûr, au teint gris et à la bouche édentée, de l'autre, le chétif rabbin, à la belle chevelure blanche et au visage noble.

– Des nouvelles ? demanda Helkias.

Mendoza secoua la tête.

– Ça va de plus en plus mal. Il devient dangereux de sortir en ville.

Trois mois auparavant, l'Inquisition avait exécuté cinq juifs et six *conversos*, accusés de magie noire, ou, plus précisément, d'avoir crucifié un jeune catholique onze ans plus tôt, dans le dessein d'utiliser son cœur, ainsi qu'une hostie volée pour jeter un sort et précipiter les chrétiens dans la folie. Naturellement, on n'avait jamais retrouvé le garçon sacrifié, mais certains des inculpés avaient avoué leur crime sous la torture, et tous – y compris les effigies des trois prétendus conjurés qui avaient succombé pendant l'interrogatoire – avaient brûlé sur le bûcher.

43

– Certains invoquent déjà l'enfant « martyr » dans leurs prières. Leur haine empoisonne l'atmosphère.

– Nous devons solliciter nos souverains pour qu'ils continuent de nous accorder leur protection, dit le rabbin Ortega.

La maçon Mendoza n'hésita pas à le contredire.

– Le roi est un homme capable de bonté et de compassion. L'ennui est qu'en ce moment, la reine Isabelle nous bat froid. Elle a grandi loin de tout, éduquée par des religieux qui ont façonné son esprit. Tomás de Torquemada, l'inquisiteur général – qu'il meure sur-le-champ ! –, a été son confesseur durant toute son enfance. Il a sur elle une grande influence. Je redoute les jours prochains.

– David, mon ami, nous devons garder foi en l'avenir, répliqua le rabbin Ortega. Si nous continuons de prier ensemble, le Seigneur entendra nos supplications.

Les deux garçons avaient interrompu leur ouvrage. Eléazar était perturbé par la tension évidente qu'il lisait sur le visage des adultes et qui perçait dans leurs voix.

– Qu'est-ce que cela veut dire ? chuchota-t-il à Yonah.

– Plus tard. Je t'expliquerai plus tard, lui murmura son frère, qui doutait lui-même de bien comprendre la situation.

Le lendemain matin, un officier de l'armée, accompagné de trois trompettes, de deux magistrats locaux et de deux gardes du bailli, lut une proclamation officielle sur la grand-place de Tolède. Malgré des siècles de présence en Espagne, les juifs devaient quitter le pays dans les trois mois. La reine les avait déjà chassés d'Andalousie en 1483. À présent, cette mesure s'appliquait à toutes les régions du royaume : la Castille, le León, l'Aragon, la Galice, la Valence, la principauté de Catalogne, l'État féodal de Biscaye et les îles de Sardaigne, de Sicile, de Majorque et de Minorque.

L'édit d'expulsion fut placardé sur une muraille et le rabbin Ortega le recopia d'une main tellement tremblante qu'il eut peine à en restituer la teneur aux membres du Conseil des Trente réunis de toute urgence :

« Tous les juifs et juives, quel que soit leur âge, habitant, résidant ou séjournant dans nos royaumes et domaines...

n'auront aucun droit d'y revenir ou d'y demeurer, en qualité de résidents, de voyageurs ou pour tout autre objet, sous peine de mort. Et nous interdisons formellement à tout sujet de notre royaume d'oser, publiquement ou secrètement, recevoir, abriter, protéger et défendre le moindre juif... sous peine de perdre ses terres, vassaux, châteaux et autres possessions. »

Les chrétiens étaient solennellement mis en garde contre une compassion de mauvais aloi. On leur défendait de « converser et de communiquer avec les juifs, de les recevoir chez soi, de leur apporter assistance, de leur procurer de la nourriture ou quoi que ce soit pour leur subsistance ».

La proclamation se concluait ainsi : « Par ordre du roi et de la reine, nos souverains, et du révérend prieur de Santa Cruz, inquisiteur général de tous les royaumes et domaines de Leurs Majestés. »

Le Conseil des Trente, constitué de dix représentants de chacune des trois grandes corporations – notables, marchands et artisans –, régissait la communauté juive de Tolède. Helkias y siégeait en tant que maître orfèvre et la réunion se tenait chez lui.

– Comment peut-on nous évincer aussi froidement d'un pays qui compte tant pour nous et auquel nous avons tellement donné ? s'exclama le rabbin Ortega d'un ton scandalisé.

– Cet édit n'est autre qu'un de ces stratagèmes royaux pour obtenir de nous le paiement de pots-de-vin ou d'un impôt supplémentaire, dit Judah ben Solomon Avista. Les souverains espagnols nous ont toujours considérés comme des vaches à lait.

Un grognement d'approbation parcourut l'assistance.

– Entre 1482 et 1491, ajouta Joseph Lazara, un vieux marchand de Tembleque, nous avons contribué à l'effort de guerre pour la somme de cinquante-huit millions de maravédis, et nous avons versé vingt millions supplémentaires en guise de « prêts obligatoires ». Au fil des ans, la communauté juive s'est endettée massivement pour payer un prétendu « impôt » exorbitant ou pour offrir à la Couronne un prétendu « cadeau » en échange de notre survie. Il s'agit évidemment d'une manœuvre similaire.

— Il nous faut demander au roi d'intervenir, décréta Helkias.

Tous acquiescèrent. La question restait de savoir à qui confier une telle démarche. Plusieurs noms furent cités, aucun ne faisait l'affaire. Le rabbin Ortega écoutait pensivement les propositions et objections qui fusaient de toutes parts, sans participer au débat. Enfin, il sortit de son silence :

— Don Abraham Seneor est le courtisan juif que Sa Majesté aime et admire le plus. Il m'apparaît comme la personne la plus apte à remplir cette mission.

Toujours admiratifs face à la sagesse de leur rabbin, les notables se rangèrent à son avis.

6

Bouleversements

Malgré ses quatre-vingts ans et son corps fatigué, Abraham Seneor conservait toute sa vivacité d'esprit. Il œuvrait au service de la monarchie depuis longtemps, ayant été l'instigateur des noces secrètes, le 19 octobre 1469, des deux cousins, Isabelle de Castille, dix-huit ans, et Ferdinand d'Aragon, dix-sept ans. La cérémonie s'était tenue dans la clandestinité, car Henri IV de Castille destinait sa demi-sœur au roi Alphonse du Portugal. L'infante s'était ouvertement opposée à son choix et lui avait promis de ne prendre époux qu'avec son assentiment, à condition qu'il la désignât héritière du trône.

Or Henri de Castille – surnommé « l'Impuissant » parce qu'il n'avait engendré aucun descendant mâle – avait eu de sa maîtresse Beltrán de la Cueva une fille illégitime, Jeanne, qu'il nomma à sa succession. Cette décision déclencha une guerre civile. Les nobles lui retirèrent leur soutien et reconnurent comme souverain le frère d'Isabelle, âgé de douze ans. Deux ans plus tard, on retrouva ce dernier mort dans son lit, probablement empoisonné.

Peu après, Isabelle chargea Abraham Seneor d'entamer les négociations avec d'influents courtisans pour arranger son alliance avec Ferdinand, prince d'Aragon. Elle se trouvait à Ségovie lorsque, le 11 décembre 1474, Henri IV trépassa subitement à Madrid. En apprenant la nouvelle, elle s'autoproclama reine de Castille et, brandissant son épée au-dessus de sa tête, la poignée en l'air telle une croix, elle mena une glorieuse

47

procession jusqu'à la cathédrale de Ségovie, sous les acclamations d'une foule en liesse. Les Cortes[1] lui jurèrent aussitôt allégeance. En 1479, Ferdinand succéda à son père, Jean II d'Aragon. Le roi Ferdinand et la reine Isabelle passèrent les dix années qui suivirent leur mariage à combattre les invasions portugaises ou françaises et à lutter contre diverses insurrections. Une fois ces campagnes militaires gagnées, ils s'attaquèrent aux Maures.

Durant cette longue période belliqueuse, Abraham Seneor servit fidèlement la Couronne : il collecta l'argent nécessaire pour couvrir les faramineuses dépenses de guerre, élabora un nouveau système de taxation et prit part à la résolution des problèmes politiques et financiers inhérents à l'unification de la Castille et de l'Aragon. Les souverains le récompensèrent généreusement pour ses efforts : ils le nommèrent rabbin et juge suprême des juifs de Castille, ainsi que contrôleur des impôts dans tout le royaume. Il était également trésorier de l'Hermandad – ou « fraternité » –, une sorte de milice créée par Ferdinand pour maintenir l'ordre et la sécurité en Espagne.

Rejeté par ses coreligionnaires, qui jugeaient usurpé son titre de rabbin, il leur demeurait toutefois loyal et entreprit de plaider leur cause auprès du roi, avant même qu'ils ne fissent appel à lui. Lors de sa première rencontre avec les monarques, il invoqua leur affection et leur amitié mutuelles pour solliciter l'annulation de l'édit d'expulsion. Mais sa demande se heurta à une fin de non-recevoir qui le plongea dans la consternation.

Quelques semaines plus tard, il obtint une deuxième audience, à laquelle il se rendit en compagnie de deux autres éminents notables juifs. Son gendre, le rabbin Meïr Melamed, ancien secrétaire de Ferdinand, dirigeait la perception des impôts pour tout le royaume, et Isaac ben Judah Abravanel, administrateur fiscal des régions centrales et méridionales du pays, avait prêté des sommes considérables au Trésor, notamment un million et demi de ducats qui avaient permis la reconquête victorieuse de Grenade.

---

1. Sorte d'états généraux composés de nobles, de clercs et de bourgeois. *(N.d.T.)*

Les trois hommes proposèrent de collecter de nouveaux fonds pour la Couronne et d'oublier certaines dettes importantes, contractées auprès d'Abravanel et de ses frères, si les monarques revenaient sur leur décision.

Leur offre suscita l'intérêt manifeste de Ferdinand. Ils priaient le ciel pour qu'un jugement immédiat fût rendu, de manière à éviter toute intervention de Torquemada, l'inquisiteur général, et des autres ecclésiastiques hostiles aux juifs. Malheureusement, leur requête fut mise en délibération et, une semaine plus tard, le roi leur annonça que sa décision était irrévocable : les juifs devaient quitter le pays coûte que coûte.

Isabelle se tenait au côté de son époux. De stature moyenne et assez corpulente, avec des cheveux roux grisonnants, de grands yeux bleu-vert et de fines lèvres pincées, elle arborait une prestance noble et une expression sévère. Sur un ton sec et ironique, elle cita un extrait des Proverbes de Salomon.

– « Le cœur du roi est dans la main de l'Éternel comme des ruisseaux d'eaux courantes ; il l'incline à tout ce qu'il veut. » Pensez-vous que le sort qui vous est destiné émane de notre volonté ? Non point : c'est l'Éternel qui a inspiré cette décision au cœur du roi, déclara-t-elle avec dédain.

Cette phrase mit un terme à l'audience.

Dans tout le royaume, les assemblées juives se réunissaient pour faire face à cette nouvelle calamité, y compris à Tolède, où le Conseil des Trente examinait la situation, pour trouver une solution viable.

– Je chéris cette terre, dit enfin David Mendoza. Si je dois quitter le lieu où reposent mes ancêtres, je souhaite aller là où je ne serai jamais accusé de parodier l'Eucharistie, d'insulter la Vierge ou de confectionner des *matsoth*[1] avec la chair d'un nourrisson assassiné !

– Nous devons nous rendre là où le petit peuple n'est pas détourné de son bon sens et poussé à la haine par ses dirigeants, ajouta le rabbin Ortega.

---

1. Galettes de pain azyme consommées lors de la Pâque juive, en souvenir de la sortie d'Égypte des Hébreux. *(N.d.T.)*

— Mais où trouverons-nous un tel endroit ? demanda Helkias.

Cette question ne reçut aucun écho. Tous restèrent sans voix, s'interrogeant du regard.

Il fallait pourtant bien aller quelque part. Alors, chacun commença à échafauder des plans pour le grand départ.

Aron Toledano se rendit chez son frère Helkias et, ensemble, ils devisèrent pendant des heures, passant en revue toutes les destinations possibles et les rejetant les unes après les autres, sous le regard attentif de Yonah, qui tentait de comprendre le sens de leur discussion.

Finalement, il ne resta que trois directions envisageables : au nord, le royaume de Navarre ; à l'ouest, le Portugal ; à l'est, la mer et la traversée vers des contrées plus lointaines.

Au bout de quelques jours, Aron revint, le visage inquiet, porteur de nouveaux éléments qui réduisaient encore leur choix.

— Nous devons exclure la Navarre, car elle n'accueillera que des convertis au culte de Jésus.

Moins d'une semaine plus tard, ils apprirent que don Vidal ben Benviste de la Cavalleria, qui avait battu les pièces d'or de l'Aragon et la monnaie de Castille, s'était rendu au Portugal et avait obtenu une autorisation d'immigration pour ses coreligionnaires. Le roi Jean II avait saisi cette occasion de s'enrichir en réclamant un ducat par arrivant, plus un quart de tous les biens importés à l'intérieur de son royaume. En échange, les juifs pourraient séjourner six mois dans son pays.

Aron secoua la tête en signe de dégoût.

— Je n'ai aucune confiance en lui. Je suis sûr qu'au bout du compte il nous rendra encore moins justice que le trône espagnol.

Il ne subsistait donc qu'une seule possibilité : la côte, d'où ils prendraient le bateau.

Helkias était un homme grand, doux et réfléchi. Meïr et Eléazar, plus râblés, tenaient davantage de leur oncle. Quant à Yonah, il ressemblait à son père, qu'il regardait avec autant de crainte que d'amour.

— Où irons-nous, *abba* ?

— Je ne sais pas. Dans un port assez important, probablement à Valence. Là, nous verrons sur quel bateau et vers quel port nous pourrons embarquer. Nous devons rester confiants : le Tout-Puissant guidera nos pas et nous aidera à prendre la bonne décision.

Il regarda Yonah.

— As-tu peur, mon fils ?

Le garçon chercha en vain une réponse pertinente. Son père interrompit sa réflexion.

— Il n'y a pas de honte à avoir peur. Il est sage de reconnaître qu'un périple de cette nature présente bien des dangers. Mais nous serons trois hommes forts, Aron, toi et moi. Nous veillerons à la sécurité d'Eléazar et de ta tante Juana.

Yonah était fier d'être compté parmi les hommes. Helkias parut lire dans ses pensées.

— Je suis conscient que, ces dernières années, tu as assumé les responsabilités d'un adulte, dit-il d'une voix posée. Sache que d'autres ont également apprécié ta personnalité. Certains pères m'ont même laissé entendre que leurs filles ne refuseraient pas de se tenir à ton côté sous le dais nuptial.

— As-tu sérieusement parlé mariage avec eux ?

— Pas encore, pour l'instant. Une fois que nous serons installés dans notre nouvelle patrie, nous pourrons y rencontrer la communauté et te trouver un beau parti. Je suis certain que cela te remplira de joie.

— Assurément, admit Yonah.

— N'oublie pas que moi aussi, j'ai été jeune, ajouta Helkias avec un clin d'œil. Je me souviens bien de cette époque.

— Eléazar sera très jaloux. Il voudra aussi prendre épouse ! Tous deux rirent à cette idée.

— *Abba*, je n'ai pas peur d'aller où que ce soit, du moment que tu es avec moi.

— Moi non plus, je n'ai pas peur si je suis avec toi. Car le Seigneur nous accompagnera.

La perspective d'une noce constituait un élément nouveau dans la vie de Yonah. Son corps s'était métamorphosé et, dans tout ce tumulte, son esprit était en proie à la confusion. La

51

nuit, il rêvait de femmes et songeait souvent à son amie de longue date, Lucia Martín. Enfants, ils avaient exploré la nudité de leurs deux corps ensemble. À présent, il devinait sous ses vêtements les premières rondeurs de la féminité et leur relation s'était teintée d'une certaine gêne.

Tout changeait et, malgré ses craintes et ses doutes, Yonah ressentait une certaine excitation à l'idée de voyager au loin. Il se figurait une existence différente, sur une terre étrangère où il retrouverait le type de vie que les siens avaient connu en Espagne cent ans auparavant.

Dans l'ouvrage d'un auteur arabe du nom de Khordabbek, qu'il avait trouvé dans la salle d'étude parmi des recueils religieux, il avait lu au sujet des marchands juifs :

« Ils embarquent à bord de vaisseaux en pays franc, sur la mer Occidentale, et naviguent jusqu'à Farama. Là, ils chargent leurs marchandises sur le dos de leurs chameaux et se rendent, par la terre, à Kolzum, ce qui représente un voyage de cinq jours sur une distance de vingt-cinq *farsakh*. Puis ils embarquent sur la mer Rouge et voguent de Kolzum à Eltar et Jeddah. De là, ils poursuivent leur chemin jusqu'au Sind, en Inde et en Chine. »

Il s'imaginait une existence faite d'aventures, d'émerveillement, et aspirait à vivre comme l'un de ces marchands. S'il avait été chrétien, il aurait préféré devenir chevalier – de ceux qui ne tuaient pas les juifs, naturellement.

Mais au fond, Yonah savait que son père avait raison. Inutile de rester là, à se complaire en rêveries. Il fallait agir, car les fondations de leur monde se dérobaient sous leurs pieds.

7

La date du départ

Beaucoup de juifs avaient déjà quitté la ville. Sur la route de Tolède, on en avait vu d'abord quelques-uns, puis des familles entières et enfin toute une marée, de jour comme de nuit, à laquelle se joignaient les expulsés venus d'autres régions. La cité résonnait du bruit de leur exode. Les émigrants cheminaient sous le soleil brûlant, à cheval et à dos d'âne, assis sur les sacs contenant leurs biens, ou dans des chariots tirés par des bœufs, ou encore à pied, trébuchant parfois sous le poids de leurs fardeaux. Pour se donner du courage, les femmes et les enfants chantaient et rythmaient leur marche au son de tambourins. Certaines enfantaient sur le bord du chemin, d'autres mouraient en couches. Le Conseil des Trente autorisait les étrangers à enterrer leurs défunts dans le cimetière juif, mais ne pouvait guère leur offrir davantage, pas même un *minyan*, autrement dit un groupe de dix hommes au minimum, pour réciter le Kaddish. Jadis, les voyageurs en détresse auraient reçu assistance et hospitalité chez leurs coreligionnaires.

Les dominicains et les franciscains, ravis de cette expulsion pour laquelle ils avaient tant œuvré, entreprirent activement de convertir autant d'âmes hérétiques que possible. Des amis de la famille de Yonah se présentaient dans les églises pour se faire baptiser – des enfants, parents et grands-parents avec lesquels les Toledano avaient béni le pain de Shabbat, prié à la synagogue, maugréé contre l'obligation de porter l'insigne jaune d'un peuple en disgrâce. Près d'un tiers de leurs frères devinrent des *conversos*, par crainte des terribles périls du voyage, par amour pour un chrétien, par souci de confort ou parce qu'ils étaient las du mépris dans lequel on les tenait.

Les juifs haut placés étaient poussés, voire contraints, à renier la religion de leurs ancêtres. Un soir, Aron annonça à son frère Helkias une nouvelle des plus choquantes.

– Rabbi Abraham Seneor, son gendre rabbi Meïr Melamed, et toute leur famille sont désormais catholiques.

La reine Isabelle n'avait pas supporté la perspective de se passer des deux hommes qui avaient tant fait pour elle et, selon la rumeur, elle les avait menacés de représailles contre leur peuple s'ils refusaient d'abjurer leur foi. Les souverains avaient même organisé la cérémonie du baptême et y avaient personnellement assisté en tant que parrains. Seneor et Melamed avaient troqué leur nom contre ceux de Fernando Nuñez Coronel et de Fernando Pérez Coronel. Quelques jours plus tard, Seneor fut nommé gouverneur de Ségovie ainsi qu'administrateur financier auprès du prince héritier ; Melamed devint comptable principal du Trésor.

Don Isaac Abravanel refusa de les imiter. Lui comme ses frères Joseph et Jacob oublièrent les dettes considérables qu'avait contractées la Couronne à leur endroit. En échange, on les autorisa à quitter le pays, en emportant mille ducats et certains objets précieux en or et en argent.

À l'instar de la grande majorité de leurs semblables, Helkias et Aron étaient moins fortunés. On leur interdisait de se munir d'or, d'argent et de pierres précieuses hors du royaume. Les autorités leur conseillaient de vendre tous leurs biens et d'en utiliser le produit pour acheter des marchandises plus courantes qu'ils pourraient monnayer en arrivant dans leur nouvelle patrie. Mais presque aussitôt, le roi Ferdinand déclara qu'en Aragon, certaines des terres et demeures appartenant aux juifs devaient être saisies en raison de revenus « dus » à la Couronne.

Les juifs de Tolède s'empressèrent de céder leurs propriétés avant qu'un décret similaire ne les en empêchât ; cela ne leur profita guère. En effet, leurs voisins chrétiens bradèrent les prix de manière impitoyable, offrant quelques *sueldos* pour des terrains dont la valeur s'estimait en maravédis, voire en réaux. Un âne ou un vignoble s'échangeait parfois contre un simple vêtement.

Aron Toledano, à qui l'on proposait d'acheter sa ferme pour une bouchée de pain, demanda conseil à son frère aîné.

– Je ne sais plus quoi faire, lui avoua-t-il, désemparé.

Helkias, qui, toute sa vie, avait été un artisan prospère et recherché, se retrouvait pris à la gorge. Il avait investi des sommes colossales pour confectionner le reliquaire et se procurer les métaux les plus purs. Or l'acompte qu'il avait reçu avant le vol de ce reliquaire ne couvrait qu'une maigre partie de ses frais. De surcroît, au vu des circonstances, nombre de riches mécènes retardaient désormais le paiement de leurs factures pour des objets déjà façonnés et livrés, dans l'espoir d'échapper à l'acquittement de leur dette.

– Je me sens aussi impuissant que toi, admit l'orfèvre.

Il ignorait encore qu'un vieil ami dévoué, redoublant d'efforts et de sollicitude, allait le sauver de cette situation désespérée.

Benito Martín était un « ancien chrétien ». Cet orfèvre ne possédait pas le génie créatif qui avait valu à Helkias sa réputation d'artiste et son travail se limitait à des travaux d'appoint et à des dorures. Jeune homme, il avait appris que, dans sa ville de Tolède, un juif de son âge confectionnait des objets merveilleux en métaux précieux et avait cherché à rencontrer ce prestigieux artisan. Il avait passé avec lui autant de temps que possible pour développer son savoir-faire et élargir sa conception de ce métier.

Helkias l'avait accueilli à bras ouverts et avait généreusement partagé avec lui ses compétences et son expérience. L'admiration de Benito s'était peu à peu transformée en une amitié sincère et véritable, si profonde que, en des temps meilleurs, il avait emmené ses propres enfants à la synagogue pour rendre visite aux Toledano lors des fêtes juives. Sa fille Lucia était devenue la camarade préférée de Yonah et son fils Enrique jouait régulièrement avec Eléazar.

À présent, l'injustice régnant à Tolède l'emplissait de honte. Un soir où, en compagnie d'Helkias, il admirait le coucher du soleil du haut de la falaise, il lui parla franchement :

— Ta maison est située dans un endroit idéal et ton atelier est magnifiquement aménagé. Cela fait longtemps que je te les envie.

Son compagnon demeura silencieux. Alors, Benito Martín détailla son offre.

— C'est bien peu, mais...

En l'occurrence, Helkias savait que Benito ne pouvait se permettre davantage et sa proposition dépassait de loin toutes celles qu'il avait reçues de spéculateurs cupides.

Débordant de gratitude, il s'arrêta pour étreindre son ami chrétien.

Yonah remarqua que la désolation avait disparu des yeux de son père. Assis avec Aron, Helkias réfléchissait à des expédients et il rassemblait toute son énergie et son attention afin de faire face à l'urgence.

— D'ordinaire, le trajet pour Valence prendrait dix jours. En ce moment, comme les routes sont encombrées par nos frères, le même voyage durera vingt jours, nécessitera le double de provisions et présentera deux fois plus de risques. Nous devons donc quitter Tolède le plus tard possible, lorsque le gros des expulsés sera parti.

Aron possédait deux ânes et deux bons chevaux sur lesquels lui et son épouse Juana voyageraient. Helkias s'était procuré auprès de Benito Martín deux autres montures et deux baudets pour un prix très honnête et faisait garder ces animaux dans le champ de son voisin, Marcelo Troca, moyennant une somme exorbitante.

— Il nous faut trouver davantage de liquidités, dit-il à son frère. Lorsque nous atteindrons le port, les capitaines des bateaux ne se montreront pas charitables. Notre traversée coûtera cher. Et en arrivant sur notre terre d'accueil, nous devrons tenir jusqu'à ce que nous puissions à nouveau travailler et subvenir à nos besoins.

La seule source de rentrées envisageable était le recouvrement de toutes les dettes contractées par les clients d'Helkias. Yonah aida son père à dresser la liste des débiteurs, avec les sommes dues par chacun.

La facture la plus importante se montait à soixante-neuf réaux et seize maravédis, que le comte Fernán Vasca de Tembleque tardait à régler.

— C'est un noble arrogant, qui s'adresse à moi comme s'il était notre roi lui-même. Il n'a jamais lésiné sur ses exigences quant aux objets qu'il commandait, tout en rechignant à me verser le moindre *sueldo* d'acompte. Si je peux récupérer cet argent, nous serons plus que tranquilles.

Par une chaude journée de juillet, Yonah et son père se rendirent donc à Tembleque, un village à l'extérieur de Tolède. Le jeune garçon n'avait pas une grande pratique des chevaux, mais sa monture était docile et il se tenait sur sa selle aussi fièrement qu'un chevalier. La campagne était superbe et, malgré les idées sombres qui le tourmentaient, Helkias entonna un chant de paix :

> *Avec le doux agneau le loup séjournera,*
> *Avec le frêle enfant le tigre s'ébattra,*
> *Avec l'ours apaisé la vache dormira*
> *Et avec le mouton le lion pâturera ...*

Yonah adorait entendre sa voix profonde scander ces vers. Cela se passera ainsi lorsque nous cheminerons vers Valence, songea-t-il avec plaisir.

Durant le trajet, Helkias raconta à son fils que, sollicité par le comte Vasca, il avait consulté le rabbin Ortega.

— Et rabbi Ortega m'a répondu : « Laisse-moi te dire certaines choses au sujet de ce noble. J'ai un neveu, Asher ben Yaïr, qui parle plusieurs langues et connaît bien la Torah. Or un érudit a du mal à gagner sa vie. Un jour, Asher entendit parler d'un noble de Tembleque qui cherchait un secrétaire. Il se rendit donc dans ce village et proposa ses services... »

Le comte s'enorgueillissait de ses prouesses martiales. Il avait combattu les Maures et remporté toutes sortes de tournois. Mais la nouveauté l'attirait toujours. Au printemps 1486, il avait entendu parler d'une nouvelle sorte de compétition, une joute littéraire au cours de laquelle on ne maniait ni la lance ni l'épée. Lors de ces jeux, créés en France à la fin du XIVe siècle par de jeunes nobles de Toulouse, les participants récitaient des vers de leur cru et le gagnant se voyait décerner une violette en or.

En 1388, la duchesse Violante de Bar, épouse française du roi Jean Ier d'Aragon et de Catalogne, décida d'organiser ces *Jocs Florals* – « jeux fleuris » en catalan – à Barcelone et y convia certains des arbitres toulousains. La cour espagnole adopta vite cette pratique et l'instaura comme une manifestation annuelle, avec un jury composé de l'entourage des souverains. Une violette d'argent constituait à présent le troisième prix, le deuxième étant une rose d'or. Le vainqueur pour sa part se voyait gratifier d'une rose véritable, en vertu de l'idée qu'aucun objet façonné par une main humaine ne pouvait supplanter l'œuvre divine.

Rêvant d'un tel honneur, le comte Vasca entreprit de se présenter aux *Jocs Florals*. Son illettrisme ne le découragea pas, car sa fortune lui permettait d'engager un homme doué pour l'écriture. C'est ainsi qu'il confia à Asher ben Yaïr la tâche d'écrire un poème au sujet d'un noble et vaillant soldat. Tous deux convinrent de choisir le comte lui-même comme personnage central de l'ode. Le jeune secrétaire composa donc un panégyrique qui dépeignait avec lyrisme la bravoure et les faits d'armes de son commanditaire. Vasca s'en montra fort content et n'hésita pas à en envoyer une copie à Barcelone.

Cependant, cet écrit pompeux n'eut pas l'heur d'impressionner le jury, qui décerna les trois premiers prix à d'autres concurrents. Quand Vasca apprit la nouvelle, Asher était déjà loin. Pressentant la déconfiture – et la colère – du comte, il avait eu la sagesse de partir pour la Sicile, où il espérait trouver un emploi d'enseignant pour des enfants juifs.

De fait, furieux du camouflet infligé par un groupe de versificateurs décadents, le noble avait convoqué l'orfèvre Helkias

Toledano et exposé sa volonté de parrainer une compétition plus virile, une véritable joute, dont le trophée surpasserait en magnificence tous ceux de Catalogne.

– Je souhaite que vous me confectionniez une rose en or, avec une tige en argent.

– Certes.

– Écoutez-moi bien. Elle doit être aussi belle que la fleur originale.

Helkias avait souri.

– C'est-à-dire que...

Le comte avait levé la main. Apparemment, il ne désirait pas prolonger cette discussion avec un juif.

– Partez, et que cet ouvrage soit achevé après Pâques.

Sur ces mots, il avait fait reconduire l'artisan.

Helkias ne s'en était pas offusqué : il avait l'habitude des clients difficiles, de leurs exigences déraisonnables et le comte avait la réputation de malmener ceux qui le contrariaient. Il s'était donc mis au travail. L'orfèvre avait passé des heures à examiner les rosiers et à les croquer sous tous les angles, jusqu'à obtenir suffisamment d'ébauches pour entreprendre le modelage à proprement parler.

Le premier objet qu'il façonna se révéla assez ressemblant quoique décevant, aussi Helkias refit-il fondre le métal. Il effectua maintes tentatives, chaque fois plus probantes, mais sans résultat convaincant. Deux mois s'étaient déjà écoulés depuis sa rencontre avec Vasca et il n'était toujours pas près d'honorer sa commande.

Il poursuivait son ouvrage sans se décourager, étudiant la fleur comme s'il s'agissait du Talmud, s'imprégnant de son parfum et de sa délicatesse, ôtant pétale après pétale pour en comprendre la constitution, observant la façon dont la tige poussait, se courbait et se tournait vers le soleil, contemplant les boutons qui jaillissaient et s'épanouissaient. À mesure qu'il multipliait les essais et les échecs, il captait de mieux en mieux l'essence et l'esprit de la rose : son savoir-faire se transformait en art.

Le résultat final de tous ces tâtonnements s'avéra d'un réalisme remarquable. La corolle charnue, en or, possédait une douceur veloutée digne des plus beaux spécimens naturels. En dessous, un bourgeon doré émergeait d'une tige en argent, ornée de feuilles et d'épines. Puis Helkias laissa le temps parfaire son œuvre. L'or conserva son brillant, tandis que l'argent se recouvrit d'une patine sombre qui lui conférait un effet encore plus authentique.

Le comte Vasca n'avait pas caché pas son éblouissement face à la prouesse de l'artisan.

— Il serait dommage de décerner un tel objet au vainqueur d'un tournoi. Je lui trouverai un autre emploi, à la hauteur de sa magnificence.

Au lieu de payer Helkias, il lui avait passé une deuxième commande importante, puis une troisième. Il était ainsi devenu le plus gros débiteur de l'orfèvre, et le principal responsable de ses déboires financiers.

Helkias et Yonah arrivèrent devant le majestueux château, dont les grilles barraient l'entrée. Ils levèrent les yeux vers le sommet de la muraille de pierre et hélèrent les gardes. Une tête coiffée d'un heaume apparut.

— Je suis Helkias Toledano, l'orfèvre. Je désire parler à Son Excellence le comte Vasca.

— Notre maître est absent. Décampez !

— Je viens pour une affaire d'importance, insista l'artisan. Si le comte n'est pas là, j'aimerais m'entretenir avec son intendant.

La sentinelle disparut. Yonah et son père patientèrent. Le portail métallique grinça et ils pénétrèrent dans la cour.

L'intendant, occupé à nourrir un faucon en cage avec la chair d'un chat blanc dont on apercevait la queue, daigna à peine leur adresser un regard.

— Le seigneur Vasca chasse dans le Nord, leur lança-t-il sur un ton irrité.

— Je viens réclamer le paiement de certaines commandes déjà livrées au comte, expliqua Helkias.

— Je ne rétribue personne sans l'ordre de mon maître.

— Quand reviendra-t-il ?

— Quand bon lui semblera, rétorqua l'homme, pressé de se débarrasser de ces importuns. Repassez donc dans six jours.

Sur la route du retour, Helkias s'abîma dans des pensées troublées. Yonah tenta en vain de retrouver l'atmosphère paisible et enjouée du trajet initial en fredonnant :

Avec le doux agneau le loup séjournera...

Mais son père ne lui prêta aucune attention et ils poursuivirent leur chemin en silence.

Six jours plus tard, Helkias retournait à Tembleque, où il apprit que le comte ne rentrerait pas avant deux semaines, soit le 26 juillet.

Le soir même, il rejoignit son frère pour l'informer de cette nouvelle et faire le point sur la situation.

— C'est bien trop tard, soupira Aron, accablé.

— Eh oui ! Surtout si nous devons quitter l'Espagne avant le 1er août...

— À propos, j'ai ouï dire que, dans leur mansuétude incommensurable, Leurs Majestés nous accordaient un jour supplémentaire. Je sais que ça ne change pas grand-chose, mais...

— Au contraire, ça change tout !

— Tu crois vraiment que...

— Oui, nous pouvons y arriver ! J'attendrai Vasca au château et nous partirons dès qu'il m'aura payé.

— Mais cela ne nous laissera que sept jours pour atteindre Valence !

— De toute façon, nous n'avons pas le choix. Sans argent, nous sommes perdus.

Aron secoua la tête et Helkias posa la main sur son bras pour le rassurer.

— Ne t'inquiète pas. Nous presserons le pas et nous y parviendrons.

Tout en prononçant ces mots, il songeait avec angoisse que le 2 août correspondait, dans le calendrier hébraïque, au 9 Av, date funeste qui commémorait la destruction du Temple de Jérusalem et le début de l'errance pour le peuple juif.

8

Le pêcheur

Les deux jeunes garçons n'avaient désormais plus besoin de polir l'argenterie. Comme il ne pouvait plus en tirer un bon prix, Helkias céda tout son stock à Benito Martín en échange de quelques liquidités.

Pour leur majorité religieuse, l'orfèvre avait offert à ses deux aînés une bague en argent, qui ornait leur majeur droit. Celle de Meïr avait disparu quand on avait restitué son corps à sa famille, et celle de Yonah était toujours en place.

— Ôte cet anneau, dit Helkias à Yonah.

Ce dernier lui obéit à contrecœur. Son père enfila alors la bague sur une corde fine qu'il noua solidement avant de la passer au cou du jeune homme et de la dissimuler sous sa chemise.

— Si nous nous retrouvons forcés de la vendre un jour, je te promets de t'en confectionner une autre. Avec l'aide de Dieu, j'espère que tu pourras la porter à ton doigt sur une terre nouvelle.

Helkias emmena ses fils au cimetière, en dehors de la ville. Ce lieu désolé résonnait des plaintes de tous les expulsés, venus dire adieu à leurs chers disparus. Eléazar se souvenait à peine de sa mère ou de Meïr, mais, perturbé par ces cris, il se mit à sangloter. Le cœur serré, Yonah ne parvint pas non plus à retenir ses larmes.

Malgré ses longues années de deuil, Helkias demeura calme et silencieux. Il serra ses deux garçons dans ses bras et essuya leurs joues avant de nettoyer avec soin les tombes de son épouse et de son aîné. Puis, comme le voulait la tradition, ils déposèrent un caillou sur chacune des sépultures pour signifier leur passage.

— Cela m'afflige beaucoup de laisser nos morts derrière nous, confia Helkias à Benito.

Martín avait apporté une gourde de vin et les deux amis discutaient autour de la table.

— Le pire, ajouta l'orfèvre, c'est d'abandonner ainsi mon fils bien-aimé sans savoir qui l'a expédié dans la tombe.

— S'il était possible de retrouver la trace du reliquaire, nous pourrions en apprendre davantage sur le meurtre, déclara son compagnon.

— Personne n'y est parvenu jusqu'à présent. À ce jour, les voleurs l'ont sans doute déjà vendu. Il se trouve sans doute bien loin d'ici.

— Va donc savoir. En parlant à ceux qui fréquentent les églises de la région, je découvrirai peut-être quelque chose.

— J'avais eu la même idée, mais je suis juif. Je crains trop le clergé pour me lancer.

— Alors, permets-moi d'agir à ta place.

Helkias accepta avec gratitude et tendit à Martín des croquis du ciboire.

— Tiens, tu pourras les montrer aux religieux que tu interrogeras.

— Merci. J'espère qu'ils se révéleront utiles.

Benito parut troublé et hésita un instant avant de poursuivre :

— Écoute, Helkias, on parle beaucoup de toi en ville. On raconte que tu n'acceptes pas de quitter Tolède et que tu refuses aussi de te convertir. Ta maison sur la falaise me semble très exposée. Il est trop tard pour chercher refuge au sein du quartier juif en te noyant dans la masse, car tous tes semblables l'ont déserté. Toi et tes fils seriez plus à l'abri dans une maison chrétienne. Vous feriez peut-être mieux de vous installer chez moi.

Extrêmement touché par cette proposition, l'orfèvre secoua la tête : il était conscient du dérangement ainsi que du danger que leur présence représentait pour un catholique.

— Benito, mon ami, je te remercie du fond du cœur. Mais jusqu'à notre départ, nous resterons dans la demeure où mes fils sont nés, déclara-t-il.

Une fois seul, Helkias réfléchit, puis appela ses deux garçons.

— Yonah ! Eléazar ! Suivez-moi !

Il les emmena le long du sentier jusqu'au bas de la falaise. Là, il s'arrêta et leur montra une ouverture dans la roche, qui donnait sur un étroit tunnel en angle droit conduisant à une petite grotte.

— Au besoin, leur expliqua-t-il, vous pourrez vous cacher ici en toute sécurité.

Yonah avait conscience qu'il passait ses derniers moments à Tolède. Il avait manqué la meilleure saison de la pêche, au printemps, quand les premiers rayons du soleil appâtaient des éphémères et toutes sortes de créatures ailées à la surface de la rivière. À présent, il faisait très chaud, mais il connaissait une mare assez profonde, juste en dessous d'une digue naturelle formée de rochers et de branchages, où les poissons aimaient à paresser. Il rassembla les hameçons que lui avait confectionnés son père, prit sa petite canne en bois et se dirigea vers le chemin. En le voyant partir, Eléazar courut derrière lui.

— Tu m'emmènes avec toi ?

— Non !

— Mais, Yonah, je veux venir, moi !

Si Helkias les avait entendus, il leur aurait sans doute ordonné de ne pas s'éloigner de la maison. Yonah lança un regard anxieux vers la porte de l'atelier.

— Je t'en prie, Eléazar, ne gâche pas tout. Si tu fais trop de bruit, *abba* sortira et m'empêchera d'y aller.

Le garçonnet le supplia du regard.

— Écoute, je passerai l'après-midi avec toi et je t'apprendrai la guitare à trois cordes.

— Tout l'après-midi ?

— Oui, c'est promis.

Arrivé à la mare, il attacha un hameçon au bout de sa ligne et souleva les pierres au bord de la rivière, pour trouver une écrevisse assez petite qui lui servirait d'appât.

Cela faisait des années qu'il venait pêcher ici, installé sur un grand rocher plat surplombant l'eau et ombragé par le feuillage. Mais ce jour-là, il appréciait chaque seconde, chaque vision, chaque son, avec un plaisir plus intense et mêlé de nostalgie.

Il attendit un moment. Comme aucun poisson ne mordait, il cala la canne sous sa cuisse, s'allongea en soupirant et ferma les yeux. Une légère brise lui caressait la peau, la pierre était fraîche et le clapotis tranquille de la rivière le berçait. Quelque part au loin, deux hommes s'interpellaient et un oiseau sifflotait juste au-dessus de sa tête.

Puis tous les bruits s'estompèrent et il s'assoupit.

Il fut réveillé en sursaut par la sensation que quelqu'un avait empoigné sa canne.

— Tu as attrapé quelque chose.

Effrayé, Yonah ouvrit les yeux pour découvrir un religieux, assez grand, vêtu d'une robe noire et portant des sandales. Il avait parlé d'une voix douce et avenante.

— C'est un très gros poisson. Tu veux que je te rende ta canne ?

— Non, non, allez-y, répondit Yonah à contrecœur.

— Lorenzo ! appela quelqu'un depuis le sentier.

L'adolescent se retourna et aperçut un second moine.

Le poisson ferré s'éloignait vers la digue ; pourtant l'inconnu ne le laissa pas s'enfuir. C'était un bon pêcheur, qui mesurait chacun de ses gestes pour éviter de briser la ligne. Il ramena sa proie vers le rocher en tirant progressivement sur le fil de sa main gauche. Un gardon s'arquait sur l'hameçon.

— Pas si gros que ça, après tout ! constata l'homme en souriant. On a toujours tendance à surestimer la taille de sa prise. Tu le veux ?

Yonah aurait bien aimé le garder, mais il refusa par pure politesse.

– Oh ! Bonestruca ! insista l'autre ecclésiastique. Je t'en prie, nous n'avons pas le temps.

– Bon, bon, j'arrive !

Le moine glissa un doigt sous une des branchies afin de mieux agripper le poisson.

– Que le Christ te porte chance ! dit-il avec bienveillance au jeune juif avant de rejoindre son compagnon.

9

Des visiteurs

Le lendemain matin, le ciel s'obscurcit. Le tonnerre grondait et des éclairs lacéraient le ciel. Puis l'orage laissa place à une pluie torrentielle qui s'abattit sur Tolède pendant deux jours.

– Quel déluge ! s'exclama Juana. On a rarement vu un temps pareil en cette saison.

– Certes, mais c'est déjà arrivé, rectifia son mari.

– Bien sûr, renchérit Helkias.

Tous levèrent des yeux inquiets vers les nuages menaçants au-dehors, sans formuler à haute voix l'idée qu'il pût s'agir d'un mauvais présage.

Benito Martín avait parcouru la région durant ces deux jours, transportant les croquis d'Helkias enveloppés dans un morceau de cuir pour les protéger de l'humidité. Il s'était arrêté dans sept églises et deux monastères, où il avait interrogé les gens sans succès. À présent, tous les prêtres et moines de Tolède avaient entendu parler de la disparition du ciboire, et néanmoins personne ne semblait savoir ce qu'il était advenu du reliquaire.

L'artisan termina sa tournée à la cathédrale, où il s'agenouilla pour prier. En se relevant, il s'aperçut qu'un religieux, de grande taille et au visage superbe, l'observait. Il le reconnut aussitôt. Il avait oublié comment il s'appelait, mais il savait qu'on le surnommait *el Guapo* – « le Beau » – et qu'il dépendait de l'Inquisition.

Tandis qu'il poursuivait son enquête auprès des religieux présents dans le sanctuaire, il croisa son regard.

L'ecclésiastique lui fit signe d'approcher.

– Faites voir.

Il étudia longuement chacune des ébauches.

– Pourquoi montrez-vous ces dessins à la ronde ?

– Ils représentent un reliquaire volé. L'orfèvre qui l'a façonné cherche à obtenir des informations concernant cette affaire.

– Le juif Toledano, n'est-ce pas ?

– Oui.

– Quel est votre nom ?

– Benito Martín, mon frère.

– Converti ?

– Non. Mes ancêtres ont toujours suivi le Christ.

– Helkias Toledano fait-il partie de vos amis ?

Il eût été facile de répondre par l'affirmative. Mais il préféra se montrer plus circonspect.

– J'exerce moi-même le métier d'orfèvre et nous avons parfois échangé des propos concernant notre travail.

– Comptez-vous des *conversos* parmi vos parents ?

– Aucun.

– L'orfèvre juif a-t-il déjà quitté la ville ?

– Il partira bientôt.

– Vous a-t-il appris des prières juives ?

– Non, jamais.

– Et, à votre connaissance, en a-t-il enseigné à des catholiques ?

– Non.

Le frère lui rendit les croquis.

– Êtes-vous conscient que Leurs Majestés ont expressément interdit à tout chrétien d'offrir une quelconque assistance aux juifs ?

– Je n'ai rien fait de tel, protesta Benito.

Peut-être son interlocuteur ne l'avait-il pas entendu, car il s'était déjà détourné de lui.

Bonestruca, voilà son nom !

68

Le ciel s'était dégagé lorsque Benito arriva chez les Toledano, affairés à rassembler leurs bagages.

– Alors, mon ami, dit-il à Helkias, c'est demain le grand jour ?

– Oui. Que je récupère ou non mon argent auprès du comte Vasca de Tembleque, nous partirons. Si nous attendons plus longtemps, il sera trop tard. Nous chargerons les ânes dès l'aube. Tout ce que nous laisserons est à toi. Disposes-en comme bon te semble.

– Je te remercie.

– Je t'en prie.

Martín lui relata ses recherches infructueuses.

– Après tout, il fallait s'y attendre, soupira Helkias en haussant les épaules.

– Connais-tu le dominicain qu'on surnomme *el Guapo* ?

– Non. Pourquoi ?

– C'est un inquisiteur. Lorsqu'il m'a vu montrer tes dessins dans la cathédrale, il m'a laissé entendre qu'il désapprouvait ma démarche. Il m'a aussi posé des questions à ton sujet, trop de questions. J'ai peur, Helkias. Ce frère t'a-t-il causé des problèmes ou des désagréments ?

– Non, je ne lui ai jamais adressé la parole. Mais ne t'inquiète plus pour moi, cher Benito. Demain, je serai loin.

Martín proposa d'emmener Eléazar chez lui pour le reste de l'après-midi, afin que le petit puisse dire au revoir à son camarade Enrique.

– Il pourrait même coucher chez nous, si tu le permets.

Helkias accepta, conscient que les deux garçons ne se reverraient pas.

Yonah et son père travaillèrent d'arrache-pied jusqu'à la nuit, pour terminer les préparatifs et régler les derniers détails.

L'adolescent appréciait ce moment passé en tête à tête avec son père. Il avait l'impression qu'une complicité nouvelle les unissait. Ils répartirent leurs effets en deux tas : d'un côté ceux qu'ils laisseraient derrière eux, de l'autre, ceux qu'ils emporteraient – des vêtements, de la nourriture, un livre de prières et quelques outils.

Comme il se faisait tard, l'orfèvre prit son fils par l'épaule et lui conseilla d'aller au lit.

— Demain, nous commencerons notre route. Tu auras besoin de toutes tes forces.

Le jeune homme obéit, se laissant bercer par le va-et-vient réconfortant du balai avec lequel son père nettoyait la pièce. Il venait à peine de s'endormir quand il fut brusquement tiré du sommeil par Helkias qui le secouait.

— Mon enfant, tu dois t'enfuir de la maison sur-le-champ ! Par la fenêtre de derrière ! Vite !

De la route leur parvenaient des cris. Un groupe d'hommes approchait. Certains d'entre eux scandaient un hymne sangui-naire, d'autres vociféraient. Ils n'étaient plus loin.

— Mais où... ?

— Dans la grotte, sous la falaise. Et surtout, n'en sors pas avant que je vienne te chercher.

Yonah sentit les ongles de son père s'enfoncer dans son épaule.

— Écoute-moi. File ! Tout de suite ! Que nul ne te voie !

Helkias mit une demi-miche de pain dans une besace.

— Yonah, au cas où je ne te rejoindrais pas... Reste caché aussi longtemps que possible. Ensuite, rends-toi chez Benito Martín.

— Viens avec moi, *abba*, supplia le jeune homme, terrifié.

Mais déjà l'orfèvre le poussait par la fenêtre et Yonah se retrouva seul dans les ténèbres.

Il se faufila prudemment derrière les bâtisses. En arrivant au sentier, qu'il devait traverser pour rejoindre la falaise, il avisa une cohorte d'individus. Leurs armes scintillaient sous la lumière des torches. Il se retint pour ne pas sangloter. De toute manière, le vacarme sauvage de ces brutes aurait couvert ses cris.

Alors, il se mit à courir.

10

Le refuge

L'étroitesse du tunnel menant à la grotte étouffait quasiment tous les bruits, même si, de temps à autre, parvenait aux oreilles de Yonah un rugissement sourd, comme l'écho d'un orage lointain. Il pleura en silence, recroquevillé sur le sol rocailleux, brisé par la peine et la terreur, engourdi au point de ne plus sentir les pierres s'enfonçant dans sa chair. Épuisé, il sombra dans un sommeil profond et bienvenu.

La sensation qu'un petit animal rampait sur sa jambe le réveilla. Il se raidit, songeant à une vipère, mais au bout de quelques secondes, il entendit le couinement familier d'une souris. Rasséréné, il bascula sur le dos et resta un moment à scruter l'obscurité.

Il ne savait pas combien de temps s'était écoulé depuis qu'il avait trouvé refuge dans cette caverne. Ses yeux s'habituaient peu à peu à la pénombre, mais il ne distinguait pas bien ce qui l'entourait. Faisait-il jour ou nuit au-dehors ? Comme il avait faim, il mordit dans le pain qu'Helkias lui avait donné.

Il se rendormit. Il revoyait son père en rêve : son visage bien-aimé, son regard bleu et profond, son nez vigoureux, sa barbe et ses cheveux gris, ses lèvres charnues qui articulaient des mots sans émettre aucun son. Il cherchait désespérément à comprendre ces paroles, sans y parvenir. La tristesse lui étreignit la poitrine et le tira de ce cauchemar.

Rouvrant les paupières, il se rappela la dernière recommandation que lui avait faite *abba*. Il devait l'attendre aussi longtemps que possible. Il termina donc son quignon et demeura allongé dans le noir. La soif le tenaillait. Il se souvint que Meïr lui avait appris à saliver en suçant un caillou. Il tâtonna pour en saisir un, qu'il essuya et téta comme un bébé avant de s'assoupir à nouveau.

C'est ainsi que les heures passèrent. Le ventre torturé par la faim, la bouche asséchée, ne trouvant de répit à sa souffrance que dans le sommeil, il s'affaiblissait à chaque instant.

Au bout du troisième jour, Yonah sentit qu'il risquait de mourir s'il restait ne fût-ce qu'une minute supplémentaire dans la grotte. Alors il rampa péniblement hors de sa cachette.

Aveuglé par l'éclat du jour, il s'arrêta pour que sa vue se réhabituât à la lumière. D'après la position du soleil, il devina que l'après-midi était entamé. Seul le cri d'un oiseau troublait le silence. Il remonta l'étroit sentier avec précaution mais ne croisa personne. En arrivant au hameau, il constata, avec une bouffée de joie, que tout paraissait intact.

Jusqu'à ce qu'il approche de chez lui.

Sa demeure était la seule à avoir subi un outrage. On avait démantelé la porte, brisé et éparpillé les meubles. Au-dessus de chaque fenêtre, une traînée noire sur la pierre blanche signait les ravages du feu.

À l'intérieur, tout n'était que saccage et désolation. Les effluves de l'incendie empestaient encore. Tous les objets de valeur avaient disparu, y compris la guitare mauresque de Meïr. Hagard, Yonah contemplait ce spectacle effroyable sans y croire tout à fait. Puis il appela, d'une voix étranglée :

– *Abba* !

Pas de réponse.

– *Abba* ! insista-t-il, plus fort.

Terrifié par l'écho de son propre cri, il sortit en toute hâte et courut chez Benito Martín.

Les Martín l'accueillirent avec une stupeur mêlée de soulagement.

— Nous te croyions mort, mon garçon. Nous pensions qu'ils t'avaient jeté dans le Tage, du haut de la falaise.

— Où est mon père ?

Benito s'approcha de Yonah et le serra dans ses bras en une étreinte muette et douloureuse.

Lorsqu'il se ressaisit, Martín lui relata les circonstances épouvantables qui avaient abouti à cette tragédie.

— Tout est la faute d'un dominicain, un certain Bonestruca. Il avait manifesté une grande curiosité au sujet d'Helkias quand j'enquêtais sur le reliquaire dans la cathédrale. On dit de lui qu'il a le visage d'un saint. Mais ce n'en est pas un, loin s'en faut. Or donc ce religieux a ameuté sur la Plaza Mayor de Tolède une horde de fanatiques, devant lesquels il a débité une harangue haineuse contre les juifs. Ils quittaient l'Espagne sans avoir reçu le juste châtiment qu'ils méritaient, disait-il. Il a aussi nommément accusé ton père d'avoir façonné un ciboire dans le dessein de jeter un sort contre les chrétiens. Selon ses termes, cet Antéchrist avait refusé de se rallier au Sauveur, se moquait de Lui de manière éhontée et s'apprêtait à s'enfuir en toute impunité. Il a poussé ces hommes à la vindicte, il a déchaîné leur fureur, puis il les a regardés se diriger vers chez toi tels des loups assoiffés de sang.

— Qu'est devenu le corps d'*abba* ?

— Nous l'avons enterré derrière la maison. Matin et soir, je prie pour le salut de son âme.

Benito se tut tandis que l'adolescent pleurait.

— Pourquoi n'est-il pas venu avec moi quand il m'a dit de partir ? murmura ce dernier.

— Je crois qu'il a agi ainsi pour te protéger, répondit gravement Martín. S'ils avaient trouvé votre demeure déserte, ils n'auraient pas renoncé. Ils auraient remué ciel et terre, et ils auraient fini par vous prendre tous les deux.

Teresa, l'épouse de Benito, et sa fille Lucía disposèrent du pain et du lait sur la table. Accablé de chagrin, Yonah resta figé, la tête dans les mains. Benito approcha un peu la nourriture de lui et, dès qu'il eut goûté la première bouchée, le

73

garçon avala tout d'une traite, honteux de sa propre glouton-
nerie.

Comme il n'avait vu ni Eléazar ni Enrique, il supposait que
les deux camarades jouaient ensemble à l'extérieur. Mais la
porte s'ouvrit et le petit des Martín apparut sur le seuil, sans
son compagnon.

– Où est mon frère ?

– Avec ton oncle Aron et ta tante Juana, expliqua Benito.
Eux aussi te croient mort. Ils ont demandé à emmener Eléazar
avec eux le lendemain du drame, avant de quitter Tolède.

Yonah se redressa, nerveux.

– Je dois aller les rejoindre à Valence !

L'artisan secoua la tête.

– Ils ont modifié leurs projets. Ils se sont dit qu'ils auraient
plus de chances de trouver un bateau dans un village de
pêcheurs. Comme Aron n'avait pas assez d'argent, je lui ai
versé la somme que je devais à ton père. Ils ont pris leurs deux
chevaux et ceux qu'Helkias avait confiés à Marcelo Troca,
afin de ne pas les épuiser.

Il hésita avant d'ajouter :

– Ton oncle est un homme aussi fort qu'avisé. Ils s'en sor-
tiront.

– Il faut que je m'en aille !

– Il est trop tard, Yonah. D'ailleurs, où iras-tu ? Il y a des
dizaines de villages sur la côte. De plus, le dernier vaisseau
de juifs appareillera dans seulement quatre jours. Même en
galopant jour et nuit, si tant est que ta monture supporte une
telle cadence, tu n'atteindras jamais la mer en un temps si
court.

– Alors... que vais-je faire ?

– Écoute-moi bien, mon garçon. Le meurtre de ton père a
manifestement un lien avec celui de ton frère. Il ne s'agit pas
d'une pure coïncidence si c'est le seul juif à avoir été lynché
ici ou si les *menudos* ont détruit ta maison alors qu'aucune
synagogue n'a subi le moindre dommage. De surcroît, les soldats se lanceront à la poursuite de tous ceux qui ont enfreint
l'ordre d'expulsion ou qui n'ont pas adopté la religion du
Christ. Je ne vois qu'un endroit où tu puisses rester sain et

sauf : chez nous. Par amitié pour Helkias et pour toi, je t'offre la protection de mon nom.

— Votre nom ?

— Oui. Tu vas te convertir. Tu t'appelleras Tomás Martín et tu vivras avec nous. Entendu ?

Yonah le regarda incrédule. En l'espace d'un instant, il venait de perdre toute sa famille et se retrouvait hors-la-loi, menacé de mort. Il accepta.

— Bien. Je sors sur-le-champ mander un prêtre, annonça Benito.

11

La décision

Yonah demeura un moment pétrifié et abattu. Lucía essaya de le réconforter en lui tenant la main, mais il se sentait en proie à tant de confusion et de souffrance qu'il était incapable d'apprécier cette tentative de consolation. Alors elle le laissa seul.

Abba avait disparu à jamais et qui savait s'il reverrait un jour son cher Eléazar !

Sur la table à dessin de l'artisan, il aperçut de l'encre, des plumes et du papier. Il s'apprêtait à s'y installer lorsque Teresa entra.

L'épouse de Benito ne nourrissait pas envers les Toledano la même affection que son mari et ses enfants, et, à l'évidence, la perspective d'accepter un juif au sein de sa famille ne la réjouissait guère.

— Le papier est cher, lui lança-t-elle d'un ton aigre.

L'adolescent trouva un croquis du ciboire qu'Helkias avait confié à Martín. Il composa sa lettre sur le verso de cette feuille, rédigeant la première ligne en hébreu et le reste en espagnol. Il écrivit rapidement, sans même s'interrompre pour réfléchir.

Le deuxième fils

À mon frère chéri, Eléazar ben Helkias Toledano.

Sache que moi, ton frère Yonah, j'ai échappé à ceux qui ont massacré notre père.

Je t'écris, bien-aimé Eléazar, dans l'éventualité où des faits non connus de moi vous auraient, toi et nos parents, empêchés de quitter l'Espagne. Et si, le 9 Av, tu navigues sur ces mers profondes auxquelles nous rêvions en des temps plus heureux, peut-être un jour, devenu homme, retourneras-tu sur la terre de notre enfance pour découvrir cette missive dans notre lieu secret et apprendre les événements que je vais te conter.

Sache, pour ta sécurité, qu'une personne puissante, dont j'ignore l'identité, a conçu une haine féroce à l'encontre de notre famille. Je n'en comprends pas la raison. Notre père, qu'il repose dans la paix éternelle des Justes, croyait que la disparition tragique de notre frère Meïr ben Helkias était liée au vol du reliquaire commandé par le prieuré de l'Assomption. Son bon ami, dont je ne citerai pas le nom au cas où cette lettre tomberait entre des mains malveillantes, est convaincu que l'assassinat d'abba est lié à celui de Meïr, à la coupe d'or et d'argent qu'il avait façonnée et à un certain frère dominicain du nom de Bonestruca. Montre-toi donc très prudent.

Je dois moi aussi prendre garde.

Il ne reste aucun juif ici, à l'exception des nouveaux chrétiens.

Suis-je seul en Espagne ?

Tout ce pour quoi notre père a tant œuvré a disparu. Certains clients ne se sont pas acquittés de leurs dettes. Je t'en livre la liste, même si je doute qu'elle te soit d'une quelconque utilité.

Samuel ben Sahula doit treize maravédis pour trois plateaux de Seder[1], un verre à Kiddoush[2] et une petite bassine d'argent pour les ablutions rituelles.

---

1. Rituel de la Pâque juive. (*N.d.T.*)
2. Bénédiction sur le vin. (*N.d.T.*)

Don Isaac ibn Arbet doit six maravédis pour un plateau de Seder et deux maravédis pour six petits gobelets d'argent.

Je ne sais pas où ces hommes sont allés. Si telle est la volonté du Seigneur, peut-être ton chemin croisera-t-il le leur.

Le comte Fernán Vasca de Tembleque doit soixante-neuf réaux et seize maravédis pour trois grands bols, quatre petits et deux grands miroirs, une fleur en or avec une tige en argent, huit petits peignes pour femmes, un peigne long et une douzaine de gobelets en argent massif avec une base en vermeil.

*L'ami d'*abba *souhaite faire de moi son fils chrétien, mais je dois demeurer l'enfant juif de notre père, même si cela cause ma perte. Que l'on m'arrête ou non, je ne deviendrai jamais un* converso. *Si le pire survenait, songe seulement que j'aurai rejoint Meïr et nos chers parents auprès du Tout-Puissant.*

Je tiens aussi à te dire que je risquerais ma place au royaume des cieux pour pouvoir seulement te serrer dans mes bras. De grâce, mon frère chéri, pardonne-moi toutes mes indélicatesses, tout le mal que j'ai pu te faire par mes paroles ou par mes actes. J'implore ton amour pour l'éternité. Souviens-toi de nous, Eléazar, et prie pour nos âmes. N'oublie pas que tu es le fils d'Helkias, de la tribu de Levi, descendant direct de Moïse. Pense bien chaque jour à dire le Shema [1], *en te rappelant que ton frère rempli de tristesse le récite avec toi.*

Yonah ben Helkias Toledano

— Naturellement, tu ne peux plus compter sur mon mari pour qu'il rachète la maison de ton père, vu son état de délabrement !

Teresa regarda le papier en fronçant les sourcils. Bien qu'illettrée, elle reconnut les caractères hébraïques en haut de la page.

---

1. L'une des principales prières juives, commençant par ces mots : « Écoute, Israël, l'Éternel notre Dieu, l'Éternel est un. » (*N.d.T.*)

– Oh ! Toi, tu porteras malheur à ce foyer !

Cette pensée fit frissonner Yonah et lui rappela que, bientôt, Benito reviendrait avec un prêtre muni d'eau bénite pour le baptiser. Il s'empara de sa missive et sortit précipitamment. Personne ne l'arrêta et il s'en alla dans le soleil couchant.

Ses pas le menèrent vers les ruines de la demeure familiale. Derrière, il avisa le rectangle de terre fraîchement retournée qui marquait l'endroit où Helkias reposait. Les yeux secs, il récita le Kaddish, la prière des morts, et grava dans sa mémoire l'emplacement de la tombe en se promettant que, s'il restait en vie, il transporterait un jour la dépouille de son père en un lieu plus consacré.

À présent, il lui semblait comprendre les paroles qu'*abba* lui disait en rêve : « Reste qui tu es, Yonah ben Helkias Toledano, le Lévite. »

Il entreprit de fouiller l'intérieur de la maison, malgré la poussière et les cendres. Les vandales avaient emporté tout ce qu'ils avaient pu. Les *mezouzoth* [1] en argent avaient été arrachées des encadrements de portes. Il ne subsistait presque plus rien dans l'atelier. Dans le plancher démantelé, les intrus avaient découvert le peu d'argent qu'Helkias avait rassemblé pour son voyage. En revanche, ils ne s'étaient pas emparés des économies de Yonah, dissimulées derrière une pierre descellée de la paroi nord. Il y récupéra les dix-huit *sueldos* qu'il avait épargnés au fil du temps. Cette somme ne représentait pas grand-chose, mais elle pourrait toujours servir. Il fabriqua une petite bourse avec un vieux chiffon et y plaça les pièces.

Il ramassa un morceau de parchemin déchiré, provenant d'une des *mezouzoth*, et en lut le verset : « Tu aimeras l'Éternel ton Dieu de tout ton cœur, de toute ton âme et de tout ton pouvoir. Ces devoirs que Je t'impose aujourd'hui seront gravés dans ton cœur. » Il songea à le glisser dans une poche, mais, réflexion faite, il se dit que, découvert en sa possession, le texte hébraïque le mènerait à une mort certaine. Il le plia donc

---

1. Extraits des Écritures, protégés par un petit étui, que les juifs fixent à l'entrée de chaque maison et de chaque pièce. (*N.d.T.*)

et le rangea avec la lettre adressée à son frère dans la cachette pratiquée à l'intérieur du mur. Puis il quitta la maison.

Il passa devant le champ de Marcelo Troca, où étaient encore attachés les deux ânes achetés par son père. Il tenta d'approcher le plus grand, mais la bête prit peur et rua. Le second paraissait plus docile et le regardait placidement. Lorsque Yonah le détacha et se hissa sur son dos, il se mit à trotter, obéissant à ses talonnades.

Ils descendirent la sente abrupte et traversèrent le fleuve. Les rochers d'argile pourpre se profilaient, telles des ombres menaçantes, dans les dernières lueurs du jour.

Helkias lui avait assuré que le Tout-Puissant guiderait toujours ses pas. Une fois loin de la rivière, il lâcha donc les rênes et laissa le *burro* et le Seigneur décider de son itinéraire. Il pensa avec ironie à ses aspirations d'autrefois. Comparé à ses espoirs d'aventures, il offrait une vision bien pathétique : cheminant ainsi vers l'inconnu sur un baudet pitoyable, il était loin de ressembler à un audacieux marchand ou à un preux chevalier.

Il s'arrêta un moment pour contempler Tolède dans le lointain. Les flammes des lampes à huile illuminaient les fenêtres et une silhouette s'éclairant d'une torche parcourait le sentier qui longeait la falaise. Mais l'identité du promeneur lui importait peu. De toute façon, plus personne en ces lieux ne l'aimait.

Il aiguillonna l'âne d'une pression des genoux et reprit sa route sans se retourner.

III

Le *peón*

Castille
Le 30 août 1492

12

L'homme à la houe

Yonah voyagea toute la nuit vers le sud, sous la lumière blafarde de la lune. Conscient du danger qu'il courait, il ne se risqua pas à faire la moindre halte : le prêtre mandé par Benito Martín pour le baptiser avait déjà dû prévenir les autorités de la fuite d'un jeune juif. Il parcourut la campagne obscure en s'éloignant des hameaux trop peuplés, croisant quelques fermes éparses et accélérant l'allure dès qu'il entendait un chien aboyer.

Aux premières lueurs grises de l'aube, le paysage avait changé. La région, moins vallonnée et plus fertile, abritait de grandes exploitations et toutes sortes de cultures. Il dépassa une oliveraie, un vignoble, et descendit de son âne devant un champ d'oignons. Comme son estomac criait famine, il en ramassa quelques-uns, qu'il dévora goulûment. Puis il cueillit des raisins encore verts, mais gorgés d'un jus âpre qui étancha sa soif. Il aurait certes pu acheter du pain au village, mais il préférait éviter tout contact avec les habitants du cru, de peur qu'on ne le questionnât un peu trop.

Arrivé à une digue d'irrigation, il s'arrêta pour permettre à son *burro* de boire et de brouter. Ce bref répit lui donna l'occasion de réfléchir à sa situation. Errer sans but ne constituait assurément pas une solution à long terme. Peut-être devait-il, après tout, se fixer une destination. Pourquoi pas le Portugal, où s'étaient expatriés certains de ses coreligionnaires ?

Le soleil du matin brillait à présent dans le ciel et les ouvriers, munis de sarcloirs et de machettes, commençaient à sortir de leurs quartiers. Affairés à débroussailler la plantation, ils ne semblèrent pas remarquer le garçon et son âne. Alors Yonah laissa le docile animal se nourrir jusqu'à satiété, avant de repartir au trot.

« Ce gentil baudet mérite bien un nom, se dit-il en se hissant sur son dos. Comment vais-je donc l'appeler ? »

Il cheminait tranquillement en songeant à cette question lorsque le grondement menaçant de chevaux au galop le tira de ses pensées. Il dirigea son âne vers le bord de la route pour les laisser passer. Mais à sa grande consternation, la troupe de huit soldats à l'air féroce, armés de piques et d'épées, fit halte à sa hauteur. L'un des cavaliers descendit de sa monture pour uriner dans le fossé. Un autre, apparemment leur chef, toisa l'adolescent.

– Qui es-tu ?

S'efforçant de masquer sa peur, Yonah eut la présence d'esprit de recourir à l'identité que lui avait destinée Benito.

– Tomás Martín, Votre Excellence.

– Où habites-tu ?

Sans doute les ouvriers avaient-ils signalé à la patrouille la présence d'un rôdeur dans les environs.

– Je viens de Cuenca.

– As-tu rencontré des juifs sur ton chemin ?

– Non, Votre Excellence, aucun.

– Nous non plus. Et pourtant nous cherchons bien ! Nous avons enfin réussi à nous débarrasser d'eux. Ils sont tous partis, convertis ou mis aux fers.

– Qu'ils aillent empoisonner les puits ailleurs ! lança en ricanant celui qui était allé se soulager. Que ces damnés Portugais les accueillent avec joie ! Ils en ont déjà une quantité telle que c'en est devenu un fléau ! Il paraît qu'ils les tuent comme de la vermine.

– Où te rends-tu ? poursuivit l'officier.

– À Guadalupe, répondit Yonah.

– C'est à une bonne distance de chez toi. Et que vas-tu y faire ?

– Je vais voir mon oncle, Enrique Martín.

Pour la première fois, il mesurait à quel point mentir était chose aisée. Son imagination l'aidant, il ajouta qu'il avait quitté son village natal parce que son père Benito avait été tué en combattant les Maures l'année passée.

Le visage de son interlocuteur se radoucit.

– Eh oui ! C'est le triste lot des guerriers... Tu m'as l'air assez robuste. Souhaiterais-tu travailler pour pouvoir te payer de quoi manger sur ton trajet ?

– J'en serais heureux, Votre Excellence.

– Ils ont besoin de bras forts à la ferme de don Luís Carnero de Palma. C'est la prochaine propriété sur la route. Adresse-toi à José Galindo et dis-lui que tu viens de la part du *capitán* Astruells.

– Merci mille fois, *capitán !*

Apaisé, Yonah regarda s'éloigner la patrouille en toussant sous les nuages de poussière soulevée par les chevaux.

La sagesse lui conseillait d'interrompre un moment son périple : si les gardes de ce lieu s'étaient satisfaits de son histoire, d'autres pourraient se montrer plus difficiles à berner.

L'exploitation dont avait parlé l'officier était très vaste et employait de nombreux ouvriers. Le jeune homme dirigea son âne vers l'allée menant à la cour. Suivant la recommandation du *capitán*, il alla trouver José Galindo. Ce dernier se montra méfiant au départ, mais ne lui posa plus aucune question dès qu'il eut prononcé le nom d'Astruells. Bientôt, Yonah se retrouva dans un champ d'oignons, à labourer la terre séchée avec une houe.

En milieu de matinée, un vieil homme aux bras maigres et noueux, tirant un chariot entre deux pieux comme une bête de trait, distribua à chacun des travailleurs un bol de gruau et un morceau de pain rassis. Une fois rassasié par la maigre pitance, Yonah eut envie d'uriner. De temps à autre, quelqu'un allait vers le fossé pour faire ses besoins. Cependant, le jeune homme craignait que l'on remarquât son membre circoncis, qui trahissait ses origines. Il se retint donc tant qu'il put et attendit que la voie fût libre pour enfin se soulager. Puis il retourna à son travail sous le soleil brûlant.

Qu'étaient devenus tous ceux qu'il connaissait ? Où le conduisait cette nouvelle existence ?

Pour faire taire ses inquiétudes, il s'abîma dans son ouvrage et se surprit à pilonner le sol avec sa houe comme pour expurger sa haine contre les soldats de l'Inquisition qui, dans toute l'Espagne, étaient assurément lancés à sa poursuite.

Trois jours plus tard, ivre de fatigue et de crasse, Yonah se rappela que le délai accordé aux Juifs par les souverains pour quitter le pays venait d'expirer : on était le 2 août 1492, soit le 9 Av du calendrier hébraïque, date qui commémorait la destruction du Temple de Jérusalem et le début de l'exil pour son peuple, plus de quatorze siècles auparavant. Tout en poursuivant son labeur, il pria en silence, implorant l'Éternel pour qu'Eléazar, Aron et Juana fussent sains et saufs sur l'océan, voguant bien loin de ces terres inhospitalières.

13

Le prisonnier

Yonah avait grandi dans le tumulte d'une ville. Naguère, il avait parfois trait les chèvres de son oncle Aron, nourri et gardé son troupeau, ramassé le foin et aidé à abattre le bétail ou à fabriquer le fromage. Pourtant, jamais auparavant il n'avait connu les dures journées de labeur qui caractérisent la vie agricole. Dans les plantations de Carnero de Palma, les plus jeunes, chargés des besognes trop ardues pour les corps usés de leurs aînés, étaient exploités comme des bêtes de somme. Au cours des premières semaines, malgré sa vigueur et sa stature, l'adolescent souffrit de douleurs intenses. Mais bientôt ses muscles s'affermirent et son visage brunit sous le soleil, à l'instar de ceux de ses compagnons.

Conscient de sa vulnérabilité, il se montrait soupçonneux à l'égard de tout le monde. Comme il redoutait aussi qu'on lui volât son âne, il s'arrangeait, pendant la journée, pour qu'il fût attaché à portée de son regard. La nuit, il dormait avec lui dans un coin de la grange ; il avait la sensation curieuse que le *burro* veillait sur lui comme un chien de garde.

Les *peóns* semblaient satisfaits de leurs conditions de vie. Parmi eux figuraient des adolescents pleins d'énergie, des adultes robustes et des vieillards épuisant leurs dernières forces. Yonah était un étranger. Il ne parlait à personne et personne ne lui parlait, sauf pour lui donner des instructions. Il s'habitua vite aux craquements de la terre séchée s'effritant sous les houes, aux cliquetis des lames heurtant les pierres, aux grognements d'effort des hommes épuisés. Si on l'appelait à l'autre bout du champ, il s'y rendait promptement. Quand il avait besoin d'un outil, il le demandait poliment, mais sans servilité. Il savait que certains le regardaient avec animosité et que, tôt ou tard, on lui chercherait querelle. Alors, pour se protéger pendant son sommeil, il conservait, bien en évidence près de lui, une houe au manche brisé, qu'il avait pris soin d'aiguiser.

À la ferme, il menait une existence rude et austère. On le payait quelques misérables *sueldos* pour besogner de l'aube jusqu'au soir et on lui donnait du pain et des oignons, et même parfois du gruau ou un léger potage. La nuit, il songeait à Lucía Martín, mais bien souvent il rêvait de la viande ou des volailles qu'il mangeait jadis chez son père – du mouton ou du chevreau rôti, et la poule au pot du vendredi soir – et que son estomac réclamait à grands cris.

Lorsque le temps se rafraîchit, le propriétaire fit tuer les cochons. Les restes et les bas morceaux étaient distribués aux ouvriers, qui se jetaient dessus avec délectation. Yonah savait qu'il lui fallait consommer du porc pour ne pas se distinguer du groupe. Et il constata avec embarras que cette chair rose, loin de lui répugner, était vraiment savoureuse. Non sans remords, il récita en son for intérieur les grâces avant le repas.

Cette prière ne fit qu'amplifier son isolement et accroître son désarroi. Par-dessus tout, il désespérait d'entendre une voix humaine parler ladino [1] ou hébreu. Matin et soir, il murmurait le Kaddish et, tout en travaillant, il psalmodiait à voix basse certains versets des Écritures ou les bénédictions qui rythmaient sa vie d'autrefois.

Il séjournait à la ferme depuis sept semaines quand les soldats de la patrouille reparurent. Entre-temps, il avait appris qu'ils faisaient partie de la Santa Hermandad, la Sainte Fraternité, une organisation de milices locales coordonnées par le trône espagnol pour constituer une force de police nationale.

---

1. Forme de castillan parlée par les juifs d'Espagne et transmise à leurs descendants, jusqu'à nos jours. (*N.d.T.*)

En début d'après-midi, alors qu'il coupait du foin, Astruells lui tapota l'épaule.

– Comment ! Tu es encore là ?

Yonah répondit par un hochement de tête. L'officier s'éloigna. Quelques instants plus tard, il était engagé dans une vive conversation avec l'intendant de la ferme, José Galindo, et l'adolescent remarqua que les deux hommes regardaient dans sa direction.

Il sentit son sang se glacer. Si le *capitán* commençait à mener une enquête à son sujet, il savait à quoi s'attendre. Il termina sa journée éperdu d'angoisse. Dès la nuit tombée, il tira son *burro* vers la route, emportant la houe brisée en guise de compensation pour son solde impayé.

Quand il se fut assuré que personne ne l'avait vu, il monta sur son âne et s'enfuit dans l'obscurité.

Le baudet avançait avec constance et volonté. Sa présence avait maintes fois réconforté Yonah, qui s'était pris d'une réelle affection pour lui.

Il reprit donc sa réflexion là où il l'avait laissée avant de croiser la patrouille et, après avoir écumé tous les lieux communs, Yonah trouva deux noms qui lui convenaient.

– Lorsque nous serons seuls et par la pensée, je t'appellerai Moïse, chuchota-t-il à l'oreille du *burro*, en l'honneur de mon ancêtre qui conduisit les esclaves hébreux hors d'Égypte, et de Maimonide, le grand médecin et philosophe juif. En présence d'autrui, tu seras simplement Pedro.

Satisfait de son choix, il caressa le cou de son fidèle compagnon qui trottinait sans relâche vers un destin inconnu.

Yonah suivit la route durant deux jours, voyageant la nuit, se cachant pour dormir dès l'aurore et se nourrissant de raisins mûrs. Le troisième matin, il arriva à une fourche. Vers l'ouest, un panneau indiquait Guadalupe, la destination qu'il avait indiquée au *capitán* Astruells et qu'il valait donc mieux éviter. Vers le sud, le chemin conduisait à Ciudad Real, où il choisit de se rendre.

La ville était en effervescence et, sur la grand-place, le marché battait son plein. Au milieu de cette cohue, un étranger passait aisément inaperçu. Le spectacle de ce robuste adolescent juché sur un âne si petit que ses pieds touchaient presque le sol faisait sourire les badauds, mais nul ne s'étonna de sa présence en ce lieu.

Yonah ne put résister devant l'étal d'un fromager et sacrifia l'un de ses précieux *sueldos* pour acheter un chèvre qu'il engloutit avec avidité, tout en regrettant le goût autrement plus savoureux de ceux de son oncle Aron.

— Je suis en quête d'un emploi, señor, dit-il en tendant sa pièce.

— Qu'est-ce que tu veux que ça me fasse ? Je ne peux pas me permettre d'embaucher en ce moment.

Le commerçant apostropha alors quelqu'un qui se tenait non loin de là.

— Bailli ! J'ai un garçon pour vous.

L'individu petit et bedonnant, aux cheveux épars plaqués par un baume, dévisagea Yonah d'un air important.

— Je suis Isidoro Alvarez, l'*alguacil* de cette cité.

— Je m'appelle Tomás Martín et je cherche du travail, señor.

— Oh, du travail, j'en ai. Pour sûr ! Qu'est-ce que tu as fait jusqu'ici ?

— J'ai été *peón* dans une ferme près de Tolède.

— Qu'est-ce qu'on cultivait là-bas ?

— Des oignons et du grain. On y élevait aussi des chèvres laitières.

— Eh bien, moi, j'élève une autre sorte de bétail. Je veille sur un troupeau de criminels et je gagne ma pitance en le protégeant du soleil et de la pluie.

Le fromager rit bruyamment à cette plaisanterie douteuse.

— J'ai besoin de quelqu'un pour nettoyer les cellules, vider les seaux infects de mes bougres et les nourrir juste assez pour les garder en vie pendant qu'ils sont sous ma charge. Ça te conviendrait, jeune *peón* ?

Cette perspective était loin de le réjouir, mais l'*alguacil* le fixait avec un regard chafouin où se lisait autant de jovialité que de cruauté. Quelques curieux s'étaient approchés. À leurs ricanements, Yonah comprit qu'ils espéraient s'amuser un peu à ses dépens et qu'un refus, même poli, donnerait lieu à un fâcheux incident.

— Oui, señor.

— Eh bien, suis-moi jusqu'à la prison. Tu commenceras tout de suite.

Tandis qu'il s'éloignait de la grand-place, Yonah entendit le fromager dire à l'un de ses clients sur un ton railleur :

— Ça y est ! Isidoro a enfin trouvé un nigaud pour s'occuper de son ramassis de juifs !

La prison était un bâtiment long et étroit. À l'une de ses extrémités se trouvait le bureau de l'*alguacil*, et à l'autre la salle des interrogatoires. De chaque côté du couloir reliant ces deux pièces s'alignaient de minuscules cellules. Les détenus s'y recroquevillaient sur le sol en pierre ou s'adossaient contre le mur.

Alvarez expliqua à Yonah que, parmi les captifs, figuraient trois voleurs, un assassin, un ivrogne, deux bandits de grand chemin et onze « nouveaux chrétiens » accusés de judaïser en secret.

Un garde armé d'une épée et d'un gourdin somnolait sur une chaise dans le corridor.

— Voici Paco, dit Isidoro à Yonah. Et ce gaillard-là s'appelle Tomás, ajouta-t-il en s'adressant au geôlier.

Puis il se rendit dans son bureau et referma la porte pour échapper à l'insoutenable puanteur.

Résigné, le jeune homme se mit à l'ouvrage. La tâche la plus urgente pour redonner un semblant de propreté à ce taudis consistait à vider les eaux sales. Il demanda donc à Paco d'ouvrir la première porte, derrière laquelle une femme hébétée le suivit de ses yeux absents tandis qu'il soulevait son seau rempli à ras bord.

En attachant Moïse à l'extérieur, Yonah avait avisé une pelle qu'il alla chercher. Dans un coin sablonneux, il creusa un trou où il déversa le contenu nauséabond du récipient, qu'il remplit de sable à deux reprises avant de l'essuyer avec les larges feuilles d'un arbre et de le rincer dans une rigole.

Il réitéra cette manœuvre pour les quatre cellules suivantes, sa compassion croissant à mesure qu'il constatait l'état pitoyable de leurs occupants. En poussant la sixième porte, il marqua un temps d'arrêt. Sur la figure émaciée du prisonnier à la barbe longue et aux cheveux hirsutes, il crut reconnaître une physionomie familière. Mais, irrité par sa lenteur, le garde le pressa d'un grognement et Yonah sortit précipitamment.

Il parvint tout à coup à identifier ce visage. Il revit sa mère mourante et, à son chevet, celui qui était venu chaque jour, de nombreuses semaines durant, lui administrer des potions.

Dans ce sordide cachot croupissait Bernardo Espina, l'ancien médecin de Tolède.

14

Jour de fête

Yonah couchait dans la salle des interrogatoires, par terre. Une fois par jour, il portait le repas préparé par l'épouse de Gato, le gardien de nuit, aux prisonniers. Il mangeait comme eux et partageait parfois sa pitance avec Moïse, en attendant le moment propice pour s'enfuir. À en croire Paco, un grand autodafé devait prochainement attirer une foule de gens en ville, et le garçon comptait profiter de cette occasion pour partir à l'insu de tous.

Satisfait de son travail, Isidoro le laissait en paix. Les premiers jours, les voleurs emprisonnés furent roués de coups par Paco et Gato, puis relâchés. L'ivrogne, libéré lui aussi, revint trois jours plus tard, complètement saoul, beuglant comme un sauvage.

Peu à peu, en écoutant les conciliabules de l'*alguacil* et de ses hommes, l'adolescent apprit les chefs d'accusation retenus contre quelques-uns des nouveaux chrétiens. Un boucher nommé Isaac de Marspera vendait de la viande abattue selon le rituel juif. Juan Peropan possédait certains textes de liturgie hébraïque et sa femme Isabel participait de son plein gré à ces prières. Les voisins d'Ana Montalban l'avaient vue se reposer le septième jour de la semaine, se laver chaque vendredi avant le coucher du soleil et porter des vêtements propres pendant le Shabbat.

Yonah s'aperçut que, chaque fois qu'il s'approchait de son cachot, le médecin de Tolède le suivait des yeux. Finalement, un matin, alors qu'il nettoyait sa cellule, Espina lui chuchota :

– Pourquoi t'appellent-ils Tomás ?

– Et comment devraient-ils m'appeler ?

– Tu es un Toledano, mais je ne sais plus lequel.

Yonah aurait bien aimé lui répondre : *Vous savez bien que je ne suis pas Meïr*. Mais il avait trop peur. Le détenu aurait pu envisager de le dénoncer à l'Inquisition en échange de sa libération.

– Vous vous trompez, señor.

Plusieurs jours s'écoulèrent sans incident. Tous les prisonniers accusés de judaïser subissaient leur sort en silence, accablés par un désespoir muet. Seul le boucher Isaac de Marspera osait provoquer ses geôliers : il récitait à voix haute des bénédictions en hébreu et clamait sa foi.

Quant au médecin, il passait le plus clair de son temps à lire son bréviaire. Yonah sentait que si cet homme avait voulu le trahir, il l'aurait déjà fait. Il décida donc de lui avouer son identité :

– Je suis Yonah Toledano, señor, dit-il à mi-voix.

Espina hocha la tête.

– Et comment va ton père Helkias ? Est-il parti ?

– On l'a assassiné.

Ils s'interrompirent en entendant les pas de Paco, qui venait rouvrir la porte de la cellule pour laisser sortir le jeune homme.

Paco était un fainéant, qui somnolait dès qu'Isidoro avait le dos tourné. Irrité d'être sans cesse dérangé par Yonah, il finit par lui confier son trousseau de clés.

Yonah retourna dans la cellule du praticien, impatient de discuter avec lui, mais, à sa grande déception, Espina garda les yeux rivés sur son livre et ne manifesta aucun désir de reprendre leur conversation.

Isaac de Marspera psalmodiait tout haut, en se balançant d'avant en arrière, sa tunique relevée sur la tête comme un châle de prière. Le garçon s'imprégna de la musique familière de cette litanie et prêta une oreille plus attentive pour en saisir la signification :

Notre Père, notre Roi, nous avons péché devant Toi
Nous n'avons d'autre Roi que Toi seul
Fais-nous grâce en faveur de Ton Nom
Que l'année nouvelle nous soit propice
Annule les desseins de nos ennemis
Éloigne des enfants de Ton alliance la peste,
     [la guerre, la famine, la captivité, la destruction
Souviens-Toi que nous ne sommes que poussière...

En comprenant ces paroles de pénitence, il tressaillit. Ce devait être le 10 du mois hébraïque de Tishri : Yom Kippour, le jour du Grand Pardon. Il aurait voulu se joindre au boucher dans ses invocations, mais le bureau de l'*alguacil*, d'où lui parvenaient les voix d'Isidoro et de Paco, était resté ouvert. Alors il balaya autour de l'homme en contrition et verrouilla sa cellule.

Ce jour-là, tous les détenus mangèrent ce qu'il leur distribua, à l'exception de Marspera, qui observait le jeûne absolu de rigueur à Kippour. Yonah ne s'alimenta pas non plus, heureux de trouver ce moyen d'honorer ses traditions sans risque. Et son âne se régala de ces deux portions de gruau supplémentaires.

La nuit, rongé par l'insomnie, il demanda pardon à l'Éternel pour ses fautes et ses offenses, conscientes ou non, envers ceux qu'il aimait et ceux qu'il n'aimait pas. Il dit le Kaddish et le Shema, puis implora le Tout-Puissant de prendre soin d'Éléazar, d'Aron et de Juana, si toutefois ils étaient encore en vie.

Il mesurait combien, par manque de vigilance, il lui était facile d'oublier le calendrier juif. Il se promit donc de se remémorer la date hébraïque aussi souvent que possible. Il tenta de le reconstituer de mémoire. Cinq des mois – Tishri, Shevat, Nissan, Sivan et Av – comportaient trente jours, tandis que les sept autres – Heshvan, Kislev, Tevet, Adar, Iyar, Tamouz et Eloul – en comptaient vingt-neuf. Certaines années, dites embolismiques, on en ajoutait un treizième – Adar Shéni –,

mais il en ignorait la périodicité exacte. *Abba* aurait certainement pu le lui dire...

« Je ne suis pas Tomás Martín, pensa-t-il en s'assoupissant.
Je suis Yonah Toledano, fils d'Helkias ben Reuven Toledano
– que sa mémoire soit bénie –, issu de la tribu de Levi. Nous
sommes le 10 du mois de Tishri, en l'an 5253... »

15

Autodafé

Un matin, des soldats enchaînèrent Espina et le conduisirent en carriole dans les locaux de l'Inquisition.

Lorsqu'ils le ramenèrent, il faisait déjà nuit. Chancelant de douleur, les deux pouces broyés et ensanglantés, il s'effondra par terre. Yonah lui apporta de l'eau, mais il demeura étendu et inerte, face au mur.

Le lendemain matin, l'adolescent revint le voir.

– Pourquoi êtes-vous ici ? lui chuchota-t-il. À Tolède, nous savions tous que vous étiez un fervent chrétien. Alors, pour quelle raison vous torturent-ils ainsi ?

Le médecin le regarda gravement et murmura d'un ton calme :

– Qu'ont-ils compris au Christ ?

L'après-midi, Juan Peropan eut le bras gauche brisé sur la roue. Cela suffit à délier la langue de son épouse Isabel, qui, pour s'épargner pareille souffrance, admit les crimes dont l'accusaient ses tortionnaires.

Yonah servait du vin à l'*alguacil* et à deux de ses amis pendant qu'Isidoro relatait ses aveux.

– Elle hurlait comme une hystérique ! Elle imputait toute la faute à son mari. « Juan Peropan n'avait jamais abjuré sa foi d'Israélite, criait-elle, jamais, jamais, jamais ! » Il l'avait forcée à acheter de la viande juive, à écouter des prières hérétiques, à y participer, à les apprendre à ses enfants.

Elle avait fourni des preuves contre les autres relaps sup-
posés. Elle avait même témoigné contre le médecin, qu'elle
ne connaissait pas, prétendant qu'Espina lui avait confié avoir
pratiqué trente-huit circoncisions rituelles sur des nourrissons.

Tour à tour, chacun des prisonniers fut interrogé jusqu'à ce
que, un matin, sur le balcon du bureau de l'Inquisition, une
bannière rouge fût déployée, annonçant un grand autodafé qui
se conclurait par des exécutions capitales.

Au seuil d'une mort certaine, Bernardo Espina éprouva le
soudain besoin d'évoquer Tolède.

Yonah lui faisait confiance instinctivement. Un après-midi,
alors qu'il frottait le sol du couloir, il s'arrêta près de la cellule
du médecin. Le jeune homme lui expliqua comment son père
avait cherché à le contacter, en vain, et qu'il s'était rendu au
prieuré de l'Assomption, abandonné par les frères. Bernardo
hocha la tête. Apparemment, cette nouvelle ne le surprenait pas.

– Un matin, les cadavres du sacristain Julio Pérez et de
deux gardes armés ont été découverts à l'extérieur de la chapelle. La relique de sainte Anne avait disparu. Il existe des
religieux fanatiques, assez cruels et influents pour anéantir les
gens comme toi et moi. Le cardinal Lancol est récemment
devenu notre nouveau souverain pontife, sous le nom
d'Alexandre VI. Sa Sainteté n'aurait pas supporté qu'une
communauté laisse disparaître une telle relique. Les moines,
quant à eux, ont dû se disperser au sein de l'ordre hiéronymite.

– Et le *padre* Sebastián ?

– Tu peux être sûr qu'il n'occupe plus la fonction de prieur.
On l'a sans doute envoyé en un lieu où il remplira sa mission
dans la discrétion.

Le visage d'Espina se durcit.

– Peut-être les voleurs ont-ils réuni l'ossement et le ciboire
confectionné par ton père.

– Mais quelle sorte d'individus commettraient le péché
d'assassiner pour s'emparer d'objets sacrés ?

– Des impies arborant les dehors de la piété, soupira le
médecin avec un sourire las. Au sein de la chrétienté tout
entière, les dévots ont placé une foi et un espoir démesurés

dans les reliques. Elles font l'objet d'un vaste trafic et d'une convoitise sanguinaire.

Le cœur serré, Yonah écouta Espina relater son enquête sur le meurtre de Meïr. Puis Bernardo parla de sa propre arrestation par le frère Bonestruca.

— Bonestruca ? D'après ce qu'on m'a dit, c'est lui qui a incité les villageois à tuer *abba*.

— Il a un visage étrangement beau, mais son âme doit porter un lourd fardeau de culpabilité. D'ailleurs, le vieux Diego Diaz l'a vu qui suivait Meïr en compagnie d'un chevalier.

— Il était là quand mon frère a été tué ?

— J'en suis presque sûr. Et il a volé le ciboire. Cet homme n'hésiterait pas à neutraliser toute personne susceptible de lui nuire. À l'issue de mon premier entretien avec lui, j'étais conscient qu'il me fallait m'enfuir, sans quoi il me convoquerait à nouveau et, cette fois, ne me libérerait pas. Je réfléchissais aux modalités de mon départ quand le *padre* Sebastián m'a demandé de le rejoindre au couvent pour m'informer du vol de la relique. On aurait dit qu'il perdait l'esprit. Il sanglotait. Il m'a ordonné de retrouver le fragment coûte que coûte. La gravité de ce crime l'accablait et il m'implorait de redoubler d'efforts pour démasquer les coupables. Quelques heures plus tard, j'ai aperçu Bonestruca sur la Plaza Mayor. En croisant son regard, j'ai compris que j'étais perdu. Si je restais à Tolède une seconde de plus, je me faisais écrouer. J'ai conseillé à ma femme d'emmener nos enfants chez des parents et j'ai filé.

— Où êtes-vous allé ?

— Au nord, dans les montagnes. J'ai réussi à me cacher dans de petits hameaux, où les habitants étaient contents d'accueillir un médecin.

Surtout un homme tel que lui, pensa Yonah. Il se souvenait de la douceur des soins qu'il avait prodigués à sa mère. En outre, Helkias avait parlé de son apprentissage auprès de Samuel Provo, l'éminent praticien juif. Espina avait mis sa noble existence au service d'autrui. C'était un être de grande valeur. Et pourtant, il était condamné. L'adolescent aurait voulu sauver Bernardo et tous ses compagnons d'infortune, mais il eût fallu un miracle. La nuit, le perfide Gato gardait les cellules avec une vigilance malsaine. Et même s'il était possible de tuer Paco, qui somnolait toute la journée, les évadés n'iraient pas très loin : Ciudad Real était patrouillée comme un camp militaire.

— Combien de temps ont-ils mis à vous retrouver ?

— J'étais parti depuis presque trois ans quand ils m'ont pris. L'Inquisition a mis en place un réseau incroyablement étendu.

Yonah frissonna à l'idée qu'il devait lui-même échapper à cet ennemi omnipotent.

Tournant la tête, il vit que Paco s'était réveillé et que son regard dur se posait sur eux. Il se remit à frotter le sol.

— Bon après-midi, señor Espina.

— Bon après-midi... Tomás Martín.

L'Inquisition prenait soin de confier au bras séculier la responsabilité des exécutions. Sur la grand-place, l'*alguacil* ordonna d'élever sept pieux de bois près d'un *quemadero*, un four circulaire en brique assemblé à la hâte par des maçons.

Dans la prison, les uns pleuraient, les autres priaient. Seul Espina semblait serein et résigné.

— Il faut que je te demande quelque chose, murmura le médecin à Yonah.

— Quoi donc ?

— J'ai un fils de huit ans nommé Francisco Rivera de la Espina, qui vit avec sa mère Estrella de Aranda et ses deux sœurs. Pourrais-tu lui porter ce bréviaire, avec la bénédiction de son père ?

— Mais, señor, protesta l'adolescent atterré et confus, je ne peux pas retourner à Tolède. Et de toute façon, votre maison est vide. Où se trouve votre famille ?

— Je ne sais pas, peut-être à Maqueda ou à Medellín, chez les cousins de ma femme, les Aranda. Mais prends ce livre, je t'en conjure. Dieu te permettra peut-être d'exaucer mon souhait.

— Je ferai mon possible, répondit Yonah sans conviction.

Il frémit en saisissant le recueil chrétien.

— Que la miséricorde du Tout-Puissant vous accompagne, señor Espina.

– Ne t'inquiète pas pour moi. Je m'en vais rejoindre le Christ. Que Dieu te protège, Toledano. Prie pour mon âme.

Sous un ciel sans nuages, une fraîche brise automnale balayait la Plaza Mayor. Dès l'aube, une foule nombreuse s'était amassée dans une atmosphère d'excitation contenue, animée par le piaillement des enfants, le brouhaha des conversations, les cris des marchands ambulants et la musique d'un quatuor, composé d'une flûte, de deux guitares et d'un luth.

En milieu de matinée, un prêtre apparut. Il leva la main pour réclamer le silence, puis fit réciter à l'assemblée une interminable série de *Pater Noster*. À présent, la place était bondée. Des spectateurs se bousculaient sur tous les balcons. Certains étaient même montés sur les toits. Bientôt, la marée humaine s'écarta, refoulée par les hommes d'Alvarez, pour laisser la voie libre aux prisonniers.

Les onze accusés furent amenés dans trois tombereaux tirés par des ânes et défilèrent, coiffés de la cagoule pointue des pénitents, sous les lazzis de la populace.

Trois d'entre eux portaient des *san benito* jaunes croisés de rouge, signifiant qu'ils devaient retourner dans leur paroisse et arborer cette tenue humiliante durant une longue période de repentir. Les huit autres étaient vêtus de casaques similaires, mais noires et ornées de démons et de flammes, annonçant la mort par immolation.

Une fois devant les bûchers, ils furent violemment tirés hors des carrioles et déshabillés. Devant le spectacle avilissant de leur nudité, une vague de murmures parcourut la foule qui se pressait pour mieux les voir.

Puis on les ligota, chacun sur un pilier, à l'exception de Marspera. En effet, si ce dernier avait échappé à la torture, en raison de son attitude rebelle qui ne laissait aucun doute sur sa culpabilité, il était voué au supplice le plus cruel, celui du *quemadero*, dans lequel trois hommes poussèrent son robuste corps. Tandis que l'assistance l'accablait d'insultes et qu'il prononçait le Shema, les maçons scellèrent l'ouverture avec des briques.

101

Des fagots de broussailles et de bois furent entassés autour des bûchers et du four. Ils s'élevaient assez haut pour couvrir les corps jusqu'aux parties génitales, masquant les hématomes et les cicatrices des membres inférieurs, ainsi que les honteux relâchements intestinaux dus à la peur.

Le quatuor entonna des cantiques.

Des chapelains se tenaient près des quatre prisonniers qui avaient demandé la réconciliation avec le Christ et qui, en récompense de leur piété, seraient étranglés avant de brûler à l'aide d'un garrot fixé au pieu. Isabel Peropan fut la première exécutée. Suivirent deux frères venus d'Almagro. Enfin, vint le tour d'Espina qui, depuis le début de la cérémonie, n'avait cessé de prier en latin.

Muni d'une torche, Isidoro embrasa les bûchers. À mesure que les flammes s'élevaient, les cris des spectateurs s'intensifiaient : hurlements d'horreur, vivats d'allégresse, exclamations d'effroi. Hommes et femmes levaient leurs enfants dans leurs bras pour leur montrer un aperçu terrestre du terrible enfer auquel ils échapperaient, grâce à Dieu, s'ils obéissaient à leurs parents et ne commettaient pas de péchés.

Les condamnés grimaçaient et se tordaient de douleur. Leurs lèvres articulaient des mots inaudibles. Les longs cheveux d'Isabel Peropan se soulevèrent, formant un halo jaune et bleu autour de son visage rougeoyant.

Yonah ne put regarder Espina. La fumée qui envahissait l'air lui permit de donner libre cours à ses larmes. Quelqu'un lui tapota l'épaule et rugit dans son oreille. C'était l'*alguacil* qui, désignant le bois consumé et le traitant de fainéant, lui ordonnait d'aider Paco et Gato à charger un nouveau chariot.

Une fois cette tâche accomplie, il laissa les deux geôliers le devancer. Dans la prison déserte et silencieuse, il s'empara de son sac et de la houe brisée avant de rejoindre Moïse, qui patientait sous un arbre.

Ils quittèrent Ciudad Real à vive allure. Aveuglé par la peine, le dégoût et la terreur, l'adolescent ne voyait ni le sentier ni le paysage. C'est à cela que ressemblerait sa mort s'il se faisait prendre. Il éprouva la tentation impérieuse de trouver un prêtre compatissant. Mais peut-être était-il trop tard pour recourir au baptême.

De surcroît, il avait juré fidélité à son défunt père, à Dieu, à son peuple – et à lui-même.

Pour la première fois, sa haine de l'Inquisition surpassa sa peur. Incapable d'effacer les images d'horreur de son esprit, il s'adressa au Tout-Puissant, non pas en l'implorant mais en l'interpellant avec fureur :

Quel est donc ce dessein divin qui conduit tant de mes frères à leur perte ?

Et à quelle fin as-Tu fait de moi le dernier juif d'Espagne ?

16

La paysanne

Yonah et Moïse arrivèrent à la rivière Guadiana et le jeune homme put, dans l'onde, débarrasser sinon son âme, du moins ses vêtements, de la puanteur du charnier. Puis, lentement, ils cheminèrent vers le sud-est, à travers une vallée fertile bordée par les monts bruns de la Sierra Morena.

En cet automne tardif, il faisait agréablement doux. L'adolescent s'attarda quelques jours dans plusieurs fermes, pour trouver un abri et de quoi se nourrir. Il travailla à la cueillette des oignons, des olives, et participa aux dernières vendanges.

L'hiver approchant, il se dirigea vers des régions encore ensoleillées. À l'ouest, à la frontière méridionale entre l'Andalousie et le Portugal, il traversa une série de petits hameaux, dont la subsistance dépendait des grandes propriétés alentour. Dans la plupart des plantations, la saison des récoltes était terminée, mais il parvint à se faire embaucher dans une exploitation appartenant à un noble, don Manuel de Zúniga. L'intendant s'appelait Lampara, mais les travailleurs l'affublaient, dans son dos, du sobriquet de *Lamperón* – « tache de graisse ».

– Nous transformons la forêt sauvage en champs, lui expliqua-t-il. Nous pouvons t'employer si tu le désires.

Il s'agissait d'un labeur extrêmement pénible. Mais déjà grand et robuste de nature, Yonah s'était encore endurci au cours des derniers mois. Un détachement de soldats s'entraînait dans un terrain voisin. Au début, il épiait leurs mouvements avec crainte, mais les hommes ne l'ennuyèrent jamais. Comme

104

le climat était clément et la nourriture abondante, il décida de prolonger son séjour. Il passa l'hiver entier à déterrer et à déplacer des pierres massives, à briser des rochers, à abattre et à déraciner des arbres, à tailler et à brûler des buissons.

Les épreuves qu'il avait traversées le distinguaient des autres *peóns*. Malgré son jeune âge, la gravité qui se dégageait de son visage, la méfiance et la force qu'il projetait à son insu dissuadaient ses compagnons de le traiter à la légère.

Yonah s'adonnait corps et âme à sa besogne, pour tenter d'oublier les visions cauchemardesques qu'évoquait l'odeur du bois brûlé. Le soir, il s'écroulait de fatigue et s'endormait sitôt les yeux fermés auprès de Moïse, la main toujours posée sur sa houe. Le fidèle baudet veillait ainsi sur son maître assoupi. Le jour, le jeune homme ne quittait pas le *burro* du regard : il lui avait confié sa sacoche, dans laquelle il avait placé, en arrivant, l'anneau d'argent offert par son père.

Quelques semaines plus tard, don Manuel de Zúniga vint inspecter l'avancée des travaux et, lors de sa visite, même les plus indolents se tuèrent à la tâche. Le petit homme vieillissant et pompeux fit le tour de ses champs et de ses granges, sans réussir à dissimuler son incompétence en matière agricole. Il resta trois jours et trois nuits, qu'il passa en compagnie de deux accortes villageoises, puis s'en alla.

Après son départ, l'atmosphère se détendit et les travailleurs médirent allègrement sur le compte de leur seigneur. Ils le surnommaient *el cornudo*, le cocu, et peu à peu Yonah comprit pourquoi.

Entre toutes les figures d'autorité de l'exploitation, la plus populaire parmi les *peóns* était Margarita Vega, une ancienne maîtresse du propriétaire. Adolescente, elle avait eu deux enfants de lui. Or, en revenant d'un séjour d'un an en France, il avait découvert qu'en son absence Margarita avait mis au monde un troisième bébé, né d'une idylle avec un ouvrier agricole. En guise de cadeau de rupture, Zúniga lui avait offert une maison et avait organisé ses noces avec son amant, qui la quitta avant leur premier anniversaire de mariage. Depuis, elle avait connu beaucoup d'hommes, ce qui lui avait valu trois enfants supplémentaires de trois pères différents. À présent, âgée de trente-cinq ans, elle avait des hanches larges et un regard dur. Et, à en croire les racontars, si don Manuel venait si rarement sur ses terres, c'était parce qu'il l'aimait encore et se sentait trahi par chacune de ses aventures.

Un jour, Yonah entendit braire son âne et vit qu'un jeune ouvrier nommé Diego avait détaché sa sacoche du dos de l'animal et s'apprêtait à l'ouvrir. Il posa ses outils et se rua sur lui. Tous deux roulèrent dans la poussière. Quelques secondes plus tard, ils s'étaient relevés et échangeaient de violents coups de poing. Diego était un lutteur redoutable et, au début de cette bagarre, il frappa Yonah au visage avec une telle brutalité que l'adolescent en eut le nez brisé. Mais, loin de capituler, ce dernier attaqua de plus belle. Yonah avait quelques années de moins que son adversaire, mais il le dépassait d'une demi-tête et ne manquait pas d'énergie. Il se battit avec fureur, extériorisant toute la peur et la haine qu'il réprimait depuis si longtemps.

Des curieux accoururent afin d'assister à cette farouche empoignade. Alerté par la clameur, le contremaître se précipita pour séparer les adversaires en les couvrant d'injures.

Les lèvres fendues et l'œil gauche boursouflé, Diego s'éloigna pour reprendre son travail. Quand tout le monde se fut dispersé, Yonah fixa plus solidement sa besace sur son *burro*. Il releva la tête pour essuyer le sang qui coulait de sa narine et aperçut Margarita Vega, son bébé dans les bras, qui le fixait de loin.

Même s'il dut souffrir plusieurs jours de ses blessures, cette rixe avait au moins servi à attirer l'attention de cette femme sur lui.

Il lui semblait que partout où il regardait, elle était là à dévoiler sa généreuse poitrine pour allaiter son nourrisson affamé. Les ouvriers se donnaient des coups de coude et se lançaient des clins d'œil en remarquant que Margarita rôdait autour de ce grand adolescent taciturne.

Un beau jour, elle demanda à Yonah d'effectuer de petits travaux dans sa maison. Toujours cordiale et affable, elle lui offrait du pain et du vin en échange de sa peine. Par un bel après-midi, il se retrouva nu auprès d'elle. Émerveillé, il explora des doigts et des lèvres ses courbes voluptueuses, son ventre soyeux, ses seins gonflés de lait, sa douce toison brune. Elle l'initia volontiers aux mystères de la chair et du plaisir, en lui exprimant sans détours ses exigences. Leur première étreinte fut très brève. Mais Yonah était jeune et fort, et Margarita suffisamment expérimentée pour raviver son désir. Il la reprit avec une ardeur et une rage identiques à celles qu'il avait déployées lors de sa lutte contre Diego. Puis, comblés et haletants, tous deux se laissèrent retomber sur le dos.

Au bout d'un moment, dans son demi-sommeil, le garçon sentit la main de sa maîtresse palper son membre comme pour l'étudier.

– Oh toi, tu es un *converso* !

Cette réflexion le tira aussitôt de sa torpeur.

– Oui.

– Ah... Et quand t'es-tu converti à la véritable foi ?

– Euh... Il y a quelques années.

Il referma les yeux, dans l'espoir qu'elle le laisserait tranquille.

– Où ça ?

– En Castille. À Cuenca.

– Mais c'est là que je suis née ! s'exclama-t-elle en riant. J'y ai aussi passé huit ans avec don Manuel. Deux de mes sœurs y habitent. Et aussi ma vieille *abuela*[1], qui a survécu à mon père et à ma mère ! Tu as été baptisé à l'église San Benito ou à San Marcos ?

– Euh... San Benito, je crois.

– Comment ça, tu crois ? Tu ne te rappelles pas le lieu de ton baptême ?

– Ce n'était qu'une façon de parler. Bien sûr que c'est à San Benito. Une très jolie église.

– Superbe, n'est-ce pas ? Et quel prêtre t'a converti ?

– Le vieux.

– Mais les deux sont vieux, non ?

Elle fronça les sourcils.

---

1. Grand-mère en espagnol. (*N.d.T.*)

– C'était le *padre* Ramón ou le *padre* Garcillaso ?

– Le *padre* Ramón.

– Naturellement !

Margarita se leva du lit.

– Bon, maintenant, tu ne retournes pas au travail. Tu vas dormir ici comme un bon garçon jusqu'à ce que je revienne. Alors, tu seras vigoureux comme un lion, et nous referons l'amour. D'accord ?

– D'accord.

Quelques instants plus tard, par la petite fenêtre, Yonah la regarda partir précipitamment sous le soleil ardent, son nourrisson sous le bras et sa robe enfilée en hâte encore relevée sur l'une de ses cuisses. Sans doute n'existait-il aucun *padre* Ramón ni aucune église San Benito à Cuenca.

Il se rhabilla sur-le-champ et alla détacher Moïse. Bientôt, ils se retrouvèrent tous deux à gravir le sentier aride qui menait aux monts de la Sierra Morena.

Il s'arrêta un instant et contempla des hauteurs la ferme de don Manuel de Zúniga. Les silhouettes de quatre soldats armés, vêtus de cottes de mailles étincelantes sous les rayons du soleil, suivaient Margarita Vega vers sa demeure. Ainsi, son initiatrice l'avait dénoncé. Mais peu importait à présent : il était loin.

Merci, gente dame !

Il ignorait quand pareille occasion se présenterait de nouveau. Mais dorénavant, pour ne pas se trahir, il dirait à ses maîtresses que sa conversion avait eu lieu non pas dans une petite église, mais dans une cathédrale, celle de Barcelone : elle comptait tant de prêtres qu'il était improbable que quelqu'un les connût tous.

En reprenant son chemin, il revoyait en esprit les rondeurs émouvantes de Margarita, respirait son odeur, entendait ses cris.

Il remercia le Seigneur de lui avoir permis de rester libre, et sain de corps et d'esprit, d'avoir conçu l'homme et la femme pour qu'ils se complètent en une si fabuleuse harmonie et de lui avoir offert la chance de vivre ce merveilleux moment d'ivresse.

Le peón

Cela m'est arrivé le douzième jour du mois de Shevat...

Je ne suis pas Tómas Martín. Je suis Yonah Toledano, fils d'Helkias l'orfèvre, de la tribu de Levi.

Les autres mois de l'année hébraïque sont Adar, Nissan, Iyar, Sivan, Tamouz, Av, Éloul, Tishri, Heshvan, Kislev et Tévet...

IV

Le berger

Sierra Morena
Le 11 novembre 1495

17

Le bêlement des moutons

Yonah et Moïse longèrent la frontière du Portugal dans la campagne dorée par l'automne. Pour subsister, le jeune homme effectua de petits travaux, mais il ne s'attarda nulle part avant d'atteindre Salamanque. L'imposante cathédrale, vieille de trois cent cinquante-cinq ans, était en cours de rénovation. D'une conversation surprise aux abords de l'édifice, il apprit que l'on engageait des ouvriers sur le chantier.

— Je m'appelle Ramón Callicó, dit-il au contremaître.

— De quoi es-tu capable ? lui demanda ce dernier, espérant sans doute avoir affaire à un charpentier ou à un maçon itinérant.

— Je suis capable de travailler.

— Bien. Nous allons voir cela.

Yonah s'intégra à la multitude de manœuvres, maçons et graveurs qui s'éreintaient à remplacer les blocs noirs endommagés, d'une épaisseur atteignant trois mètres par endroits. Dans le vacarme incessant des hommes qui braillaient ordres et jurons, des bœufs qui ahanaient sous l'effort, des bouviers qui menaient les bêtes, des marteaux et des meules qui résonnaient sur la pierre, des lourds monolithes qui raclaient le sol, les ouvriers transportaient les moellons les moins lourds à mains nues et déplaçaient les masses les plus volumineuses à plusieurs, tantôt en les poussant, tantôt en les tirant au moyen de solides cordages.

Comme les autres, Yonah ne ménageait pas sa peine dans cette atmosphère austère et pénible. Mais, soucieux de sa sécurité, il ne fraternisait guère avec les hommes : il répondait aux directives par monosyllabes quand il ne se cantonnait pas à un mutisme prudent. Pourtant, il se réjouissait à l'idée de contribuer à l'embellissement d'un lieu de culte, même s'il était consacré à une foi autre que la sienne. Il se souvenait que son père avait consulté le rabbin Ortega quand le père Sebastián Alvarez lui avait commandé le funeste reliquaire. Le rabbin s'était montré catégorique :

— Aider les gens à prier est une grande *mitsvah*[1].

Le sage avait aussi fait remarquer que l'ouvrage superbe et délicat qui ornait les synagogues de Tolède avait été exécuté par des Maures. À présent, ces virtuoses de la pierre et du bois exerçaient leurs talents en qualité de maîtres artisans sur le chantier de la cathédrale.

Un matin, sept semaines après l'arrivée du jeune homme à Salamanque, des hommes capuchonnés de noir sortirent en procession de la cathédrale, juste après l'office. Leon, le *peón* chauve et trapu avec lequel Yonah faisait équipe, désigna le frère qui menait le cortège et murmura :

— C'est Tomás de Torquemada, l'inquisiteur général. Il est prieur au monastère dominicain de Santa Cruz, d'où je viens.

Yonah détailla ce grand religieux, d'âge assez mûr, au nez long et droit, au menton pointu et aux yeux contemplatifs. Parmi la bonne vingtaine d'ecclésiastiques qui le suivait, il repéra un autre visage qu'il aurait reconnu entre mille. Bonestruca conversait avec l'un de ses compagnons et il passa tout près du jeune manœuvre. Ce dernier put même remarquer qu'il avait une égratignure au cou et une plaie à la lèvre supérieure. Son regard croisa celui du frère qui, indifférent, poursuivit son chemin. Un instant figé par cette vision, il se ressaisit et demanda à Leon :

— Qu'est-ce qui amène *fray* Torquemada à Salamanque ?

---

1. Terme hébraïque se traduisant littéralement par « commandement », souvent employé pour exprimer la notion de bonne action. (*N.d.T.*)

Le *peón* lui répondit par un haussement d'épaules.

Un peu plus tard, Yonah entendit le contremaître expliquer que dans la cathédrale se tenait un grand rassemblement de tous les inquisiteurs d'Espagne.

Si Dieu lui avait laissé la vie sauve, si, dans Son extrême clémence, Il avait conduit ses pas jusqu'ici, était-ce pour lui donner l'occasion de châtier l'assassin de son père et de son frère ?

Le lendemain, en examinant les lieux au passage de la procession, il conclut que, pour attaquer Bonestruca, l'idéal serait de se placer à gauche de l'entrée. En effet, il travaillait non loin de là et pourrait, en un seul coup, l'occire d'une entaille portée à la gorge au moyen de sa houe.

Il passa une nuit blanche, étendu sur la paille. Enfant, il rêvait de devenir un guerrier et, ces derniers mois, il avait souvent imaginé sa vengeance. Mais à présent, confronté à l'imminence de cet acte, il se retrouvait en proie à une terrible angoisse et à un doute profond quant à sa propre capacité à tuer. Il implora l'Éternel de lui donner le courage nécessaire au moment fatidique.

Yonah se leva à l'aube et se rendit à la cathédrale pour reprendre son travail comme à l'accoutumée. Dès que le premier religieux sortit, après matines, il dissimula la houe derrière son dos et se posta près de la porte. Le visage blême et inondé de sueur, les yeux égarés et le corps secoué de tremblements, il regarda passer cinq autres ecclésiastiques. Où donc était sa proie ?

Le contremaître, s'apercevant que son ouvrier avait interrompu sa besogne, s'approcha de lui.

– Tu es malade ?

– Non, señor.

– Tu dois aider à mélanger le mortier, non ? grogna-t-il en lorgnant sur la houe.

– Oui, señor.

– Alors vas-y !

Dans l'après-midi, Yonah apprit que la réunion des gardiens de la foi s'était achevée la veille. Pestant contre sa propre stupidité, il se dit qu'il était indigne d'être le bras vengeur de Dieu. Il avait lâchement laissé filer sa chance. Et maintenant, Bonestruca était retourné dans sa région accomplir sa mission sanguinaire, comme tous les autres inquisiteurs d'Espagne.

Les réparations n'étaient pas encore achevées lorsque les travaux s'interrompirent au milieu du printemps. D'âpres conflits menaçaient le devenir de l'édifice. À Salamanque, beaucoup ne le trouvaient pas à la hauteur de sa fonction, malgré les fresques du XIIIe siècle qui ornaient la chapelle de saint Martin. Outre sa taille qu'ils jugeaient trop modeste, ils déploraient son manque de faste, en comparaison des joyaux architecturaux que recelait l'Espagne. Déjà, certains collectaient des fonds pour financer la construction d'une nouvelle cathédrale.

Désormais sans emploi, Yonah reprit sa route vers le sud. Le 7 mai, jour de ses dix-huit ans, il se trouvait dans la ville frontalière de Coria. Il s'arrêta dans une auberge et s'offrit, pour son anniversaire, un ragoût d'oie et de lentilles. Mais il n'eut guère le loisir de savourer son repas. En effet, à peine eut-il goûté la première bouchée qu'il surprit une conversation fort contrariante.

À une table voisine, trois hommes parlaient des juifs qui avaient fui l'Espagne pour se rendre au Portugal.

– En échange du droit de séjourner six mois dans le pays, ils ont accepté de céder au roi Jean un quart de leurs biens, plus un ducat par immigrant, c'est-à-dire un total de cent vingt mille ducats. Or cette échéance a expiré en février. Et savez-vous ce que cette fripouille de souverain a fait ? Il a déclaré les juifs esclaves de l'État.

– Que ce satané monarque soit maudit !

Une telle nouvelle n'aurait pas choqué des chrétiens ordinaires. Yonah déduisit donc qu'il s'agissait de *conversos*.

Le jeune homme n'avait pas prononcé un mot et ne s'était manifesté d'aucune manière. Pourtant l'un d'eux regarda dans sa direction et comprit, en lisant la stupeur sur son visage, qu'il avait tout entendu. Il se pencha alors pour chuchoter quelque chose à ses acolytes. Immédiatement, tous trois se levèrent et quittèrent l'auberge.

Le berger

Yonah se rendit compte à quel point *abba* et oncle Aron avaient été avisés de penser qu'il valait mieux éviter le Portugal. L'appétit coupé, il resta prostré à fixer sans le voir le plat qui refroidissait dans son assiette.

Cet après-midi-là, il croisa sur la route un troupeau de moutons qui se dispersaient de tous côtés. Le berger, un vieillard décharné aux cheveux blancs, gisait sur le sol.

— J'ai une attaque, lui dit-il simplement.

Son visage était livide et sa respiration haletante. Yonah l'installa plus confortablement et lui apporta de l'eau. Mais à l'évidence, le malheureux se souciait davantage de ses bêtes que de lui-même.

— Mes moutons... mes moutons... gémissait-il.

— Je peux les rassembler, le rassura Yonah, en se remémorant les journées passées à surveiller les chèvres de son oncle.

Il remonta donc sur son *burro* et entreprit de regrouper les animaux. Il y réussit assez aisément, puis retourna auprès du berger. Ce dernier parvint à articuler :

— Merci... Je m'appelle... Geronimo Pico.

— Que puis-je faire d'autre pour vous aider ?

En proie à une terrible souffrance, l'homme s'étreignait la poitrine.

— Il faut les ramener... chez don Emilio de Valladolid... près de Plasencia.

— Je vais vous y conduire aussi, décréta Yonah.

Il le hissa sur Moïse et ramassa le bâton noueux du vieil homme. Sans doute le trajet eût-il été plus rapide s'il n'avait fallu transporter que le malade. Mais le troupeau ralentissait considérablement la marche et, avant d'arriver à destination, le corps du vieil homme glissa de l'âne pour tomber lourdement sur le sol, inerte. D'instinct, Yonah sut qu'il était mort. Néanmoins, il cria son nom, lui tapota le visage et lui frotta les poignets, en vain.

Bien que le défunt fût chrétien, le garçon récita le Kaddish. Il plaça la dépouille sur son âne avant de se remettre en route. Longeant un champ, il aperçut un paysan qu'il héla :

— La ferme de don Emilio de Valladolid ?

L'homme regarda le cadavre en travers du baudet et se signa :

— Bonté divine ! Geronimo le berger !

— Eh oui !

— Vous cherchez la ferme ? C'est très simple : vous passez devant le grand arbre foudroyé, puis vous traversez la rivière et vous la verrez sur votre droite.

— Merci beaucoup !

Yona arriva enfin dans la cour de la *finca* – une grande ferme. Les ouvriers ne lui demandèrent pas d'explication. En soupirant devant cette infortune, ils soulevèrent le vieux paysan et l'emportèrent pour l'ensevelir.

Le propriétaire des lieux, un homme grassouillet au visage rougeaud et au regard vide, vêtu d'une tenue élégante maculée de taches, était en train de dîner quand il fut dérangé par le bêlement des moutons.

— Pourquoi ce raffut ? demanda-t-il à son intendant. Que se passe-t-il ?

— Le berger est mort. Celui-là vient de le ramener avec le troupeau.

— Éloignez ces fichus bestiaux de ma maison !

— Tout de suite, don Emilio.

Le régisseur rejoignit Yonah pour l'aider à conduire les bêtes jusqu'à un champ et appela ses deux fils :

— Rapportez-nous donc de quoi manger !

En se dirigeant vers la cuisine, les garçons riaient et s'échangeaient des noms d'oiseaux. L'aîné, Adolfo, était déjà un adolescent dégingandé de seize ans alors que Gaspar, son cadet, sortait à peine de l'enfance. Ils revinrent avec deux bols de gruau épais. L'intendant s'assit par terre et mangea en silence en compagnie de l'étranger. Une fois qu'il eut fini, il émit un rot tonitruant, puis se tourna vers Yonah :

— Je m'appelle Fernando Ruiz.

— Et moi, Ramón Callicó.

— Tu m'as l'air de savoir t'y prendre avec le bétail, Ramón Callicó.

Fernando Ruiz savait que beaucoup d'autres n'auraient pas hésité à abandonner le corps de Geronimo pour s'emparer des moutons. Il fallait être fou ou profondément honnête pour ne pas saisir cette chance. Or l'inconnu lui semblait sain d'esprit. Aussi lui fit-il une proposition.

— Nous avons besoin d'un nouveau berger. Mon fils Adolfo ferait l'affaire, mais il est trop jeune d'un an. Ça te dirait de t'occuper de ce troupeau ?

Yonah regarda les moutons qui broutaient paisiblement.

— Pourquoi pas ?

— Seulement, tu dois les emmener loin d'ici.

— Don Emilio n'apprécie pas leur compagnie ?

— Don Emilio n'aime rien ni personne ! grommela le régisseur dans un demi-sourire.

Fernando lui donna quelques provisions et une dague de médiocre qualité. Yonah pouvait emmener son troupeau où bon lui semblait, pourvu qu'il y eût à pâturer, et devait revenir à la ferme une fois au printemps, pour la tonte, et une fois à l'automne, pour la castration des mâles et l'abattage des agneaux. Il se rendit donc dans les contreforts de la Sierra de Gredos.

Moïse se montra tout aussi efficace qu'un chien de berger. Au début, Yonah restait juché sur son dos des heures durant pour surveiller les bêtes et les empêcher de s'éparpiller. Mais bientôt, le *burro* apprit à accomplir cette tâche de lui-même, incitant les indisciplinés à rejoindre le groupe à grand renfort de braiments.

Chaque fois que Yonah redescendait sur les terres de don Emilio, Adolfo l'initiait aux diverses techniques de son métier. Il lui enseigna comment tondre, égorger, castrer, dépecer et, lorsque son élève se montrait malhabile, il ne manquait pas de l'encourager :

— Ne t'inquiète pas, ça viendra avec la pratique.

Les deux garçons devinrent amis. Assis côte à côte dans le champ autour d'une jarre de vin, ils discutaient pendant des heures : du troupeau, des loups qui rôdaient la nuit et qu'on éloignait en chantant, du manque de femmes...

119

Le jeune homme passa ainsi près de trois ans quasiment seul avec ses moutons, à telle enseigne qu'il connaissait le caractère de chacun sur le bout des ongles : le calme, le réfractaire, le méchant, le docile, l'entêté, le nerveux, le fragile, le vigoureux... Il les trouvait beaux, avec leur longue laine blanche, leur museau noir et leurs yeux placides. Quand il faisait doux, il les conduisait jusqu'à un ruisseau pour décrasser leur toison graisseuse, jaunie par la poussière.

Cette occupation convenait parfaitement à un fugitif. Éviter les rares villages de la sierra était un jeu d'enfant : les versants pentus des montagnes, sur lesquels peu s'aventuraient, étaient parsemés de clairières où les moutons pouvaient paître en toute tranquillité. Et les quelques âmes qui croisaient leur chemin ne voyaient en Yonah qu'un pâtre solitaire, un ermite taciturne et rebutant. Avec ses cheveux longs, sa barbe épaisse, son corps massif et son regard farouche, il faisait fuir même les plus audacieux.

Lorsqu'une de ses bêtes mourait, il la dépeçait grossièrement et dînait de sa viande savoureuse. L'été, il ôtait ses vêtements, achetés d'occasion pour remplacer ses anciens habits désormais trop étriqués, et passait ses journées quasiment nu. L'hiver, pour se protéger de la bise, il attachait des peaux de moutons autour de ses bras et de ses jambes.

La houlette qu'il avait héritée de Geronimo Pico était usée. Alors, il s'en façonna une autre avec une longue branche de noisetier, naturellement recourbée à l'extrémité. Après en avoir soigneusement retiré l'écorce, il y grava un motif géométrique similaire à ceux que les Maures avaient incrustés au fronton de la synagogue de Tolède. Puis il l'enduisit de graisse, recueillie dans la toison de ses animaux, et frotta le bois durant de longues heures jusqu'à obtenir une patine sombre.

Il se sentait bien dans les montagnes. La nuit, contemplant le ciel du haut d'une crête, il avait l'impression de toucher les étoiles. Face à l'infini céleste, il implorait le Seigneur de lui permettre, à lui, Yonah ben Helkias Toledano, de servir l'archange Michaël, gardien du peuple d'Israël, et de lui donner une seconde chance d'être son bras droit, sa main vengeresse, l'assassin des assassins, le meurtrier des meurtriers, le destructeur des destructeurs.

Il récitait les prières du matin et du soir et tentait de se rappeler le calendrier pour honorer les fêtes. Par temps chaud, il trouvait le moyen de se tremper dans l'eau avant d'accueillir le Shabbat. Il ne courait aucun danger : jamais on ne l'aurait suspecté de prendre un bain rituel. Quand l'air se rafraîchissait, il se lavait, en grelottant, avec un chiffon mouillé. Et durant les froids les plus rigoureux, il s'autorisait à rester sale. Après tout, cela ne dérangeait personne.

Il aurait aussi aimé purifier son âme, car il se sentait esclave de ses désirs charnels. Il ne rencontrait guère de femmes et ne pouvait se fier à aucune. Certes, il lui arriva d'acheter du vin à une servante de taverne et, à deux reprises, il lui donna une pièce pour qu'elle lui offrît son corps dans l'obscurité. Sinon, il assouvissait ses instincts en commettant le péché pour lequel le Seigneur ôta la vie à Onan.

Si tant de calamités ne l'avaient éloigné de son foyer, à présent, il serait peut-être orfèvre itinérant, marié à une fille de bonne famille et même déjà père.

Mais les circonstances en avaient décidé autrement. Malgré tous ses efforts pour ne pas sombrer dans l'animalité, il avait parfois l'impression de devenir un être vil et bestial, non seulement le dernier juif d'Espagne, mais aussi le dernier humain sur terre. Et cette sensation le conduisait à prendre des risques inconsidérés. La nuit, assis devant un feu, entouré de son troupeau, il éloignait les loups en beuglant des bribes de prières et de versets hébraïques ou des phrases en ladino, sans penser aux délateurs potentiels qui, attirés par la lumière des flammes, auraient pu reconnaître ces langues hérétiques et le dénoncer à l'Inquisition.

La troisième fois qu'il redescendit avec ses moutons en automne, il trouva la famille de Fernando Ruiz en deuil. L'intendant, pourtant jeune, avait trépassé subitement, un après-midi où il inspectait un champ après la cueillette. La ferme était sens dessus dessous. Don Emilio de Valladolid n'avait pas encore remplacé son fidèle régisseur et tâchait de masquer sa propre incompétence en aboyant des ordres incohérents.

Pour Yonah, ce décès était un signe. L'heure était venue de s'en aller. Il s'assit une dernière fois avec Adolfo dans les pâturages pour partager une jarre de vin. Il savait le chagrin que suscitait la perte d'un père, surtout lorsqu'il s'agissait d'un homme bon comme Fernando, et témoigna à son ami toute l'affection et la compréhension dont il était capable. Puis il lui annonça son départ. Adolfo le rassura aussitôt :

— Ne t'inquiète pas pour les moutons. C'est moi qui les garderai.

— Tu crois que je dois en parler à don Emilio ?

— Non, je le lui dirai moi-même. De toute façon, il s'en moque, du moment que ses bestiaux n'importunent pas ses oreilles ni son nez délicat !

En guise de cadeau d'adieu, Yonah tendit à Adolfo la houlette qu'il avait confectionnée. Enfin, les deux garçons s'étreignirent.

Quelques instants plus tard, le jeune homme et son *burro* s'éloignaient sur la route qui les menait vers un destin inconnu.

18

Le bouffon du calife

L'hiver approchant, Yonah se dirigea vers les régions côtières. Il aurait aimé voir la mer, qui se situait de l'autre côté de la Sierra Nevada. Mais en arrivant près de Grenade, il trouva les nuits déjà très fraîches. Comme il n'avait aucune envie d'affronter les cols enneigés des montagnes, il décida de pénétrer dans la ville pour dépenser une partie de son argent en échange d'un peu de confort.

Devant les murs de la cité, il fut saisi par une abominable vision : on avait suspendu à des pics les têtes putréfiées de criminels pour décourager les malfrats de toute espèce. La menace implicite n'avait pourtant pas l'air dissuasive : en s'acheminant vers une auberge, il aperçut deux canailles qui s'apprêtaient à détrousser un nain misérable. Celui-ci, apparemment figé d'effroi, arrivait à peine à la poitrine de ses assaillants. L'un brandissait un gourdin en bois, l'autre un poignard.

– Donne-nous ta bourse si tu veux sauver tes petites fesses, lui dit ce dernier.

Sans réfléchir, Yonah saisit sa houe et descendit de son âne. Il n'eut pas le temps d'intervenir. Le deuxième larron lui assena un coup sur la tête et il s'écroula sur le sol, blessé et étourdi, tandis que son agresseur se tenait au-dessus de lui, prêt à l'achever.

À demi conscient, le garçon vit alors le nain extraire un couteau de sa tunique et, avec une agilité étonnante, en pointer la lame comme une langue de serpent sur le premier brigand qui, touché au bras, hurla et laissa tomber son arme.

Les deux malandrins s'enfuirent sans demander leur reste. Le petit homme ramassa une pierre et la lança avec puissance et précision sur le dos de l'un d'eux. Puis il essuya son couteau sur son pantalon et se pencha vers Yonah.

– Ça ira ?

– Je pense que oui, s'entendit répondre le jeune homme d'une voix sourde.

Il s'efforça de se redresser, avant d'ajouter :

– Enfin, j'irai mieux une fois que je serai à l'intérieur et que j'aurai bu un peu de vin.

– Oh, tu n'en trouveras pas de bon ici. Tu ferais mieux de te remettre sur un pied, puis sur l'autre, et de venir avec moi.

Il lui tendit la main pour l'aider à se relever.

– Je m'appelle Mingo Babar.

– Et moi, Ramón Callicó.

Tandis qu'il le suivait, avec Moïse, sur un sentier les menant aux collines à l'extérieur de la ville, il lui vint à l'esprit que cet étrange individu pouvait très bien être lui-même un voleur ou un assassin. Il guetta donc le moindre geste suspect, mais rien ne se produisit. L'homme trottinait tranquillement devant le *burro*.

À un moment, une sentinelle perchée sur un rocher au-dessus d'eux appela doucement :

– Mingo, c'est toi ?

– Oui, c'est moi. Je suis avec un ami.

Quelques mètres plus loin, ils passèrent devant une ouverture pratiquée dans la roche, d'où émanait une lumière diffuse. Puis il y en eut une autre, et encore davantage. De toutes ces cavernes sortaient des cris.

– *Hola*, Mingo !

– Bonsoir, Mingo !

– Bienvenue, Mingo !

Le petit homme répondit à chacun, puis il arrêta l'âne devant l'une de ces entrées. Yonah le suivit dans l'obscurité jusqu'à une paillasse sur laquelle il s'allongea sans se faire prier et sombra dans le sommeil.

124

Le matin, il se réveilla émerveillé. On aurait dit que le roi des voleurs avait installé son repaire dans l'antre d'un ours. Sous la lumière pâle des lampes à huile se mêlant aux lueurs grises qui filtraient à travers l'entrée, Yonah découvrait des tapis chatoyants, de lourds meubles en bois sculpté et une foison d'instruments de musique et d'ustensiles en cuivre. Il avait dormi longtemps. Le souvenir de la veille lui revint vite en mémoire et il fut soulagé de constater qu'il avait repris tous ses esprits.

Assise près de lui, une femme bien en chair polissait une urne en métal. Il lui dit bonjour et elle lui rendit son salut avec un large sourire.

Il s'étira et se leva pour sortir. Dehors, Mingo fabriquait un licou en cuir, sous les regards attentifs de deux enfants, un garçon et une fille presque aussi grands que lui.

– Bonjour !

– Bonjour, Mingo !

Yonah se rendit compte qu'ils se trouvaient assez loin dans les hauteurs. En contrebas s'étendait la ville de Grenade, dédale de maisons imbriquées comme des cubes roses et blancs cernés de bosquets verdoyants.

– Quelle jolie ville ! s'exclama le jeune homme.

– C'est vrai, renchérit le nain. Elle a été bâtie par les Maures. En fait, derrière ces façades assez sobres se cachent des intérieurs superbement décorés.

Surplombant la cité, sur la crête d'une autre colline, on apercevait un assemblage de tours et de créneaux roses d'une beauté et d'une majesté stupéfiantes.

– Qu'est-ce que c'est ? demanda Yonah.

– C'est la citadelle et le palais que l'on nomme l'Alhambra.

Yonah comprit qu'il avait échoué dans une communauté bien singulière. Mingo répondit à sa multitude de questions avec bonne humeur.

– Nous nous trouvons sur le Sacromonte, « la Montagne Sacrée », lui expliqua-t-il, ainsi baptisée en souvenir des premiers martyrs chrétiens morts ici. Les Rom[1] de ma tribu logent dans ces grottes depuis qu'ils sont arrivés en Espagne.

— Quand ça ?

— Oh ! Il y a quelques années déjà. J'étais encore enfant.

— Et d'où venaient-ils ?

— De là, fit Mingo en dessinant de sa main un cercle englobant le monde entier. Un jour, il y a fort longtemps, ils ont quitté une très lointaine contrée orientale, où coule un grand fleuve sacré. Au cours des derniers siècles, ils ont erré entre la France et l'Espagne. Ils se sont finalement installés à Grenade, à cause des cavernes.

Sèches et aérées, ces habitations pour troglodytes étaient de superficie variable : certaines étaient formées d'une seule pièce tandis que d'autres pouvaient atteindre une vingtaine de salles en enfilade. De surcroît, le site lui-même présentait à l'évidence des avantages considérables. Beaucoup des grottes étaient reliées entre elles par des fissures ou des passages naturels, permettant aisément de se cacher ou de s'enfuir en cas de nécessité.

Mana, l'épouse de Mingo, que Yonah avait saluée à son réveil, leur apporta à manger, et son époux raconta fièrement qu'ils avaient quatre enfants. Deux d'entre eux, déjà adultes, avaient quitté leur famille pour faire leur vie ailleurs.

— Et ils sont tous grands, beaux et forts, ajouta le nain.

Yonah fit la connaissance de tous les Tsiganes. Certains étaient éleveurs ou marchands de chevaux et gardaient leurs animaux dans une prairie. Quelques-uns avaient trouvé un emploi en ville. D'autres encore, attablés à l'air libre, réparaient des marmites, ustensiles et outils recueillis chez des particuliers ou des commerçants. Le fracas des marteaux des chaudronniers évoquait les bruits qui résonnaient naguère dans l'atelier d'Helkias Toledano.

Les Rom se montrèrent d'emblée affables avec le jeune inconnu, qui comprit vite la raison de cet accueil : il avait été amené par Mingo. Or, toute la journée, des membres de la

---

1. Tsiganes. (*N.d.T.*)

tribu défilaient chez ce dernier pour lui demander conseil et résoudre leurs problèmes. Finalement, il lui confia qu'il était leur *vajda*, le chef du clan.

— Et sinon, quel métier exerces-tu ? Tu t'occupes aussi des chevaux ou tu façonnes le métal ?

— Enfant, j'ai été formé à ces activités. Mais dernièrement encore, je travaillais à l'Alhambra.

— Et qu'y faisais-tu ?

— J'étais fou.

— Je ne comprends pas.

— Bouffon à la cour, si tu préfères.

— Vraiment ?

— Eh oui ! J'ai été le bouffon du calife Boabdil, le dernier roi musulman de Grenade, aussi connu sous le nom de Muhammad XI.

Malgré sa difformité, le *vajda* des Rom dégageait une sagesse, une force et une dignité exceptionnelles, qui forçaient le respect autant que l'affection des siens. Yonah avait du mal à imaginer qu'un être de sa qualité dût jouer ainsi les amuseurs pour gagner sa vie.

Mingo devina son embarras.

— J'adorais ce travail, je t'assure. Mon handicap a été une bénédiction : il m'a permis d'obtenir cette fonction et de me trouver aux premières loges pour me tenir au courant des opportunités lucratives et des dangers possibles. J'ai ainsi pu aider mon peuple à prospérer. En plus, j'étais très doué !

— Quelle sorte d'homme était Boabdil ?

— Cruel. Ce calife n'était pas très aimé de ses sujets. Il faut dire qu'il a régné à un moment critique, en plein déclin militaire de l'islam. Pour te résumer cette histoire, voici huit cents ans, les musulmans venus d'Afrique ont envahi l'Ibérie et converti toute l'Espagne à leur foi. Peu après, les Francs ont chassé les Maures du nord-est du pays et les Basques les ont farouchement combattus pour rétablir leur indépendance. Au fil des siècles, les armées chrétiennes ont reconquis la majeure partie de la péninsule.

« En 1481, le calife de Grenade, Moulay Hacén, a refusé de payer son tribut à ses suzerains catholiques et leur a déclaré la guerre. Boabdil, son fils, s'est brouillé avec lui et, poursuivi par ses soldats, s'est réfugié un temps à la cour du roi Ferdinand. En 1485, Moulay est mort et, grâce à d'influentes relations, Boabdil a pris sa succession. Quelques mois plus tard, j'arrivais à l'Alhambra pour l'aider à gouverner.

– Combien de temps as-tu été son bouffon ?

– Près de six ans. En 1491, Grenade était le dernier bastion islamique subsistant dans toute l'Espagne. Au cours des années précédentes, Ferdinand et Isabelle avaient reconquis tous les autres. Ils ont donc assiégé la ville et nous avons connu des jours difficiles. La population affamée s'est battue avec bravoure. Mais à la fin de l'année, notre défaite semblait imminente.

Le *vajda* s'abîma dans ses souvenirs.

– Je me rappelle une froide nuit d'hiver, où la lune d'argent scintillait dans la mare. Boabdil et moi étions seuls dans la salle du trône. Et le calife m'a dit : « Tu dois me guider, sage Mingo. Que dois-je faire ? » Alors j'ai répondu : « Il vous faut baisser les armes et inviter les souverains catholiques à un bon dîner, Sire. Vous les attendrez dans la cour des Myrtes, où vous leur réserverez un accueil chaleureux. »

– Et Boabdil t'a écouté ?

– En fait, il a souri et répliqué : « Tu parles comme un vrai fou ! Puisque mes instants de règne sont comptés, Ma Majesté est pour moi plus précieuse que les rubis. En entrant, je veux que les monarques chrétiens me trouvent ici, trônant fièrement comme un vrai calife. » Et c'est ainsi que, le 2 janvier 1492, il a signé son abdication. Lorsqu'il s'est exilé en Afrique, terre de ses ancêtres berbères, j'ai jugé plus prudent de quitter l'Alhambra.

– Les choses ont-elles beaucoup changé depuis que les chrétiens ont pris le pouvoir à Grenade ?

– Les mosquées sont devenues des églises. Les hommes de toutes confessions croient qu'eux seuls détiennent la vérité.

Mingo haussa les épaules avant d'ajouter :

– Quel imbroglio cela doit être pour le Seigneur !

Le soir, les Rom dînaient en communauté. Les uns s'affairaient autour du feu où rôtissaient volailles et viandes juteuses, les autres se passaient des gourdes remplies de vin doux. Une fois le repas terminé, ils allaient chercher leurs instruments de musique : tambours, guitares, tympanons, violes et luths. Avec leur teint bistré, leur regard sombre et leurs cheveux noirs, rehaussés par les couleurs vives de leurs costumes, les Tsiganes possédaient une élégance naturelle. Sur des mélodies lancinantes, ils dansaient avec une grâce libre et sensuelle. Replongé dans la compagnie des hommes, Yonah se sentait envahi par de subites bouffées de bonheur. Ce peuple étrange, qui semblait capable de savourer tous les plaisirs de ce monde, exerçait sur lui une sorte de fascination.

— J'aimerais trouver les mots pour exprimer ma gratitude envers vous tous, qui m'avez accueilli avec tant de chaleur et d'amitié, dit-il un soir à Mingo.

— Oh, tu sais, les Rom sont de braves gens, qui n'ont pas peur des étrangers, des *gadjé*, comme on les appelle en romani. D'ailleurs je fus moi-même un *gadjo*.

— Comment ça ?

— Je ne suis pas né dans cette tribu. Tu as bien remarqué que j'avais une apparence différente. Et je ne parle pas de ma taille, naturellement. Mais les traits comme la carnation de mon visage me distinguent des autres.

— Effectivement. Alors comment t'es-tu intégré au clan ?

— Eh bien, un jour, dans un campement près de Reims, les Rom ont vu arriver un gentilhomme qui portait un nourrisson aux bras trop longs et aux jambes trop courtes. Il leur a offert une généreuse récompense pour qu'ils m'acceptent parmi eux.

— Quelle chose affreuse !

— Au contraire, c'était une chance. Il arrive fréquemment qu'on étrangle un nouveau-né difforme. Mais les Rom m'ont recueilli et choyé comme l'un des leurs, même s'ils ne m'ont jamais caché la vérité sur mes origines. Ils insistent même sur le fait que je suis sans doute issu d'une famille noble, peut-être d'une lignée royale française, à en croire les armes, la tenue et les manières aristocratiques de celui qui m'a abandonné.

— Et tu n'as jamais éprouvé de regret quant à ton sort ?

– Jamais. Il est vrai que j'aurais pu devenir baron ou duc, mais, selon toute vraisemblance, je n'aurais pas vécu plus de quelques jours. Et puis je ne suis pas resté un *gadjo*. L'âme des Rom a pénétré mon corps avec le lait de la nourrice qui est devenue ma mère. Tout le monde ici est mon parent. Je mourrais pour protéger mes frères et sœurs tsiganes et ils en feraient autant pour moi.

Mingo avait montré à Yonah une grotte vide, où il pouvait s'installer et dormir en toute tranquillité.

En échange de cette hospitalité, le jeune juif prêtait main-forte aux chaudronniers. Son père l'avait initié aux rudiments de la ferronnerie et les Rom lui enseignèrent certains de leurs procédés, transmis de génération en génération depuis des siècles. De leur côté, ils furent ravis d'apprendre certaines techniques d'Helkias, qui leur permettaient d'affiner leur ouvrage.

Un soir, autour du feu, quand l'atmosphère se fit plus intime après les chants et danses des Tsiganes, Yonah osa enfin prendre une guitare. Il n'y avait pas joué depuis plus de trois ans et, au début, ses doigts effleurèrent les cordes avec hésitation. Mais il retrouva vite ses repères sur le manche et il put interpréter certains airs de son enfance : berceuses hébraïques, mélopées psalmodiées à la synagogue. Entouré par la chaleur de ce peuple qui avait lui aussi connu l'errance, il laissa son âme, sa nostalgie, son émotion vibrer à travers chaque note. Les autres l'écoutaient en silence, à la lueur des braises. Lorsqu'il eut fini, tous se dispersèrent pour rentrer dans leurs logis. Mana lui toucha tendrement le bras avant de se lever. Yonah resta seul avec Mingo, qui le dévisageait avec douceur et gravité.

– Ce sont des mélodies hébraïques, me semble-t-il. Et tu les exécutes d'une manière bien mélancolique.

– Oui.

Sans révéler qu'il n'était pas converti, Yonah lui narra l'histoire de sa famille ainsi que le terrible destin de son père Helkias et de son frère Meïr.

– La vie est glorieuse, conclut le petit homme, mais on peut aussi lui faire confiance pour se montrer cruelle.

– Tu as bien raison. Comme j'aimerais reprendre le reliquaire de mon père à ceux qui l'ont dérobé !

– Il y a peu de chances pour que tu y parviennes, mon ami. D'après ce que tu m'as dit, c'est une pièce unique, d'une beauté exceptionnelle. Personne ne pourrait revendre un tel objet en Castille, où on le sait volé. Si les receleurs ont réussi à le négocier, il ne se trouve assurément plus en Espagne.

– Qui oserait se livrer à ce type de trafic ?

– Au fil des ans, j'ai entendu parler de deux filières en Espagne qui s'adonnent au commerce illicite de reliques : celle du Nord, que je ne connais pas bien, et celle du Sud, dirigée par un dénommé Anselmo Lavera.

– Et où pourrais-je trouver ce Lavera ?

– Je n'en ai aucune idée. Et même si je le savais, j'hésiterais à te le dire, parce qu'il s'agit d'un individu extrêmement dangereux.

Mingo se tut un instant et soupira avant d'ajouter :

– Tu sais, toi aussi, tu dois remercier le ciel de ne pas avoir été étranglé à la naissance. Tu dois oublier ton passé et te consacrer à rendre ton avenir plus heureux. Je te souhaite une douce nuit, mon ami.

Le lendemain, Mingo lui confia que les Rom étaient issus d'une religion pré-chrétienne

– Nous vénérons les apôtres de la lumière qui combattent ceux de l'obscurité, expliqua-t-il. Mais par commodité, nous en sommes venus à prier le dieu de la région où nous nous trouvons. C'est ainsi que nous nous sommes convertis au christianisme en arrivant en Europe. Et ceux d'entre nous qui ont fait halte en pays maure sont devenus musulmans.

Il insista également sur la nécessité de savoir se défendre.

– Ta houe brisée n'est qu'une... houe brisée. Tu dois apprendre à te battre avec une arme digne de ce nom. Je vais t'initier au maniement du poignard.

Lorsque Yonah lui montra la pauvre dague que le régisseur Fernando Ruiz lui avait donnée, son ami pouffa.

— Et tu appelles ça une arme ! Utilise plutôt celle-ci !

Il lui tendit un couteau mauresque et les leçons commencèrent.

— Non, ne plie pas le poignet ! Regarde ! Tu dois tenir le manche paume en l'air. De la sorte, tu pourras frapper de manière plus efficace.

C'est ainsi que le jeune homme découvrit l'art d'être rapide et imprévisible, d'observer les yeux et le corps de son opposant pour anticiper chacun de ses mouvements, de ne pas offrir la moindre prise, de ne permettre aucune esquive.

Mingo lui transmettait son savoir avec une vigilance, une obstination et une intensité qui n'étaient pas sans rappeler un rabbin enseignant les Écritures à un disciple. Animé par la ferveur de ce maître hors norme, Yonah fit de rapides progrès et devint un combattant adroit, vif et redoutable.

Quelques mois plus tard, Mingo fut convoqué à l'Alhambra pour rencontrer le nouvel intendant chrétien, don Ramón Rodriguez.

— Cela te ferait-il plaisir de voir ce palais de près ? demanda-t-il à Yonah.

— Oh oui !

Le lendemain matin, ils descendirent ensemble le Sacromonte, le grand jouvenceau cahotant sur son petit âne et le nain perché sur un splendide étalon gris.

En chemin, Mingo raconta l'histoire du palais.

— C'est Muhammad Ier ibn Al-Ahmar, dit « le Rouge » en raison de sa chevelure flamboyante, qui a commencé la construction de la forteresse au XIIIe siècle. Puis, au fil du temps, les califes successifs ont agrandi la citadelle et le palais. Yousouf Ier a ajouté la cour des Myrtes, Muhammad V la cour des Lions et Muhammad VII la tour des Infantes.

Ils s'arrêtèrent devant la haute enceinte rose et Mingo expliqua :

— Treize tours s'élèvent de cette muraille. Et voici la porte de la Justice. Tu vois, sur l'une des arches est sculptée une clé et sur l'autre une main, dont les cinq doigts représentent l'obligation de prier Allah cinq fois par jour : à l'aube, à midi, l'après-midi, le soir et la nuit.

— Tu connais bien la religion musulmane, lui fit remarquer Yonah.

Mingo lui répondit par un sourire énigmatique.

Comme ils passaient la porte, quelqu'un reconnut Mingo et le salua, mais personne d'autre ne fit attention à eux. À l'intérieur de la forteresse, plusieurs milliers de personnes s'affairaient, comme dans une ruche, à entretenir la beauté et à assurer la défense de ses quatorze hectares. Les deux visiteurs laissèrent l'âne et le cheval aux écuries, puis empruntèrent une longue allée ombragée de glycines.

Yonah n'en croyait pas ses yeux. L'Alhambra était encore plus impressionnant de près que de loin. On eût dit un labyrinthe infini de tours, d'arches, de coupoles, somptueusement ornées de voûtes, de stucs, de mosaïques et d'arabesques multicolores. Dans les cours intérieures et les vestibules, des moulures bleu, rouge et or en forme de feuillages paraient les murs et les plafonds. Des frises en céramique vert et jaune longeaient les plinthes, encadraient des parterres de marbre. Les patios et jardins intérieurs regorgeaient de fleurs, de fontaines et d'arbres de toute espèce.

— Les Maures maîtrisent bien les techniques hydrauliques, expliqua Mingo. Ils ont créé une déviation à partir de la rivière Darro, à sept kilomètres de hauteur dans les montagnes, et l'ont dirigée vers le palais. C'est ce dispositif impressionnant qui alimente fontaines et bassins et pourvoit chaque chambre en eau courante.

Il donna à Yonah la traduction d'une inscription en arabe figurant sur l'une des parois : « Celui qui vient à moi torturé par la soif trouvera ici une eau limpide et fraîche, douce et pure. »

Leurs pas résonnèrent dans la cour des Ambassadeurs, où le calife Boabdil avait signé sa capitulation devant Ferdinand et Isabelle, et qui abritait encore son trône. Puis ils visitèrent les *baños árabes*.

— C'est là que les femmes du harem se prélassaient, nues,

et faisaient leurs ablutions pendant que le souverain les contemplait depuis un balcon pour choisir sa compagne de la nuit. S'il régnait encore, nous serions condamnés à mort pour avoir pénétré ici. Son père a fait exécuter seize membres de la famille des Abencerrajes et entassé leurs têtes dans la fontaine du harem, car leur chef avait osé badiner avec l'une de ses épouses.

Yonah s'assit sur un banc pendant que Mingo s'entretenait avec l'intendant. Il revint au bout d'un court moment, pour lui apprendre que la reine Isabelle et le roi Ferdinand, accompagnés de toute leur suite, allaient s'installer à l'Alhambra.

— Ces derniers temps, ils se sont plaints de la morosité qui règne à la cour. Le régisseur en chef s'est renseigné sur mon compte et, comme je suis chrétien, il a décidé de m'engager à nouveau au palais, pour remplir la fonction de bouffon auprès des monarques catholiques.

— Tu es content ?

— En quelque sorte. Cela permettra à certains des miens de revenir à l'Alhambra comme garçons d'écuries, jardiniers et *peóns*, mais pour ce qui est de redevenir bouffon... Tu sais, amuser les souverains n'est pas une tâche aisée. On marche sur un fil aussi tranchant que la lame d'une épée. Un fou est censé montrer du toupet et de l'audace, en lançant impromptu des bons mots qui provoquent le rire. Cependant il faut rester avisé et prudent. Il existe une limite très subtile à ne pas dépasser. Tant qu'on ne la franchit pas, on est aimé et choyé. Mais si on a le malheur de heurter la susceptibilité de Leurs Majestés, on risque le pire.

— Cela t'est-il déjà arrivé ?

— Naturellement ! Je me rappelle une fois où j'ai bien failli mourir. Boabdil était rongé de culpabilité à l'idée de ne pas s'être réconcilié avec son père avant sa disparition. Or, un jour, j'ai évoqué devant lui un fils ingrat. Croyant que je parlais de lui, il a saisi son épée, ivre de rage, et l'a pointée sur mon entrejambe. Je suis tombé à genoux en implorant : « Ne me châtrez pas, Sire ! Que ferait mon petit membre séparé de mon corps ? Il est tellement gâté et câliné ! Imaginez tous les pays qu'il a traversés, toutes les merveilles qu'il a vues ! —

134

Ton corps entier n'est qu'une méchante petite queue ! » a répliqué le calife, sa lame toujours entre mes cuisses. La seconde d'après, il éclatait de rire. À cet instant, j'ai compris que j'aurais la vie sauve.

Mingo lut l'inquiétude sur le visage de son compagnon.

— N'aie aucune crainte pour moi, dit-il. Ce métier requiert de la sagesse et de la pratique. Et si je suis le bouffon des rois, je suis aussi le roi des bouffons !

Puis, se penchant d'un air complice vers Yonah, il ajouta :

— D'ailleurs, mon membre n'est pas petit du tout et je suis bien mieux équipé que Boabdil !

En se dirigeant vers la sortie, ils passèrent devant les contremaîtres maures qui supervisaient la construction d'une aile du palais. Mingo ne cessa pas de philosopher :

— Les Maures ne pensent pas qu'ils seront chassés un jour d'Espagne, comme les juifs n'y ont pas cru jusqu'à ce que cela leur arrive. Mais un jour viendra où on les expulsera, eux aussi. Ils ont commis l'erreur de croiser le fer avec les chrétiens. Les juifs, eux, se sont condamnés en acceptant d'accéder au pouvoir, tels des oiseaux volant toujours plus haut vers le soleil jusqu'à se brûler les ailes. Les catholiques ont bonne mémoire : ils n'oublieront jamais ceux des leurs qui ont succombé en combattant l'islam.

Tous deux se turent un moment. Puis Mingo se tourna vers son jeune ami et lui lança, de but en blanc :

— Il y a des juifs à Grenade.

— Tu veux dire : des juifs devenus chrétiens.

— Naturellement ! Des convertis comme toi-même. Quoi d'autre ? répliqua le nain sur un ton exaspéré. Si tu veux prendre contact avec eux, va sur la place du marché et cherche les étals des marchands de soie.

19

Inés Denia

Jusque-là, Yonah avait évité les *conversos*, car il ne désirait pas se lier avec eux. Mais le contact avec d'anciens coreligionnaires lui manquait profondément. Un matin, il conduisit donc Moïse dans le tumulte de la ville. Le marché de Grenade avait retrouvé son effervescence depuis l'annonce de l'arrivée des souverains à l'Alhambra. Il déambula avec plaisir au milieu du bazar, appréciant les étals, bruits et odeurs des multiples échoppes : pains et gâteaux qui mettaient l'eau à la bouche ; poissons frais de toutes tailles, étêtés ou entiers ; cochonnets, jambons et têtes de porcs aux yeux vides ; agneaux et moutons cuits ou crus ; volailles de toutes sortes aux plumages colorés ; abricots, prunes, grenades, melons dont le parfum enivrait les sens...

Il trouva enfin deux marchands de soie. Le premier montrait des échantillons à deux chalands qui tâtaient les étoffes d'un air dubitatif. Le second, coiffé d'un turban, discutait avec une demi-douzaine d'acheteurs intéressés. Derrière lui, une jeune fille, debout à une table, découpait des pièces de tissu. Yonah remarqua aussitôt son visage harmonieux, concentré sur son ouvrage.

Le commerçant enturbanné expliquait la différence entre les diverses soieries :

— Ce sont les feuilles dont se nourrissent les vers qui donnent cette subtile brillance au fil. Vous voyez ? On distingue comme des reflets dorés.

— Je vois bien, Isaac, répondit un des clients, mais c'est tout de même très cher !

— Je vous l'accorde, mais le prix se justifie par la rareté de cette matière, créée par des vers somme toute assez ordinaires et anoblie par des tisserands bénis des dieux.

Yonah n'écoutait pas. Tout en essayant de se fondre dans la masse des badauds, il restait cloué sur place, à observer la jeune créature élancée, aux rondeurs fermes, au maintien droit, au corps plein de vigueur, absorbée dans son travail. Ses cheveux longs et épais tombant sur ses épaules avaient la couleur du cuivre. Ses yeux clairs illuminaient sa face hâlée par le soleil. Elle mesurait les coupons au moyen de son avant-bras et sa manche légèrement relevée découvrait une peau blanche et veloutée.

Elle se redressa un instant, laissant voir à son insu son émouvant décolleté, et leurs regards se croisèrent, mais elle se détourna aussitôt pour se replonger dans sa tâche.

Au milieu des caquètements et de l'odeur nauséabonde des fientes, un volailler révéla à Yonah que le marchand au turban s'appelait Isaac Saadi. Le jeune homme traîna un moment autour de son étal, jusqu'à ce que tous les clients fussent partis. Du reste, peu d'entre eux achetaient : la plupart se contentaient de palper ou d'admirer les précieuses étoffes. Finalement, Yonah se décida à aborder le commerçant.

Comme le saluer ? Combinant des éléments de leur double culture, il opta pour la traduction espagnole du *shalom* hébraïque :

— Que la paix soit avec vous, señor Saadi !

— Paix sur vous, señor, répliqua l'autre sur un ton anodin.

Derrière lui, la jeune femme — sans doute sa fille — poursuivait son ouvrage sans leur prêter attention.

— Je m'appelle Yonah Toledano. Je me demandais si vous pouviez m'adresser à quelqu'un susceptible de m'embaucher.

Il avait délibérément décliné sa vraie identité. Saadi fronça les sourcils et regarda avec suspicion cet étranger, pauvrement vêtu, aux cheveux longs, à la barbe en bataille et au nez brisé.

— Je ne connais personne qui ait besoin d'un employé. Comment savez-vous mon nom ?

137

– C'est votre voisin que me l'a indiqué. J'ai beaucoup de respect pour les marchands de soie. À Tolède, il y en avait un, Zadoq de Paternina, qui était un ami proche de mon père. Vous le connaissez peut-être ?

– Pas personnellement, mais j'ai entendu parler de lui. Comment va-t-il ?

– Il fait partie de ceux qui ont quitté l'Espagne.

– Et votre père travaillait-il également dans le commerce ?

– C'était le grand orfèvre Helkias Toledano, de mémoire bénie.

– Il est mort ?

– Eh oui ! Il a malheureusement été tué au cours d'un... fâcheux incident.

– Je vois. Qu'il repose en paix, soupira Saadi.

Selon la tradition dans laquelle ils avaient tous deux grandi, l'hospitalité envers un juif était une règle absolue. Mais en ces temps difficiles, inviter un inconnu pouvait éveiller les soupçons du Saint-Office.

– Je vous souhaite bonne chance, conclut Saadi, mal à l'aise. Que Dieu vous accompagne.

– Bonne chance à vous, señor Saadi.

Yonah s'était à peine éloigné de quelques pas que l'homme le rattrapa.

– Vous avez où dormir ?

– Oui.

– J'aimerais que vous veniez dîner chez moi. Vendredi, avant le coucher du soleil.

La jeune fille avait levé les yeux. Un léger sourire errait sur ses lèvres.

Le jour dit, Yonah raccommoda ses habits, les frotta dans un cours d'eau, puis se lava vigoureusement. Mana lui coupa les cheveux et lui tailla la barbe, pendant que Mingo, qui avait repris son travail dans les splendides décors de l'Alhambra, observait ces préparatifs avec beaucoup d'amusement.

– Tout ce cirque pour dîner chez un marchand de chiffons ! railla-t-il. Je n'en fais pas autant pour souper avec les rois !

En d'autres circonstances, Yonah aurait apporté une bouteille de vin casher. Dans le même esprit, il pensait acheter du raisin, mais la saison était trop avancée pour qu'il en trouvât. Il choisit donc de belles dattes gorgées de sucre qu'il empaqueta avec soin.

Suivant les indications qu'on lui avait données, il se rendit dans l'Albaicin, l'ancien quartier arabe abandonné par les musulmans depuis la victoire des rois catholiques sur les Maures, où se trouvait la petite maison de Saadi. Ce dernier l'accueillit avec une retenue trahissant une certaine défiance.

Il lui présenta son épouse Zulaika Denia, une femme mince, discrète, aux yeux timides, et son aînée Felipa, plutôt potelée.

– Et voici Adriana, ma petite-fille.

– Comme elle est jolie ! Quel âge a-t-elle ?

– Six ans. Son père, Joachim Chacon, est absent en ce moment. Il s'est rendu sur la côte méridionale pour acheter des soieries. Enfin, voici ma cadette Inés, que vous avez peut-être aperçue à la boutique.

S'efforçant de dissimuler son émoi, Yonah la salua d'un léger signe de tête. Les quatre autres adultes le regardaient nerveusement. Seule la petite souriait. Ils restèrent un moment debout, sans trop savoir quoi se dire. Finalement, ce fut la maîtresse de maison qui rompit le silence :

– Pourquoi ne vous asseyez-vous pas ? suggéra-t-elle aux deux hommes. Je vais vous servir ces dattes pendant que nous finissons de préparer le repas.

Saadi reprit la conversation où ils l'avaient laissée au marché.

– Vous disiez donc que votre père, que sa mémoire soit bénie, était orfèvre.

– Oui, señor.

– À Tolède, n'est-ce pas ?

– C'est exact.

– Et vous cherchez un emploi ? Vous n'avez pas repris l'affaire familiale ?

– Non.

Si Yonah ne se montrait pas très loquace à ce sujet, le marchand n'hésita pas à le harceler de questions.

– Pourquoi ? Elle n'était pas rentable ?

– Au contraire ! Mon père était un merveilleux artisan, très apprécié.

– Ah...

Zulaika Denia souffla sur des charbons, placés dans un récipient en métal et fit brûler trois lampes à huile avant la tombée de la nuit. Puis elle se rendit dans la pièce voisine et alluma deux bougies. Était-ce pour accueillir le Shabbat ? Au début, Yonah n'aurait pu le dire, car elle lui tournait le dos et il ne l'entendait pas. Mais il s'aperçut vite qu'elle se balançait imperceptiblement. Elle récitait la prière traditionnelle du vendredi soir !

Saadi avait remarqué que le visiteur observait cette scène. Son visage maigre et anguleux se tendit, mais il tenta de conserver une attitude faussement détachée. L'odeur du bouillon de volaille envahissait la pièce. Dehors, le ciel s'assombrissait. Inés disposa le pain et le vin, et tous se mirent à table. Le chef de famille hésita un instant, puis annonça :

– Que notre invité et nouvel ami dise le bénédicité, s'il le veut bien !

Pour se tirer de cette situation épineuse, Yonah savait que la solution la moins compromettante consistait à rendre grâce à Dieu en espagnol : cela convenait à un juif comme à un chrétien. Cependant, il leva son verre de vin et s'entendit prononcer, avec un timbre voilé et presque malgré lui, les versets hébraïques du Kiddoush. Puis il but une gorgée et tendit la coupe à son hôte. Ensuite, après les ablutions rituelles, Isaac détacha un morceau de pain en prononçant la bénédiction d'usage.

La musique de ces bénédictions réveilla chez le jeune homme des souvenirs douloureux. En invoquant l'Éternel, il s'adressait aussi à tous les siens, à ceux qui étaient partis – ses parents, ses frères, son oncle et sa tante, ses amis...

Autour de la table régnait un mutisme empreint d'émotion. Les yeux de Zulaika étaient humides. Sur la face de son époux se lisait une profonde tristesse. Quant à Inés, elle contemplait cet étrange inconnu avec intérêt. La fillette apporta une note de légèreté à cette atmosphère pesante en chuchotant une question à l'oreille de sa mère.

Saadi se dirigea alors vers la fenêtre pour y placer une lampe à huile et les trois femmes apportèrent les plats dont les effluves alléchants avaient ouvert l'appétit de Yonah depuis le début de sa visite : un bouillon de poule et de légumes, un gâteau de riz parfumé aux raisins secs, au safran et à la grenade. Ils terminaient à peine le repas qu'un bel homme, avec une tache lie-de-vin au cou, arriva.

— Voici notre bon voisin Micah Benzaquen, annonça Saadi à Yonah. Micah, je te présente Yonah ben Helkias Toledano, un ami de Tolède.

— Bienvenue, Yonah !

Quelques minutes plus tard, un couple entra : c'étaient Fineas ben Sagan et son épouse Sancha Portal. Suivirent Abram Montelvan et sa femme Leona Patras. Puis ce fut le tour de Nachman Redondo et de Pedro Serrano. La porte ne cessait de s'ouvrir. Au total, une trentaine de personnes s'entassèrent dans la pièce. Tous portaient des vêtements de travail pour que leur mise n'attire pas l'attention sur les festivités de Shabbat.

L'un des fils du voisin faisait le guet à l'extérieur, tandis que Micah Benzaquen conduisait l'office dans la maison, en récitant les textes de mémoire. Les autres se joignaient à lui avec crainte et exaltation, murmurant le Shema et entonnant les Psaumes à voix basse.

Bouleversé, Yonah se laissait envahir par ce sentiment de communion fraternelle, jadis si familier. Ce moment de grâce lui sembla bien trop bref. Bientôt, tous s'étreignaient et en se souhaitaient « *Shabbat shalom* », avant de se disperser par groupes de deux ou trois.

— La semaine prochaine chez moi, dit Micah Benzaquen au nouveau venu avec un sourire entendu.

Yonah s'apprêtait à sortir quand Isaac Saadi le prit à part :

— Nous accompagneras-tu à l'église, dimanche matin ?

Cette simple phrase fit au jeune homme l'effet d'une douche froide. Il répondit sèchement :

— Désolé, mais je ne peux pas.

— Alors le dimanche d'après ? C'est important, tu comprends ? On nous épie sans arrêt...

Durant les quelques jours qui suivirent, Yonah surveilla l'échoppe d'Isaac Saadi. Il lui fallut attendre un temps qui lui parut interminable avant que le marchand laissât enfin sa fille seule dans la boutique.

— Bonjour, señorita.

— Bonjour, señor. Désolée, mon père s'est absenté et...

— Ah, je vois. Ce n'est pas grave. Je passais seulement pour le remercier, ainsi que votre famille, de votre hospitalité. Peut-être pourriez-vous lui transmettre toute ma gratitude ?

Yonah n'avait pas osé la dévisager trop longtemps chez son père, de peur de se montrer insolent. Mais à présent, il pouvait à son gré détailler son visage : ses grands yeux bleu-gris, son nez fin, sa bouche aux contours subtils, ses traits expressifs, ses joues qui s'étaient embrasées, sans doute en raison du regard intense de son interlocuteur.

— Je le ferai sans faute, señor. Nous... Vous étiez vraiment le bienvenu chez nous.

— Merci, señorita.

— Je vous en prie, señor Toledano.

Le vendredi suivant, Yonah participa, chez Micah Benza-quen, à l'office de Shabbat des *conversos*, tout en scrutant à la dérobée Inés Denia, qui se tenait parmi les femmes. Chaque matin de la semaine, il se rendit au marché pour l'admirer de loin, mais certains boutiquiers avaient remarqué son manège et lui jetaient des regards soupçonneux. Aussi se décida-t-il à s'approcher de l'échoppe en fin d'après-midi, au moment où Felipa prenait la relève de sa sœur. Il arriva juste à temps pour voir Inés partir, en compagnie de sa jeune nièce, afin de faire quelques courses. Il s'arrangea pour croiser leur chemin.

— *Hola*, señorita !

— *Hola*, señor !

Sur sa bouche se dessina un sourire chaleureux. Ils échangèrent quelques mots, puis il l'accompagna chez l'épicier, où elle acheta des lentilles, du riz, des raisins secs et une grenade, et chez le maraîcher, où elle jeta son dévolu sur un gros chou blanc.

— Votre sac me paraît bien lourd. Permettez-moi de vous aider !

— Oh, non...

— Je vous en prie, insista-t-il, jovial.

Il porta ses commissions une bonne partie du chemin, tout en bavardant. Une fois qu'il l'eut laissée devant sa maison, il ne lui resta de cette conversation rien d'autre qu'un immense désir d'être à nouveau avec elle.

À présent qu'il savait à quelle heure elle quittait le marché, il lui était plus facile de l'aborder. Deux jours plus tard, il la rencontra de nouveau, qui se promenait avec la fillette. Bientôt, ils se fréquentèrent assidûment.

— Bonjour señorita, lui disait-il, d'un air empreint de déférence.

— Bonjour, señor, répondait-elle avec le même sérieux.

La petite Adriana le reconnaissait sans peine, l'interpellait par son nom et courait au-devant de lui dès qu'elle l'apercevait.

Yonah ne se lassait pas de contempler Inés. Il était impressionné par l'intelligence émanant de son visage, ému par son charme discret, troublé par les appas qu'il devinait sous ses vêtements chastes. Et il commençait même à croire qu'il ne déplaisait pas à la jeune fille.

Un après-midi, ils marchèrent jusqu'à la Plaza Mayor, où un musicien jouait de la flûte, adossé à un mur. Entraîné par le rythme de ces mélodies, Yonah se balança un peu sur place, puis, peu à peu, ses mouvements s'amplifièrent et il se mit à danser, en s'inspirant des postures de ses amis tsiganes. Soudain, il éprouva une liberté telle qu'il n'en avait jamais connu auparavant. Au travers de ses doigts, de ses épaules, de ses pieds, il exprimait des émotions longtemps contenues qu'aucun mot n'aurait su traduire. Étonnée, sa compagne l'observait avec un demi-sourire. Transporté par un élan de spontanéité, il lui tendit la main pour l'inviter à le rejoindre, mais elle resta figée. Alors il souleva la fillette radieuse, qui poussa des cris de joie en virevoltant dans ses bras.

À la fin du morceau, ils s'assirent un peu pour parler, pendant qu'Adriana s'amusait avec un petit caillou rouge. Inés raconta qu'elle était née à Madrid, où sa famille s'était convertie au catholicisme cinq ans auparavant.

Elle n'était jamais allée à Tolède. Lorsque Yonah lui révéla que tous les siens étaient morts ou avaient quitté l'Espagne, elle lui effleura le poignet. Il ne bougea pas, mais déjà elle retirait sa main.

Le lendemain après-midi, comme à l'accoutumée, Yonah se promenait parmi les échoppes en attendant que Felipa prît la relève de sa cadette. C'est alors qu'il aperçut Zulaika Denia en grande conversation avec le volailler. Ce dernier chuchota quelque chose en le désignant du coin de l'œil. La mère d'Inés se retourna vers lui et, faisant mine de ne pas le reconnaître, posa une question à son interlocuteur. En entendant sa réponse, elle se rendit en hâte dans la boutique de son mari.

Elle en sortit presque aussitôt, accompagnée de sa fille, qui paraissait plus belle que jamais. Le jeune homme regarda son amie s'éloigner d'un pas vif, tandis que sa mère la tirait par le bras tel un *alguacil* menant un prisonnier à sa cellule.

Yonah doutait qu'Inés eût mentionné leurs rencontres devant ses parents. Et d'ailleurs, elle n'avait pas à en rougir : ils s'étaient promenés en tout bien tout honneur. Pourtant, les deux jours suivants, elle ne reparut pas au marché et Felipa tint sa place à la boutique.

La nuit, il resta allongé sans pouvoir dormir, brûlant d'ardeur à l'idée de prendre Inés pour épouse et de joindre leurs corps.

Il rassembla son courage pour parler à son père.

Le matin, en arrivant devant l'échoppe du marchand de soie, il tomba sur Micah Benzaquen.

— Marchons jusqu'à la Plaza Mayor, lui suggéra ce dernier. Il faut que nous bavardions un peu.

— Si vous voulez...

— Yonah Toledano, mon ami Isaac Saadi pense que vous vous intéressez à sa fille cadette.

— Inés ? Oui, c'est exact.

144

– Je vous comprends. C'est un joyau inestimable, n'est-ce pas ?

– J'en conviens volontiers, acquiesça Yonah, les joues empourprées.

– Elle est ravissante et aussi douée pour le commerce que pour tenir un foyer. Son père se sent honoré que le fils d'Helkias, l'orfèvre de Tolède – qu'il repose en paix –, ait gratifié sa famille de son amitié. Mais le señor Saadi aurait quelques questions à vous poser. Consentiriez-vous à y répondre ?

– Bien sûr.

– Pour commencer, qui sont vos parents ?

– Je suis issu d'une lignée de rabbins et d'érudits du côté de ma mère comme de mon père. Mon grand-père maternel...

– Oui, oui. J'ai compris, vous avez des ancêtres distingués. Mais je parlais de vos parents encore vivants. Possèdent-ils une affaire qu'un jeune homme comme vous puisse reprendre ?

– J'ai un oncle qui est parti lors du décret d'expulsion. J'ignore où il se trouve actuellement.

– Ah. Comme c'est dommage... Mais vous aviez mentionné au señor Saadi un savoir-faire que vous aurait transmis votre père...

– En effet. Lorsqu'il est mort, j'étais sur le point de devenir un compagnon itinérant.

– Oh... un apprenti... seulement. Comme c'est dommage...

– Mais j'apprends très facilement. Je pourrais me mettre au commerce de la soie.

– Je suis certain que vous dites vrai. Naturellement, Isaac Saadi a déjà un gendre dans son affaire...

Yonah comprit que, quelques années auparavant, tout le monde se serait réjoui de ce mariage. Mais à présent, il ne constituait pas un parti acceptable. De surcroît, personne ne savait qu'il avait refusé le baptême et qu'il était donc un hors-la-loi.

Son interlocuteur sembla lire dans ses pensées.

– Pourquoi n'allez-vous pas à l'église ?

– Ces derniers temps, j'ai été... très occupé.

Benzaquen poussa un long soupir. Ayant remarqué les guenilles du jeune homme, il ne prit pas la peine de l'interroger sur ses revenus.

– Mon cher Yonah, conclut-il sèchement, à l'avenir, lorsque vous marcherez et bavarderez avec une demoiselle, veillez à lui laisser porter son sac. Sinon, des prétendants plus convenables pourraient croire que cette jouvencelle n'est pas apte à assumer les devoirs d'une épouse.

Sur ce, il lui souhaita une bonne journée.

20

Nouvelles alarmantes

Mingo passait de plus en plus de temps à l'Alhambra et ne revenait dans les grottes du Sacromonte que deux nuits par semaine. Un soir, il annonça à Yonah une nouvelle des plus inquiétantes.

— Comme les monarques viendront bientôt au palais pour un séjour prolongé, l'Inquisition projette d'examiner de près tous les marranes et maurisques [1] aux alentours de la forteresse, de peur que la proximité de ces relaps n'offense Leurs Majestés.

Yonah l'écoutait en silence.

— Les autorités traqueront les hérétiques jusqu'à en trouver un nombre suffisant. Pour prouver leur zèle et leur efficacité, elles organiseront un autodafé auquel assistera la cour, et peut-être même les souverains. Mon ami, je crois qu'il serait plus prudent pour toi d'aller te mettre à l'abri.

Par pure solidarité, Yonah décida de prévenir ceux avec qui il avait prié ces derniers temps. Il nourrissait aussi l'espoir secret que la famille d'Isaac Saadi le considérerait comme un sauveur et réviserait son jugement à son égard.

Mais en arrivant à l'Albaicin, il trouva la petite maison vide, ainsi que celles des Benzaquen et de tous les autres. Les *conversos* avaient eu vent de la visite imminente de Ferdinand

---

1. Les marranes et les maurisques sont respectivement les juifs et les musulmans convertis de force au catholicisme. (*N.d.T.*)

et d'Isabelle, et, mesurant les dangers qu'elle impliquait, ils avaient pris la fuite.

Seul face à ces demeures abandonnées, le jeune homme s'assit à l'ombre d'un platane. Il traça quatre points dans la poussière : le premier représentant les anciens chrétiens, le deuxième les musulmans, le troisième les *nouveaux chrétiens* et le quatrième Yonah ben Helkias Toledano, dernier juif d'Espagne.

Il s'était écarté de la voie qu'avaient suivie son père et tous ses aïeux depuis des générations. Au plus profond de son cœur, il aspirait à leur ressembler, mais le destin l'avait conduit sur un autre chemin. À présent, pratiquer sa religion consistait à rester l'unique survivant, marginal et solitaire, d'un peuple banni de son pays.

À quelques mètres de là, il aperçut la petite pierre rouge avec laquelle Adriana avait joué sur la Plaza Mayor. Il la ramassa et l'emporta, en souvenir de ce précieux moment passé en compagnie d'une jeune femme qui allait sans doute hanter ses rêves encore longtemps.

Lorsqu'il retourna sur le Sacromonte, Mingo trépignait d'impatience.

— Où étais-tu donc ? La situation presse ! J'ai appris que l'Inquisition va commencer ses investigations dès maintenant. Tu dois quitter ce lieu aujourd'hui même, Yonah.

— Et les Rom de ton peuple ? Seront-ils hors de danger ?

— Ce ne sont que des valets et des jardiniers. Nous ne comptons parmi nous personne d'aussi ambitieux que les architectes et constructeurs maures ou les financiers et médecins juifs. Les *gadjé* n'ont rien à nous envier. D'ailleurs, peu d'entre eux prêtent attention à nous et les rares qui nous remarquent ne voient que des *peóns* fidèles à la doctrine chrétienne.

Il hésita avant d'ajouter :

— Écoute, tu devrais partir sans ton âne. Cet animal approche de la fin de sa vie et un trajet trop long aurait tôt fait de le tuer.

Le cœur de Yonah s'emplit de tristesse. Pourtant, il savait que son ami avait raison.

148

– Je te confie mon *burro*, dit-il finalement.

Il prit une pomme et se rendit dans la prairie pour la donner à son animal.

– Sois bien sage. Adieu, mon brave Moïse !

Il lui gratta doucement la tête avant de s'éloigner.

Le *vajda* s'arrangea pour que Yonah partît en compagnie de deux Tsiganes, les frères Eusabio et Macot Manigo, qui devaient livrer des chevaux à Baena, Jaén et Andujar.

– Macot a un paquet à envoyer à Tanger par un bateau qui accostera à Andujar pour descendre le fleuve Guadalquivir. Le vaisseau appartient à des contrebandiers maures avec qui nous faisons affaire depuis des années. Ils accepteront probablement de t'accueillir à bord.

Il restait peu de temps pour les adieux. Mana lui donna du pain et du fromage enveloppés dans un chiffon et son époux lui offrit deux cadeaux de valeur : une dague mauresque à la lame tranchante ainsi que la guitare sur laquelle il avait joué.

– Mingo, dit le jeune homme, je t'en prie, fais attention à ne pas provoquer l'ire des monarques catholiques.

– Ne t'inquiète pas pour moi. Que la vie te soit douce, mon ami.

Les deux frères étaient des hommes au caractère doux, au teint buriné et dotés d'un tel savoir-faire avec les animaux qu'ils eussent maîtrisé sans problème une vingtaine de chevaux. Ils se révélèrent d'agréables compagnons de voyage. Macot cuisinait à merveille. Le soir, pour oublier la fatigue, Eusabio prenait son luth, et interprétait avec Yonah des mélodies autour du feu et d'une carafe de vin.

Durant les longues heures passées à chevaucher sous le soleil brûlant, Yonah se perdait dans ses pensées. Il comparait deux personnages que la nature avait façonnés d'étrange manière : d'un côté, le frère Bonestruca à la face d'ange, aussi haineux que haïssable, de l'autre, le Rom Mingo qui abritait des trésors de bonté dans un corps contrefait.

Perclus de courbatures, il méditait sur son triste sort. Son âme en peine s'était réchauffée au contact d'une communauté fraternelle et chaleureuse. Et à présent, il lui fallait retrouver une existence d'errance et de mélancolie.

Il revoyait aussi Inés Saadi Denia. À regret, il était forcé d'admettre que leurs chemins n'avaient rien en commun. Et même si elle lui manquait, il devait se résigner et renoncer à ses douces chimères. Mais la seule douleur qu'il s'autorisait à éprouver pleinement était la perte de son plus fidèle compagnon. Depuis plus de trois ans, son baudet l'avait suivi dans ses pérégrinations avec un dévouement constant et absolu, sans jamais rien exiger en retour. La gorge serrée, il pleurait en silence l'absence du gentil *burro* qu'il avait appelé Moïse.

V

L'armurier de Gibraltar

Andalousie
Le 12 avril 1496

21

Le matelot

Yonah et ses deux compagnons restèrent plus longtemps que prévu à Baena, pour livrer cinq chevaux à un Tsigane qui organisa une fête en leur honneur. Puis ils en déposèrent six autres à Jaén et arrivèrent à Andujar avec près d'un jour de retard, afin de céder les neuf derniers à un marchand de bestiaux. Ils se rendirent au port sans espoir de trouver le bateau africain. Mais, par bonheur, le navire était encore amarré au quai.

Macot alla à la rencontre du capitaine, un Berbère en burnous à la barbe grise et broussailleuse, qui l'accueillit avec chaleur. Il avait déjà vendu son chargement de chanvre en amont du fleuve et, avant de retourner à Tanger, il devait récupérer d'autres marchandises à Cordoue, à Séville, dans le golfe de Cadix et à Gibraltar. À un moment, Yonah vit les deux hommes parlementer en regardant dans sa direction. Le marin avait l'air d'acquiescer sans enthousiasme.

— Tout est arrangé, lui annonça Macot en revenant vers lui.

Les deux frères le serrèrent dans leurs bras.

— Que le Seigneur t'accompagne !

— Dieu soit avec vous !

Il les suivit des yeux tandis qu'ils s'éloignaient, en regrettant amèrement de ne pas pouvoir repartir avec eux à Grenade.

D'emblée le capitaine lui fit comprendre qu'il n'avait nullement l'intention de s'encombrer d'un passager oisif. Il lui ordonna de se joindre au reste de l'équipage pour charger des barriques d'huile d'olive à destination de l'Afrique.

Cette nuit-là, tandis que le bateau se laissait emporter par le courant du fleuve, Yonah resta assis, adossé à un gros tonneau. En contemplant le rivage qui défilait dans l'obscurité, il joua doucement de la guitare afin d'oublier l'incertitude de son destin.

Le jeune homme avait tout à apprendre de la vie de marin, depuis la manière de hisser et de ferler l'unique voile triangulaire, jusqu'à la façon la plus sûre de répartir la cargaison, pour éviter qu'une caisse ou un fût ne déséquilibrât l'embarcation durant une tempête.

Le capitaine Mahmouda était une brute qui n'hésitait pas à user de ses poings quand on le contrariait. L'équipage, formé de deux Noirs – Jesús et Cristóbal – et de deux Arabes chargés de la cuisine – Yephet et Darb –, dormait sur le pont, par tous les temps. Les quatre hommes, musclés et énergiques, venaient de Tanger et Yonah s'entendait bien avec eux. Parfois, la nuit, il accompagnait leurs chants à la guitare. Mais bien souvent, Mahmouda, exaspéré par le tapage, sortait de sa cabine et leur criait de le laisser dormir en paix.

À l'aube du troisième jour, le bateau accosta à Cordoue. À la lumière de torches dont émanait une puanteur insoutenable, Yonah et Cristóbal transportèrent ensemble d'énormes caisses dans la cale. Soudain, ils aperçurent, à l'autre bout du quai, un groupe de prisonniers enchaînés que l'on menait à bord d'un autre esquif.

Cristóbal sourit à l'un des gardes debout sur l'appontement.

— Vous avez beaucoup de criminels par ici ! lui lança-t-il.

— Ce sont des relaps, rétorqua le soldat en crachant.

Les captifs semblaient hébétés. Certains, blessés, avançaient avec peine, en traînant la jambe comme des vieillards usés. Il repensa à Inés et à tous ceux avec qui il avait célébré des offices clandestins à Grenade, et pria pour que Dieu les épargnât.

Le bateau transportait des cordages, des couteaux et des dagues. Durant les huit jours qu'il lui fallait pour atteindre l'embouchure du Guadalquivir, le capitaine souhaitait ardemment trouver de l'huile d'olive, rare cette année-là, et que les marchands de Tanger attendaient avec impatience. Mais à Jerez de la Frontera, où il comptait embarquer un important chargement d'excellente qualité, il ne trouva qu'un négociant confus.

– Comment ? Pas d'huile ?

– Dans trois jours. Désolé. Mais je vous en prie, patientez encore un peu et dans trois jours, vous aurez tout ce que vous voulez.

– Diantre !

En attendant la livraison, Mahmouda chargea son équipage d'effectuer toutes sortes de tâches à bord de son bateau. D'humeur massacrante, il battit Cristóbal, qu'il trouvait trop lent à son goût.

Les détenus que Yonah avait aperçus à Cordoue avaient été emmenés à Jerez de la Frontera pour rejoindre d'autres relaps, condamnés dans diverses villes pour être retombés dans leurs errements hérétiques. Un important détachement de soldats sillonnait la ville. On avait hissé le funeste drapeau rouge de l'autodafé et les rues grouillaient du monde venu de toute la région pour assister à l'événement.

Au bout de deux jours d'immobilisation, Mahmouda, bouillonnant, laissa exploser sa fureur. Ses foudres retombèrent sur Yephet, qui, par inadvertance, avait fait basculer une barrique de vin. Aucune goutte n'en coula et le tonneau intact fut vite redressé. Pourtant, le capitaine traita le coupable de tous les noms, avant de le jeter à terre à coups de poing pour finir par le fouetter avec une corde.

Yonah sentit la colère le submerger et il s'apprêta à se jeter sur l'odieux personnage. Cristóbal l'en empêcha.

Ce soir-là, Mahmouda étant descendu à terre en quête d'une taverne où assouvir son envie de vin et de femmes, les hommes d'équipage enduisirent d'onguent le corps contusionné de Yephet.

– Tu ne devrais pas craindre Mahmouda, dit Darb à Yonah. Il sait que tu es sous la protection des Rom.

Mais le jeune homme se disait que, aveuglé par la rage, le capitaine pouvait perdre la raison et, de son côté, il ne se croyait pas capable d'assister à d'autres brimades sans réagir. Peu après la tombée de la nuit, il rassembla ses affaires et monta sur l'appontement pour s'éloigner dans l'obscurité.

Il erra ainsi pendant cinq jours, sans se hâter car il ne s'était fixé aucune destination. La route longeait la côte et il prenait plaisir à regarder la mer. Dans plusieurs villages, il vit des bateaux de pêche, parfois un peu dépolis par le sel et le soleil, mais toujours bien entretenus. Il observa des Andalous occupés à remailler leurs larges filets ou à réparer une coque. Parfois, il tentait d'engager la conversation avec eux, mais ils ne se montraient guère bavards en apprenant qu'il recherchait du travail. Il comprit qu'ils vivaient dans un monde clos où les étrangers n'avaient pas leur place.

Dans la ville de Cadix, la chance lui sourit enfin. Il se trouvait sur le rivage quand un homme, en train de charger un vaisseau, fit un faux pas, perdit l'équilibre et tomba de la passerelle, se cognant la tête sur une amarre en fer.

Yonah attendit que le blessé fût emmené chez un médecin et que les badauds se fussent dispersés pour aborder le second du bateau. Une grande balafre lui barrait le visage et un fichu noué autour du crâne masquait à moitié ses cheveux grisonnants.

— Je m'appelle Ramón Callicó, lui dit-il. Je peux vous aider.

Considérant ce robuste gaillard, le marin lui fit signe de monter à bord, où les autres lui indiquèrent les paquets à transporter. Dans la cale travaillaient deux hommes, Joan et César, presque nus en raison de la chaleur. Ils lui lançaient des instructions qu'il comprenait le plus souvent, mais qu'il était parfois obligé de leur faire répéter, car leur langage, bien que très proche de l'espagnol, ne lui était pas familier.

— Tu es sourd ou quoi ? grogna César, irrité.

— En quelle langue parlez-vous ? demanda Yonah.

— En catalan, répondit Joan en souriant. Tout le monde sur le vaisseau vient de Catalogne.

Le capitaine apparut enfin sur le pont. De stature fière, il était plus jeune que son second. Ce dernier se précipita vers lui.

— Le fils du docteur m'a dit que Josep est dans un état grave et qu'il doit rester ici pour se faire soigner.

– Ah ! C'est bien embêtant. Je n'aime pas naviguer avec un équipage incomplet.

– Je comprends. Mais regardez celui-ci, qui le remplace, il semble mettre du cœur à l'ouvrage.

– Très bien. Tu peux lui parler.

Le second s'approcha alors de Yonah.

– As-tu déjà navigué, Ramón Callicó ?

Yonah ne souhaitait pas mentir, mais, presque à court d'argent, il avait besoin d'un toit et de nourriture.

– J'ai travaillé sur un bateau fluvial, répondit-il sans mentionner la brièveté de cette expérience.

– Très bien. Alors va avec les autres pour hisser les trois focs.

Une fois suffisamment éloignés du rivage, ils déployèrent la grand-voile, qui claqua au vent, les entraînant vers la haute mer.

L'équipage se résumait à sept personnes : Jaume, le charpentier, Carles, spécialiste des cordages, Antoni, le cuisinier à la main gauche amputée du petit doigt, María, César, Joan et enfin Yonah, simples matelots et hommes à tout faire. Mezquida, le commissaire de bord, était un petit individu au visage toujours pâle, malgré le soleil. Le capitaine Pau Roure se montrait rarement : il passait le plus clair de son temps dans sa cabine, n'adressait jamais un mot aux marins et chargeait son second, Gaspar Gatuelles, de transmettre ses ordres. Quant à ce dernier, s'il criait parfois, il ne frappait jamais.

Le bateau, baptisé *la Lleona* – la lionne –, possédait deux mâts et six voiles que Yonah apprit bientôt à reconnaître : une grand-voile carrée sur le mât de misaine, une moins large sur le mât d'artimon, toutes deux surmontées d'une flèche triangulaire, et deux petits focs qui se dressaient au-dessus d'une proue en forme de lion et orné d'un visage de femme sculpté.

La nuit, l'équipage se relayait toutes les quatre heures pour dormir. Mais la première fois, lorsque vint son tour d'être relevé, Yonah ne se coucha pas. Il grimpa sur l'échelle de corde pour admirer l'horizon. Pris de vertige, il s'arrêta à mi-hauteur du mât de misaine. Seules les faibles lueurs des feux de nuit scintillaient sur le pont, plongé dans l'obscurité. Tout autour, c'était la mer, noire et infinie. Un moment, il se laissa bercer par les craquements du bois et le bruissement des vagues, puis, étourdi, il redescendit.

Comparé au bateau sur lequel il avait remonté le fleuve, ce vaisseau semblait gigantesque. Pourtant, on lui expliqua que, par rapport aux autres unités de la marine marchande, il n'était guère imposant. Dans la cale humide étaient aménagées deux étroites cabines, l'une équipée de six couchettes et destinée à d'éventuels passagers, l'autre, plus exiguë encore, pour les trois officiers. Le reste des matelots couchait sur le pont. Yonah se trouva un endroit derrière la barre, d'où il pouvait entendre la coque fendre les flots et sentir les vibrations du gouvernail à chaque changement de cap.

La haute mer ne ressemblait en rien à la navigation fluviale. L'air vivifiant et iodé emplissait les poumons et fouettait les joues. Cependant, le jeune novice supportait mal le tangage, qui lui donnait la nausée. Parfois, il avait tellement mal au cœur qu'il en vomissait, ce qui provoquait les rires de ses compagnons plus aguerris. Tous avaient au bas mot dix ans de plus que lui et s'exprimaient en catalan. Ils lui adressaient rarement la parole et ne pensaient pas toujours à le faire en espagnol. Dès le début, Yonah comprit qu'il s'agirait d'une traversée bien solitaire.

Son inexpérience du gréement sautait aux yeux. La plupart du temps, on lui confiait des tâches insignifiantes. Le quatrième jour, un orage éclata, qui déchaîna les eaux. Alors que Yonah titubait vers la rambarde pour vomir, le second lui ordonna de rejoindre les autres et de monter au mât de misaine afin de descendre la flèche et de l'attacher à l'espar. La peur eut vite raison de son malaise. Le premier matelot était déjà arrivé au sommet, quand le jeune homme, à peine à mi-chemin, fut pris de panique. Les deux autres qui le suivaient l'insultèrent en le voyant hésiter. Alors, il grimpa plus haut que jamais auparavant, au-dessus de la grand-voile. Puis il fallut passer de l'échelle à un étroit toron, en s'agrippant d'une main à la vergue, tout en tirant la lourde toile de l'autre. Il faillit perdre l'équilibre à maintes reprises. Le bateau gîta d'un côté puis de l'autre, et, à chacun de ces balancements, il pouvait voir l'écume blanche des flots en furie.

Une fois la flèche fixée, il redescendit tout tremblant pour regagner le pont, ahuri par son propre exploit. Il n'eut pas le temps de s'en remettre : le second l'envoyait déjà dans la cale vérifier les attaches de la cargaison.

Il arrivait que de lisses dauphins accompagnent un moment le vaisseau et, un jour, Yonah aperçut un poisson si gros que cette vision le terrifia : allait-il subir le même sort que Jonas, son homonyme biblique ? Il imaginait le Léviathan, appâté à la surface par les mouvements de son corps, surgissant des profondeurs infinies, prêt à l'engloutir. Alors, le pont semblait se dérober sous ses pieds.

Le bateau longea la côte vers le nord et fit escale afin d'embarquer et de débarquer marchandises ou passagers à Malaga, Carthagène, Alicante, Valence et Tarragone. Au bout de seize jours, ils arrivèrent à Barcelone, d'où ils naviguèrent vers le sud-est pour atteindre Minorque.

Cette île aux contours rocheux était habitée par des pêcheurs et des fermiers. Yonah aimait ce paysage de falaises, qui lui rappelait son village natal. Du reste, peut-être cette terre était-elle assez isolée pour échapper aux agents de l'Inquisition. Pourquoi ne pas s'y installer ?

Mais dans le port de Ciudadela montèrent à bord trois dominicains en habit noir. L'un d'eux alla directement s'asseoir sur une barrique et se mit à lire son bréviaire, tandis que les deux autres restèrent debout près du bastingage à bavarder. Puis l'un d'eux regarda Yonah et lui fit signe de s'approcher. Même s'il ne ressemblait en rien à Bonestruca, il appartenait au même ordre religieux. Le jeune homme sentit sa nuque se hérisser.

– Oui, señor ?

– Où ira ce vaisseau après avoir quitté l'île ?

– Je ne saurais vous le dire, señor.

L'autre frère prêcheur grogna et le toisa avec peu d'aménité :

– Ce n'est qu'un ignorant. Il va où le courant le mène. Adressons-nous à un officier.

Finalement, deux des moines descendirent à Majorque, tandis que le troisième débarqua à Ibiza, plus au sud.

Si Yonah espérait pouvoir enfin baisser sa garde, la présence de ces passagers anéantit ses dernières illusions. Il allait devoir poursuivre son existence de fugitif : les agents du Saint-Office étaient partout.

22

Le ferronnier

Lorsque le vaisseau accosta à Cadix, le matelot blessé reparut revigoré, une cicatrice au front. L'équipage lui réserva un accueil enthousiaste. Pour Yonah, ce retour marquait la fin de son séjour sur le bateau. En vérité, il se réjouissait de retrouver enfin la terre ferme. Après que le second l'eut remercié et rétribué, il s'éloigna du quai pour reprendre ses pérégrinations.

Il chemina vers le sud-est, en longeant la côte. Chaque soir, avant la tombée de la nuit, il repérait l'endroit où il allait dormir, de préférence sur de la paille ou à la belle étoile, sur le sable d'une plage. Le matin, il se baignait dans la mer, sous la chaleur du soleil, mais évitait de nager trop loin, de peur de croiser un monstre marin. Dans un abreuvoir ou un ruisseau, il rinçait le sel qui avait séché sur sa peau. Au bout de quelque temps, un fermier accepta de le transporter dans sa charrette. Les heures s'écoulèrent paisiblement. Yonah somnolait sur sa botte de foin quand, soudain, le paysan le tira de sa torpeur en élevant la voix.

– Tu sais où nous sommes ?

Le jeune homme secoua la tête : il ne s'agissait que d'un lieu désolé sur une route déserte.

– C'est ici que finit l'Espagne. Nous nous trouvons au point le plus au sud de la péninsule Ibérique, répliqua l'homme avec satisfaction, comme s'il faisait étalage d'une prouesse personnelle.

Yonah voyagea ensuite dans une carriole chargée de morue séchée jusqu'au village de Gibraltar, au pied d'un immense rocher. Il aida le commerçant à décharger sa pêche et, comme les exhalaisons lui avaient ouvert l'appétit, il entra dans une taverne.

La salle vétuste au plafond bas sentait le vin, le feu de bois et la sueur. Assis autour de deux longues tables, une demi-douzaine d'hommes mangeaient une soupe de poisson bouillonnant dans une marmite installée sur l'âtre. Yonah commanda un repas.

Pendant qu'il patientait, un vieillard arriva et s'installa près de lui sur le banc.

— J'aimerais une chopine de vin, señor Bernaldo, demanda-t-il.

— Seulement si vous trouvez quelqu'un pour vous le payer, rétorqua l'aubergiste.

Les autres s'esclaffèrent comme s'il s'agissait d'une plaisanterie hilarante.

En voyant cet homme voûté aux cheveux blancs et au regard doux, Yonah se rappela l'image de Geronimo Pico le berger.

— Donnez-lui à boire, dit-il au propriétaire.

Puis, soudain conscient de ses ressources limitées, il ajouta vivement :

— Une bolée, pas une chopine !

— Eh bien, Vicente ! On dirait que tu t'es trouvé un généreux bienfaiteur ! lança un des clients sur un ton sarcastique. Bougre de boit-sans-soif ! Tu n'es qu'un misérable rat !

Cette pique déchaîna les rires. Le beau parleur était courtaud, maigre et brun, avec une fine moustache.

— Oh, Luis ! Ferme-la donc ! dit l'un des buveurs, lassé.

— Essaie un peu de me faire taire, José Gripo !

Le silence s'abattit sur la pièce et les visages se figèrent. Un acolyte du dénommé Luis se leva. Le corps tout en muscles et le visage dur, l'homme toisa José Gripo et s'avança vers lui.

— Rassieds-toi donc ou fiche le camp, Angel ! cria Bernaldo. Ton patron m'a dit que si j'avais encore des ennuis avec vous deux, je devrais l'en avertir sur-le-champ.

Angel s'arrêta net, fixa le tavernier, puis haussa les épaules. Il attrapa sa chope, la vida d'un trait et la reposa énergiquement sur la table. Il s'adressa à son compagnon :

— Sortons d'ici, Luis. Je n'ai pas envie d'enrichir davantage Bernaldo ce soir.

Quand les deux brutes eurent franchi le seuil, le propriétaire apporta du vin au vieillard.

— Tiens, Vicente. Cadeau de la maison ! Ces deux-là sont des canailles de la pire engeance.

— Ils forment une curieuse équipe, commenta José Gripo. J'ai déjà assisté à ce genre de scène. Luis provoque un client et c'est Angel qui se charge de le réduire en miettes.

— Il faut dire qu'il est fort !

— Naturellement ! Un ancien soldat sait se battre, mais, dans le fond, c'est une fripouille !

— Luis le vaut bien, ajouta Vicente, mais il façonne le métal à merveille, il faut l'admettre.

Cette remarque attira l'attention de Yonah.

— Je connais un peu la ferronnerie et je cherche un emploi. Où pourrais-je me faire embaucher ?

— Il y a une armurerie un peu plus bas sur la route, répondit Gripo. Vous avez de l'expérience dans la fabrication des armes ?

— Non, pas vraiment. Mais j'ai effectué un long apprentissage chez un orfèvre et j'ai aussi passé quelque temps chez des artisans qui travaillaient le fer et l'acier.

— Alors il faut vous adresser au maestro Fierro, l'armurier de Gibraltar.

Cette nuit-là, Yonah versa quelques *sueldos* à Bernaldo en échange d'une paillasse devant la cheminée et d'un bol de gruau pour son petit déjeuner. C'est donc reposé et rassasié qu'il se rendit à la fabrique de Fierro l'armurier.

La physionomie de Manuel Fierro était engageante : de petite stature, il avait des épaules larges, des traits taillés à la serpe et une abondante chevelure blanche. Seul son nez, un peu de biais, déparait la symétrie de l'ensemble, mais il contribuait à lui conférer un charme sympathique. Aussi Yonah lui

163

livra-t-il un récit assez proche de la vérité. Il s'appelait Ramón Callicó, dit-il, avait été apprenti chez Helkias Toledano, un illustre orfèvre de Tolède, jusqu'à ce que l'expulsion des juifs eût forcé son maître à partir. Pendant quelques mois, il avait complété son instruction auprès des ferronniers tsiganes de Cordoue.

— Des Rom !

Fierro avait prononcé ces mots avec plus d'étonnement que de mépris.

— Bien, tu vas me montrer de quoi tu es capable.

Le maestro travaillait sur une paire d'éperons en argent qu'il reposa avant d'empoigner un échantillon d'acier.

— Réalise un ciselage sur cette pièce, comme s'il s'agissait d'un de ces éperons.

L'artisan observait en silence, sans grand espoir. Cependant, à mesure que l'ouvrage progressait, il devint plus attentif. Il ne fit aucun commentaire, mais lui donna deux sections d'une cubitière à assembler et leva les sourcils en constatant la perfection du joint exécuté par le jeune homme.

— Que sais-tu faire d'autre ?

— Je sais lire et écrire.

— Vraiment ?

Fierro se pencha vers lui et le considéra avec intérêt.

— Ce n'est pas courant pour un apprenti. Comment as-tu appris cela ?

— Mon père était un homme instruit.

— J'offre un apprentissage de deux ans.

— Je suis preneur.

— Dans mon métier, il est d'usage de faire payer cette formation. En as-tu les moyens ?

— Hélas non !

— Alors, à la fin des deux années, tu devras travailler douze mois pour un salaire réduit. Après quoi, Ramón Callicó, nous parlerons peut-être de ton embauche en tant que compagnon armurier.

— C'est d'accord.

Cet emploi lui convenait parfaitement. La confection d'armures et d'armes requérait des techniques tout à fait nouvelles pour lui, ce qui lui permettait d'apprendre tout en mettant en pratique un savoir-faire acquis depuis longtemps.

Fierro était un excellent professeur, qui aimait à soliloquer sur les innovations de ses compatriotes pendant qu'il surveillait les progrès de ses assistants :

— Pendant des millénaires, on a placé le fer dans un grand feu de charbon de bois, suffisamment chaud pour ramollir le métal, de sorte qu'on puisse le battre ou le forger, mais pas assez pour qu'il fonde. Puis nos ferronniers ont réussi à augmenter la température du foyer en soufflant de l'air à travers un tube creux, et plus tard par le biais de soufflets. Ensuite, ils ont amélioré le four, baptisé « forge catalane » et ventilé par de l'énergie hydraulique, dans lequel on mélange aujourd'hui le minerai et le charbon. Cela nous permet de produire plus vite un meilleur métal. Quant à l'acier, on l'obtient en débarrassant le fer des impuretés et de la majeure partie du charbon. Peu importe l'excellence de l'armurier : son ouvrage ne vaut que par la qualité de l'acier dans lequel il est façonné.

Parfois, Fierro se laissait aller à la confidence. Ainsi, il déclara qu'il avait appris son métier dans l'atelier d'un Maure.

— Ce sont les fabricants d'épées les plus talentueux. C'est drôle, j'ai été apprenti chez un Maure et toi chez un juif, ajouta-t-il avec un sourire.

— En effet, répondit Yonah d'un ton évasif, en commençant à balayer le sol pour mettre un terme à cette conversation.

Le quinzième jour, alors que le jeune homme mangeait son gruau matinal dans la hutte qui faisait office de cuisine, Angel Costa, partant à la chasse muni d'un arc et de flèches, se dressa devant lui et lui lança un regard torve, sans prononcer un mot. Yonah finit son repas sans broncher, puis reposa son bol. Il s'apprêta à sortir, mais Angel lui barra la route.

— Qu'y a-t-il ?

— Tu sais manier l'épée, apprenti ?

— Je n'en ai jamais tenu une.

Les lèvres du provocateur esquissèrent un rictus.

Le cuisinier, surnommé « l'autre Manuel » parce qu'il portait le même prénom que l'armurier, leva les yeux de sa marmite et suivit Angel du regard tandis qu'il s'éloignait. Il cracha par terre.

– Il est facile de ne pas l'aimer, celui-là. Angel Costa se prend pour le représentant de Dieu sur terre et nous oblige à prier matin et soir dans le fumoir.

– Pourquoi le laisse-t-on agir de la sorte ?

– Parce qu'il nous fait peur.

Le statut d'apprenti comportait un avantage non négligeable : en tant que garçon de courses, Yonah se rendait chez les nombreux fournisseurs de la fabrique, ce qui lui permettait de se familiariser avec les lieux. Du reste, certains de ces commerçants, fiers de leur négoce, répondaient volontiers à ses questions. Dès le premier jour, on l'avait envoyé chez le marchand d'accastillage José Gripo, qu'il avait croisé à la taverne. Tout en mesurant ses cordes, ce dernier lui avait expliqué que la ville de Gibraltar, bâtie au pied du grand rocher, devait son atmosphère singulière au fait que les Maures l'avaient habitée durant sept cent cinquante ans. Les Espagnols l'avaient reconquise en 1462, le jour de la Saint-Bernard. Tadeo Deza, le vieux clerc du magasin, précisa que le mot Gibraltar était dérivé de l'expression *djabal al-Tariq*, *djabal* signifiant « montagne » en arabe et Tariq étant le prénom de Tariq ibn Ziyad, le chef berbère qui avait construit le premier fort en aval du rocher.

Les employés de l'armurerie n'abordaient guère ce genre de sujet. Les six *peóns* chargés des tâches les plus basses logeaient avec Angel Costa, le maître d'armes, et « l'autre Manuel » dans un bâtiment semblable à une grange qu'on appelait le fumoir. Les deux maîtres artisans, respectivement spécialisés dans les épées et les armures, étaient Paco Parmiento et Luis Planas, des hommes mûrs, dont la fabrique tirait toute sa fierté. Yonah connaissait déjà Luis, compagnon de beuverie d'Angel Costa, qu'il avait remarqué à l'auberge.

166

Parmi les ouvriers, il retrouva également le vieillard à qui il avait voulu offrir du vin.

— Comment dis-tu que tu t'appelles, jeune étranger ? lui demanda ce dernier, voûté sur le balai avec lequel il nettoyait le sol de terre battue.

— Ramón Callicó, grand-père.

— Moi, je me nomme Vicente Deza et je ne suis pas ton grand-père, parce que sinon, petit inconscient, tu serais le fils d'une putain !

Il rit, se délectant de son propre trait d'esprit.

— Êtes-vous parent avec Tadeo Deza, le clerc du marchand d'accastillage ?

— Oui, je suis son cousin, mais il ne veut pas l'avouer, car je lui fais parfois honte.

Il ricana de nouveau, puis considéra l'apprenti d'un air étrange.

— Alors nous allons vivre ensemble, avec Luis et Paco. Sache que tu as de la chance, car cette hutte est protégée contre le bruit et les intempéries. Elle a été bâtie par des juifs.

— Comment se fait-il ? demanda Yonah d'un ton léger.

— Jadis, ils étaient nombreux ici. Mais, voici environ vingt ans, peut-être un peu plus, les bons et loyaux catholiques s'en sont pris aux prétendus nouveaux chrétiens qui, en réalité, n'avaient nullement renié leur foi israélite. Des centaines d'entre eux, venus de Cordoue et de Séville, pensaient que Gibraltar, un territoire récemment reconquis et peu peuplé, constituait un havre sûr et confortable.

« En échange du droit de s'installer ici, ils ont versé de l'argent au seigneur des lieux, le duc de Medina Sidonia, et accepté de financer un régiment de cavalerie. Des centaines d'immigrants sont donc venus et ont construit toutes sortes d'édifices. Mais les sommes nécessaires pour entretenir l'armée et les expéditions contre les Portugais ont tôt fait d'épuiser toutes leurs ressources, et le duc les a fait chasser par ses soldats.

« Cette hutte ainsi que le fumoir faisaient partie d'une fabrique de poisson fumé destiné à l'exportation. Leur odeur a imprégné les murs et, par temps humide, elle reflue. Notre

167

maître a loué cette propriété abandonnée au duc et y a ajouté l'écurie ainsi que tous les ateliers.

Le vieillard ajouta avec un clin d'œil :

— Si tu veux connaître d'autres détails sur le passé, viens me voir, car Vicente Deza sait beaucoup de choses.

Plus tard dans la journée, Yonah apporta des fournitures à Paco Parmiento. Ce veuf chauve et un peu bedonnant, au visage rasé de près, portait une cicatrice blanchie sur la joue droite. Son regard paraissait parfois distant, car il réfléchissait sans cesse aux innovations à apporter dans la conception et le façonnage des épées et se montrait assez distrait envers le monde qui l'entourait.

— Nous sommes censés maintenir notre hutte propre et rangée, expliqua-t-il à Yonah. Fort heureusement, c'est Vicente Deza qui se charge de cette tâche.

— C'est aussi un artisan ?

— Oh, il n'a jamais travaillé le métal. Il doit seulement à la charité du maestro de vivre avec nous. D'ailleurs, il ne faut pas croire tout ce qu'il raconte, parce qu'il n'a pas toute sa tête. Souvent, il voit des choses qui n'existent pas.

Manuel Fierro l'armurier achetait l'acier principalement à des Maures de Cordoue, mais il conservait une provision spéciale de minerai de fer, extrait au sein d'une grande caverne au sommet du rocher, dont on atteignait l'entrée par un sentier étroit et abrupt.

À trois reprises, le maître emmena Yonah avec lui, tirant deux ânes le long du chemin escarpé. Il fallait monter beaucoup plus haut que sur le mât principal de n'importe quel navire et le moindre incident pouvait provoquer une chute étourdissante et fatale. Cependant, les *burros* semblaient habitués à ce trajet.

Pendant leur ascension, un groupe de six grands singes roux leur barra la route.

— Ils vivent ici, dans les hauteurs, expliqua Fierro, souriant devant l'étonnement de l'apprenti.

Il sortit de sa sacoche du pain rassis et quelques fruits blets, qu'il jeta en aval de la pente. Les primates se précipitèrent sur la nourriture et leur laissèrent la voie libre.

— Je n'aurais jamais cru voir de telles créatures en Espagne !

— La légende dit qu'ils sont venus d'Afrique à travers un tunnel naturel traversant le détroit et aboutissant dans l'une des grottes du rocher. Mais personnellement, je crois plutôt qu'ils se sont échappés d'un bateau.

— C'est la côte africaine qu'on aperçoit d'ici ? Elle semble tellement proche !

— C'est une fausse impression. Il faut une demi-journée de bateau pour l'atteindre. En fait, nous nous tenons sur l'une des fameuses colonnes d'Hercule. La seconde se trouve au Maroc, là-bas, de l'autre côté du détroit.

Cinq jours après leur première conversation, Angel Costa aborda Yonah de nouveau.

— Tu es souvent monté à cheval ?

— Assez peu. Mais j'ai eu un âne.

— Un *burro* te conviendra très bien.

— Pourquoi me demandez-vous cela ? Vous cherchez des hommes pour une expédition militaire ?

— Pas exactement, répondit le maître d'armes avant de s'éloigner.

Yonah passa un certain temps à faire des courses, à ramasser du minerai et à transporter de l'acier. Puis il fut envoyé dans l'atelier de Luis Planas, où on lui confia une tâche certes mineure, mais liée au façonnage du métal. L'idée de côtoyer cet homme, dont il avait mesuré le mauvais caractère et l'irascibilité, ne lui disait rien qui vaille. Sa hantise fut de courte durée : l'artisan revêche se révéla un maître très consciencieux. Il demanda à l'apprenti de polir les diverses sections d'une cuirasse.

— Il faut rechercher la moindre imperfection, la moindre éraflure à la surface de l'acier et l'astiquer interminablement jusqu'à ce qu'elle disparaisse. Chacune de ces pièces doit être parfaite, ajouta Luis sévèrement. Elles font partie d'une magnifique armure sur laquelle l'atelier travaille depuis plus de trois ans.

— À qui est-elle destinée ?

– À un noble de Tembleque, un certain comte Fernán Vasca.

Yonah sentit son cœur bondir. Il se souvenait très précisément de la dette que ce noble avait contractée auprès de son père : soixante-neuf réaux et seize maravédis.

Décidément, Tolède semblait le poursuivre partout !

23

Saints et gladiateurs

Lorsque le maestro estima pouvoir désormais se fier à son nouvel apprenti, il le chargea de ciseler une ornementation sur la cuirasse du comte Vasca. L'opération consistait à réaliser de fines dentelures en suivant des motifs à peine visibles, dessinés par Fierro ou Luis Planas. L'argent était bien plus facile à graver que l'acier, mais la dureté de ce dernier permettait d'éviter certaines erreurs qui se seraient révélées désastreuses sur un métal précieux.

Au début, Yonah travaillait lentement. Par mesure de précaution, il donnait d'abord à sa pointe un coup assez doux pour vérifier qu'elle était correctement placée, puis assurait son geste en la percutant plus franchement. Peu à peu, il recouvra son assurance de jadis et, bientôt, il mania son marteau de manière plus ferme et plus rapide.

— Manuel Fierro prend toujours soin de tester ses armures, afin d'identifier les modifications à apporter à ses modèles, lui expliqua Paco Parmiento, un matin. Alors, de temps en temps, il organise des joutes entre deux de ses employés. La prochaine aura lieu demain et il souhaite que tu y participes.

Yonah comprit enfin la signification des questions que lui avait posées Angel Costa.

— C'est entendu, señor, répondit-il.

Le jour suivant, il se retrouva dans une grande arène. Engoncé dans des sous-vêtements rembourrés, il se tenait raide

171

et gauche pendant que Paco Parmiento le revêtait d'un costume de métal démonté, un peu rouillé et mal ajusté à sa taille. À l'autre bout de la piste, Luis Planas habillait son ami Angel Costa. Tous les autres s'étaient rassemblés autour d'eux, tels des spectateurs venus assister à un combat de coqs.

— Vicente, va donc à la hutte et prépare la paillasse de ce garçon : il en aura bien besoin ! lança Luis, déclenchant les rires de ses compagnons.

— Ne l'écoute pas ! lui souffla Paco, la sueur au front.

Il lui fit passer une cotte de mailles, puis fixa les divers éléments de son armure : cuirasse autour du tronc, épaulières, brassières, cubitières, cuissards, genouillères, jambières sur les membres supérieurs et inférieurs. Il lui tendit aussi des chaussons en métal appelés solerets, que le jeune homme eut la plus grande peine à enfiler. Puis il lui ajusta le casque sur la tête et en abaissa la visière.

— Je n'y vois goutte ! J'étouffe ! protesta Yonah en s'efforçant de garder son calme.

— Les perforations te permettent de respirer, répliqua Parmiento.

— Non !

— Alors garde la visière relevée, tout le monde le fait.

Finalement, il lui donna des gantelets en cuirs avec des protections métalliques aux doigts ainsi qu'une rondache et une épée.

— Les tranchants et la pointe ont été émoussés par mesure de sécurité, précisa Parmiento.

L'apprenti se sentait entravé par ce lourd attirail et ne parvenait pas à maîtriser sa main, d'ordinaire si habile, en raison de la rigidité de ses gants.

Angel Costa, équipé de manière similaire, s'avança vers lui. Le jeune homme réfléchissait encore à la meilleure façon de frapper quand il vit l'arme de son adversaire s'abattre sur son heaume. Il parvint juste à temps à parer l'attaque avec son bouclier. Mais son bras croula vite sous la pression des assauts répétés d'Angel, qui réussit d'un mouvement leste à le toucher violemment aux côtes. Malgré son harnais métallique et les diverses épaisseurs de tissu, Yonah ressentit l'impact jusque

172

dans ses os. Avec une lame aiguisée et sans armure, il aurait assurément eu le corps transpercé. Et ce ne fut que la première d'une longue série d'offensives, contre lesquelles il se défendit avec difficulté.

Le maître sépara les duellistes avec une perche. Mais à l'évidence, se fût-il agi d'un véritable affrontement, Angel aurait pu assener le coup de grâce à n'importe quel moment.

Yonah se rassit sur un banc, endolori et à bout de souffle. Pendant que Paco le débarrassait de son harnachement, Fierro vint lui poser de multiples questions. L'une des jointures s'était-elle coincée ? L'armure l'avait-elle gêné ? Avait-il des suggestions pour en améliorer le confort ? L'apprenti lui avoua qu'il n'avait guère eu le loisir de se préoccuper de ce genre de détails. Son expression trahissait l'humiliation qu'il éprouvait. L'armurier tâcha de le rassurer :

– Tu sais, personne ici n'est capable de surpasser Angel Costa. Il a passé dix-huit ans à combattre les Sarrasins. Cette expérience l'a marqué et, dans ces simulations de joute, notre maître d'armes se comporte toujours comme s'il s'agissait d'une lutte à mort.

Yonah avait un large hématome pourpre sur le flanc gauche et souffrait tant qu'il se demandait si ses côtes n'avaient pas été brisées. Plusieurs nuits durant, il dut dormir sur le dos. Un soir, agité par la douleur et l'insomnie, il entendit des geignements de détresse en provenance de l'autre extrémité de la hutte, où se trouvait la paillasse de Vicente Deza. Il se leva et alla s'agenouiller auprès de lui.

– Vicente ?

– *Peregrino... Santo Peregrino...*, murmurait-il d'une voix rauque et déchirante. *Santo Peregrino el Compasivo...*

Saint Pèlerin le Miséricordieux. Que signifiaient ces mots ?

Le jeune homme toucha le front du vieillard. La fièvre le faisait délirer. En se relevant pour chercher un remède, il heurta sa bouteille d'eau, qui se renversa bruyamment.

– Quoi encore ? grommela Luis Planas, réveillé en sursaut. Ah, morbleu !

– Hein ? Qu'est-ce qui se passe ? bredouilla Paco Parmiento, tiré du sommeil par les grognements de Planas.

173

– C'est Vicente. Il est souffrant.

– Fais-le taire ou sors-le d'ici, et qu'il aille crever ailleurs ! rugit Luis.

Yonah se rendit dans l'obscurité jusqu'à la forge où un feu couvert projetait une lumière rouge sur les établis et les outils. Il alluma une lampe à huile. Il se souvenait très bien de ce qu'*abba* faisait lorsque lui et ses frères étaient malades. Il emporta des chiffons et une bassine qu'il remplit d'eau et retourna à la hutte.

– Vicente, appela-t-il à mi-voix.

Comme il n'obtenait pas de réponse, il entreprit de lui ôter ses vêtements. Une fois de plus, Planas se redressa sur sa couche.

– Sois maudit ! jura-t-il. Ne t'ai-je pas dit de le sortir d'ici ?

Le jeune homme fut envahi par une bouffée de rage.

– Écoute-moi bien... continua Luis, menaçant.

– Allons, rendormez-vous ! l'interrompit l'apprenti tout en tentant de garder son calme pour ne pas lui manquer de respect.

Percevant sa colère, Luis demeura interdit, à fixer l'impudent qui osait lui tenir tête. Finalement, il se rallongea et se tourna vers le mur en bougonnant. Paco, qui avait entendu cet échange, gloussa tout bas.

Le corps décharné du vieillard paraissait recouvert d'une écorce putride. La saleté s'était durcie sur ses pieds. Yonah s'employa à le baigner avec soin, changeant l'eau à deux reprises et l'essuyant avec des chiffons secs, pour qu'il ne prenne pas froid.

Au matin, la fièvre de Vicente avait considérablement baissé. L'apprenti lui apporta un bol de gruau et lui donna à manger à la cuiller. Entre-temps, il avait manqué son propre petit déjeuner. Il se hâta pour reprendre son travail dans l'atelier de Luis, mais fut intercepté par le maestro. Le pire était à craindre : l'artisan s'était sans doute plaint de son insolence auprès de Fierro et ce dernier allait le tancer sévèrement. Mais, à son grand soulagement, le maître s'enquit de l'état de santé de Vicente.

– Je crois qu'il s'en tirera, répondit Yonah. Il n'a plus de température.

– Tant mieux ! Je sais combien cela peut être difficile pour toi. Je me rappelle l'époque où je travaillais à Velez Málaga chez Abu Adal Khira, un illustre armurier musulman. Luis effectuait son apprentissage en même temps que moi et, quand je suis arrivé à Gibraltar pour ouvrir ma propre fabrique, je l'ai emmené avec moi. Il est désobligeant, mais il façonne le métal à merveille. J'ai besoin de lui ici. Tu saisis ce que je veux dire ?

– Oui, maître.

– J'ai commis l'erreur de vous installer tous dans la même hutte. Débarrasse donc le petit abri derrière la forge des quelques outils qui l'encombrent. Tu le partageras avec le vieux Vicente. Il a eu de la chance que tu te sois occupé de lui, Ramón Callicó. Tu as bien fait. Mais un apprenti avisé doit se rappeler qu'une telle impertinence envers un maître artisan ne sera pas tolérée une seconde fois dans ces lieux. Compris ?

– Compris, señor.

Dépité de constater que le blanc-bec n'avait été ni battu ni congédié, Luis tyrannisa Yonah durant quelques jours. Le jeune homme pour sa part s'efforça de ne lui donner aucun motif de plainte, lustrant chaque pièce de l'armure jusqu'à la faire étinceler.

Le maestro lui offrit une trêve bienvenue en l'envoyant au village chercher du matériel. Il passa un moment chez José Gripo le marchand de cordages et, pendant que le clerc de Gripo, Tadeo Deza, rassemblait sa commande, Yonah lui confia que son cousin Vicente avait eu une mauvaise fièvre.

Tadeo s'immobilisa subitement et demanda :

– Il approche de la fin ?

– Non. Sa température est remontée puis redescendue plusieurs fois, mais il semble se rétablir.

– Oh, celui-là, il est trop sot pour mourir !

Yonah s'apprêtait à sortir quand il s'arrêta, saisi par une pensée subite.

– Tadeo, avez-vous entendu parler de *Santo Peregrino el Compasivo* ?

– Oui. C'est un saint local.

– Saint Pèlerin le Miséricordieux ! Quel nom étrange !

– Il vivait dans la région voici plusieurs siècles et venait probablement de France ou d'Allemagne. Il s'était rendu à Compostelle pour vénérer les reliques de saint Jacques, le troisième apôtre choisi par Notre Seigneur. Tu as peut-être toi-même effectué ce pèlerinage ?

– Non, señor.

– Tu devrais y aller un jour ! Quoi qu'il en soit, à l'issue d'une longue période de prières, cet étranger a subi une métamorphose. Au lieu de reprendre son ancienne existence, il a erré vers le sud pour aboutir dans notre région. C'est ici qu'il a fini sa vie, en se dévouant aux indigents et aux malades.

– Et quel était son nom de baptême ?

– On l'ignore. C'est pourquoi on le surnomme saint Pèlerin le Miséricordieux. Nul ne sait où il repose. Selon certains, il serait reparti comme il était arrivé. Mais d'autres racontent qu'il est mort dans l'isolement quelque part près d'ici. Régulièrement depuis sa disparition, des hommes se mettent en quête de son tombeau, sans succès. Mais où as-tu entendu parler de lui ?

Yonah ne voulait pas donner à Tadeo une occasion de critiquer son cousin. Aussi se contenta-t-il de dire :

– Oh, je ne me souviens plus. Quelqu'un l'a évoqué et cela a éveillé ma curiosité.

– Sans doute dans une taverne, car l'alcool fait souvent resurgir les remords des pécheurs et attise le désir d'implorer la grâce salvatrice des anges !

L'apprenti quitta l'atelier de Luis Planas pour celui de Paco Parmiento. Ce dernier le mit aussitôt à pied d'œuvre. Il le chargea d'affûter et de polir diverses armes, dont il lui expliqua les nuances :

– Vois-tu, ce sabre de cavalerie et cette épée de chevalier se distinguent par leur forme, assez courte pour l'un, longue et effilée pour l'autre, et par leurs tranchants : le premier en possède un et la seconde deux.

Paco se révéla un maître fort exigeant. Il lui fit recommencer trois fois son premier ouvrage.

– Cette pointe n'est pas assez aiguisée. Le bras du combattant fait le travail, mais sa lame doit l'y aider. Il faut qu'elle soit aussi coupante que l'acier le permet.

Yonah aimait bien ce personnage : autant il se montrait pointilleux et habile dans son métier, autant il était maladroit et distrait en dehors de son atelier. Et puis, contrairement à Luis, d'un naturel plutôt taciturne, il n'hésitait pas à répondre aux questions de son jeune assistant.

– Vous avez aussi fait votre apprentissage avec Luis et le señor Fierro ?

– Non. Je suis plus âgé. À l'époque de leur formation, j'étais déjà compagnon à Palma.

– Quel est le rôle d'Angel ici ?

Paco haussa les épaules.

– Le maestro l'a rencontré peu après son départ de l'armée et l'a engagé comme maître d'armes, car c'est un vrai guerrier, expert dans toutes les disciplines de combat. Nous avons essayé de lui apprendre le façonnage de l'acier, mais il n'a aucun talent pour cet art. Alors on lui a confié la garde des *peóns*.

À une table voisine, dans le même bâtiment, Manuel Fierro travaillait à un projet cher à son cœur. Son frère Nuño, médecin à Saragosse, lui avait envoyé des croquis d'instruments chirurgicaux – scalpels, bistouris, scies, racloirs, sondes et pinces – qu'il avait entrepris de confectionner.

En son absence, Parmiento, d'une voix chargée d'admiration et de respect, disait à Yonah :

– Regarde ces pièces. Elles témoignent d'une excellence rare dans notre profession. Notre maître consacre autant de soin à chacun de ces petits objets qu'à une lance ou un bouclier. Tu as sous les yeux un ouvrage réalisé avec amour.

Il lui parla aussi de l'arme qu'il avait confectionnée pour Fierro.

– J'ai dû utiliser un acier très spécial. Il fallait que la lame soit unique, parce que Manuel Fierro maîtrise l'épée mieux que quiconque.

– Même Angel Costa ?

– La guerre l'a entraîné à devenir un tueur incomparable. Personne ne rivalise avec lui. Mais pour l'épée, le maestro est vraiment le meilleur.

À peine remis de ses blessures, Yonah dut à nouveau participer à une joute. Mais celle-ci était différente de la première. Muni d'une lance, protégée à la pointe par une boule de bois recouverte de tissu, il affronta le maître d'armes, juché sur un destrier arabe de couleur grise.

Peu entraîné à l'équitation, le jeune homme s'efforçait surtout de ne pas tomber. Et tout à coup, filant tel l'éclair, son adversaire galopa droit sur lui, le frappa de plein fouet et le projeta au sol dans une défaite écrasante.

Angel Costa n'était guère aimé de ses compagnons, qui n'applaudirent que modérément. Seul Luis semblait se réjouir de sa victoire. Pendant que Paco et quelques autres libéraient Yonah de son armure, celui-ci aperçut Angel qui riait aux larmes en le montrant du doigt.

Cet après-midi-là, le jeune homme entra en claudiquant dans le fumoir et trouva Angel qui affûtait des flèches sur une roue en pierre.

– *Hola !* lui dit-il.

L'autre ne daigna pas lever les yeux de son ouvrage.

– Je ne sais pas me battre, continua-t-il.

– Ah ça, c'est sûr !

– J'aimerais apprendre à manier les armes. Peut-être pourriez-vous me former ?

Costa le fixa d'un regard absent.

– Je ne forme personne.

– Mais...

– Je vais te dire ce qu'il faut faire pour acquérir mon savoir. Tu dois t'engager dans l'armée et passer vingt ans à combattre les Maures. Tu dois tuer et tuer encore, avec toutes les armes dont tu disposes et parfois même à mains nues. Et couper la verge des morts. Quand tu auras ainsi obtenu plus de cent membres circoncis, tu pourras revenir me voir et me défier. Alors, je te tuerai aussitôt.

178

Yonah ressortit médusé et rencontra Fierro devant l'écurie.

– Quel désastre, Ramón ! lui lança-t-il, jovial. Des blessures ?

– Seulement ma fierté, maître.

– J'ai quelques conseils à te donner pour la prochaine fois. Dès le début, tiens ta lance plus fermement, des deux mains, et coince l'extrémité inférieure entre le coude et le flanc. Tu dois garder le regard fixé sur ton adversaire de manière à mieux le viser quand il t'approche.

– Oui, señor, répondit le jeune homme sur un ton si désenchanté qu'il fit sourire le maître.

– Ton cas n'est pas désespéré, mais tu chevauches sans assurance. Toi et ta monture ne devez faire qu'un, afin que tu puisses lâcher les rênes et porter toute ton attention au combat. Les jours où tu n'es pas surchargé de travail, exerce-toi avec le cheval gris de l'écurie. Brosse-le, fais-le manger et boire. Cela vous sera bénéfique, à toi comme à lui.

Il retourna à la hutte, épuisé et endolori, et se laissa tomber sur sa paillasse. Vicente était allongé sur sa couche.

– Au moins, tu as survécu. Angel est une méchante âme.

Il semblait avoir recouvré ses esprits.

– Vous n'avez plus de fièvre ?

– Non.

– J'en suis bien content.

– Je te remercie de t'être occupé de moi, Ramón Callicó.

Il toussa et se racla la gorge.

– J'ai fait des rêves effrayants. Il me semble avoir déliré. Ai-je dit des choses insensées ?

– À quelques reprises seulement. Il vous est notamment arrivé de prier le saint Pèlerin.

– Vraiment ?

Ils se turent un moment, puis le malade se redressa avec peine.

– Il y a une chose que je voudrais te dire, Ramón. Un secret que j'aimerais partager avec toi, qui es le seul à prendre soin de moi.

L'apprenti le regarda avec inquiétude, sûr que la tension émanant de sa voix provenait d'une nouvelle poussée de fièvre.

– Quoi donc ?

– Je l'ai retrouvé.

– Qu'avez-vous retrouvé ?

– *Santo Peregrino el Compasivo.*

– Que me racontez-vous là, Vicente ?

– Tu me crois fou. Je te comprends.

Le vieillard fouilla alors sous son matelas, puis rampa jusqu'à Yonah. Il lui tendit un objet petit et fin, difficile à identifier.

– Tiens. Prends-le.

– Qu'est-ce que c'est ?

– C'est un os. Provenant d'un doigt du saint.

Puis il ajouta, avec des yeux à la fois suppliants et exaltés :

– Il faut que tu viennes avec moi, Ramón, pour le voir par toi-même ! Je t'y emmènerai dimanche matin.

Quelle plaie ! Juste pendant la demi-journée hebdomadaire de congé que le maître accordait à ses ouvriers pour assister à la messe ! Le jeune homme pestait à l'idée de sacrifier ces précieuses heures de repos qu'il destinait déjà à son entraînement avec le pur-sang arabe. Mais il se dit que Vicente ne le laisserait pas en paix tant qu'il n'aurait pas accédé à son désir.

– Entendu. Nous irons là-bas cette semaine, si toutefois nous sommes l'un et l'autre capables de marcher.

Le dimanche matin, tous deux parcoururent le bras de terre reliant Gibraltar à l'Espagne. Une fois sur le continent, ils se dirigèrent vers l'est et marchèrent environ une demi-heure.

Vicente leva une main en signe de halte.

– Nous y sommes.

Le site ne présentait rien d'inhabituel : il ne s'agissait que d'une étendue désolée et sablonneuse, parsemée d'affleurements de granite. Le vieillard se fraya un chemin parmi les rochers comme s'il avait recouvré une seconde jeunesse et s'arrêta devant une large fissure. Une rampe naturelle menait à une ouverture invisible depuis la surface.

Ils avaient emporté du charbon incandescent dans une petite boîte métallique et soufflèrent dessus pour allumer deux épaisses chandelles. Puis ils descendirent jusqu'à la grotte, protégée de l'humidité et comparable à celle de Mingo au Sacromonte. À l'extrémité, une fente laissait passer des courants d'air frais.

— Regarde, ici, dit Vicente.

Sous la lumière vacillante, Yonah discerna un squelette. Les os des parties supérieures semblaient intacts, mais ceux des deux jambes et des pieds avaient été déplacés non loin de là et rongés par des animaux. Des vêtements qui avaient recouvert le corps ne subsistaient que des lambeaux de tissus éparpillés.

— Et là !

Sous la flamme de la bougie apparut un autel rudimentaire formé de branchages. Devant étaient placés trois pots en terre dont le contenu avait sans doute été mangé par des bêtes.

— Des offrandes à un dieu païen peut-être ? suggéra Yonah.

— Non, répondit Vicente.

Il éclaira le mur opposé sur lequel était appuyée une grande croix. Juste à côté, on distinguait, gravée dans la pierre, la marque des premiers chrétiens : le signe du poisson.

— Quand avez-vous découvert cela ? demanda l'apprenti sur le chemin du retour.

— Environ un mois après ton arrivée. Un jour, je me suis trouvé en possession d'une bouteille de vin...

— Vous vous êtes « trouvé en possession » d'une bouteille de vin ! ironisa Yonah.

— Bon, d'accord. Je l'avais volée à la taverne quand Bernaldo avait le dos tourné. Mais j'ai dû être guidé par les anges, parce que je l'ai emportée loin de là, pour ne pas être dérangé. Et mes pas ont été dirigés vers ce lieu.

— Que comptez-vous faire de ce secret ?

— Il y en a qui paieraient cher pour s'emparer de telles reliques. J'aimerais que tu les négocies pour moi et que tu en tires le meilleur prix.

— C'est hors de question, Vicente.

Le vieillard lui lança un regard malin.

— Tu auras ta part dans cette affaire. Je te donnerai la moitié de la somme obtenue.

– Je n'essaie pas de marchander avec vous. Ceux qui achètent et vendent des ossements sacrés sont des vipères. À votre place, j'irais à l'église du village de Gibraltar et je conduirais le prêtre... quel est son nom ?

– Vasquez.

– Je conduirais donc le *padre* Vasquez jusqu'ici et lui demanderais de déterminer si ces ossements sont ceux d'un saint.

– Jamais de la vie ! s'exclama le vieil homme, les joues rouges de colère. Dieu m'a choisi. Je suis sûr qu'il s'est dit : « Hormis son faible pour l'alcool, Vicente n'est pas bien méchant. Je vais lui porter chance, qu'il finisse ses jours de manière un peu plus confortable. »

– Bien. C'est votre décision, Vicente. Mais je refuse d'y prendre part.

– Alors tu dois garder le silence sur ce que tu as vu.

– Je serai heureux de l'oublier.

– Parce que, si tu projetais de vendre ces reliques sans m'en avertir, je ferais en sorte que tu sois sévèrement puni.

Yonah le dévisagea, abasourdi par la violence de sa menace.

– Agissez à votre guise et allez au diable, répliqua-t-il sèchement.

Ils reprirent la route vers l'armurerie dans un silence pesant.

24

L'élu de dieu

Le dimanche suivant, Yonah sortit le cheval arabe des écuries dès les premières lueurs de l'aube. Au début, il s'efforçait seulement de ne pas perdre l'équilibre. Il lui fallut trois semaines pour trouver le courage de lâcher les rênes. Il devait aussi apprendre à diriger sa monture sans l'aide des courroies ou du mors : pour le galop, une talonnade, pour s'arrêter, un simple coup de genoux, pour reculer, une série de rapides pressions des cuisses. Il s'aperçut avec ravissement que l'animal avait été dressé pour répondre à ces instructions. Il s'exerça assidûment et finit par affermir son maintien, anticiper chaque mouvement, changer d'allure...

Il avait l'impression d'être un écuyer qui suivait son initiation de chevalier.

Son apprentissage avait commencé à la fin de l'été. L'automne fit place à l'hiver, qui ne dura pas longtemps. Dans cette région méridionale, le printemps était précoce. Par un jour doux et radieux, Manuel Fierro examina chacune des pièces constituant l'armure du comte Vasca et demanda à Luis Planas de les assembler.

La tenue complète fut exhibée dans la cour, à proximité d'une superbe épée confectionnée par Paco Parmiento. Les rayons du soleil rendaient cet attirail étincelant et glorieux. Le maître annonça qu'une fois les dernières retouches effectuées, il enverrait des hommes livrer l'armure à Tembleque. Mais auparavant, une dernière joute aurait lieu.

Les deux dimanches suivants, Yonah se rendit dans un champ désert et s'entraîna à chevaucher au galop avec sa lance, en prenant pour cible un buisson.

Plusieurs soirs, Vicente rentra très tard, s'affalant sur sa paillasse et s'endormant avec des ronflements d'ivrogne. Chez le marchand d'accastillage, Tadeo Deza se moquait de son cousin.

— Il se soûle avec du mauvais vin et raconte des histoires insensées.

— Par exemple ? demanda Yonah.

— Il se dit l'élu de Dieu. Il prétend qu'il a découvert les ossements d'un saint et qu'il fera bientôt une généreuse donation à notre sainte Mère l'Église. Le vieil insensé ! Il n'a même pas de quoi se payer à boire !

— Je vois, dit le jeune homme, mal à l'aise. Mais au moins, il ne cause de tort à personne d'autre que lui-même.

— Je crois que l'alcool finira par le tuer.

Deux jours plus tard, dans la fraîcheur matinale, Paco Parmiento aida une fois de plus Yonah à enfiler son armure, tandis qu'à l'autre extrémité de l'arène, Luis Planas jouait les écuyers auprès d'Angel Costa.

— Oh, Luis ! criait ce dernier, feignant la peur. Regarde-moi cette envergure. C'est un véritable géant ! Misère ! Qu'allons-nous devenir ?

Les deux compères se tordaient de rire en levant les mains au ciel, comme s'ils invoquaient la miséricorde divine.

Le visage de Parmiento, d'ordinaire impassible, s'empourpra de colère.

— Ce ne sont que des brutes !

Chacun des adversaires, soutenu par ses partisans, se hissa sur sa selle. Costa fut installé en quelques instants. Pour Yonah, la manœuvre fut un peu plus laborieuse : son harnachement le gênait pour soulever la jambe. Il se dit qu'il lui faudrait signaler ce détail au maestro.

Puis les deux combattants se firent face. L'apprenti prit soin de simuler une grande nervosité en s'agrippant aux rênes. Mais, dès que Fierro abaissa son foulard pour signifier le début du duel, Yonah lâcha les rênes, saisit fermement sa lance et s'élança vers son adversaire. Habitué à lutter contre une cible immobile, il fut un peu dérouté de voir son ennemi foncer sur lui. Néanmoins, il parvint à le toucher en pleine cuirasse. Costa manqua de tomber, mais retrouva vite l'équilibre. Ils se croisèrent au galop et firent demi-tour au bout de la piste pour s'affronter de nouveau.

Au deuxième assaut, le jeune homme arrêta soudain son cheval à deux foulées de son opposant. Il esquiva un coup de justesse, avant d'empoigner la lance d'Angel, qui dut la lâcher pour rester en selle.

Yonah tenait l'avantage et les applaudissements des ouvriers lui mirent du baume au cœur. Le maître signala la fin du combat.

— Tu as été admirable, dit Paco Parmiento à l'apprenti en l'aidant à se défaire de son équipement. Je crois que le maestro a interrompu la joute seulement pour éviter une trop grande humiliation à son champion.

— En tout cas, Luis et Angel ne rient plus maintenant !

— Eh oui ! C'est un bien mauvais jour pour notre maître d'armes, chuchota Parmiento.

— Pourquoi ? Il n'est pas tombé. Le combat s'est terminé sans vainqueur.

— C'est pour cela qu'il est furieux, Ramón Callicó. Pour un barbare comme Costa, ne pas gagner équivaut à une défaite. À l'issue de cet épisode, crois-moi, il ne te portera pas dans son cœur !

Lorsque Yonah retourna à son abri, il n'y trouva personne. Il était déçu, car il n'avait pas aperçu Vicente dans l'assistance et aurait aimé se réjouir avec lui de son exploit.

Le poids de l'armure et la tension de l'affrontement l'avaient épuisé et il sombra dans le sommeil jusqu'au lendemain matin. À son réveil, il était encore seul. Apparemment le vieillard n'était pas rentré de la nuit.

Paco Parmiento et Manuel Fierro étaient déjà au travail lorsqu'il arriva à l'atelier.

— Tu t'es distingué, hier, lui dit le maître avec un sourire.

185

— Merci, señor.

Il se mit à affûter des dagues. Il se sentait inquiet.

— Avez-vous vu Vicente ? demanda-t-il aux deux autres.

Ils secouèrent la tête.

— Il n'a pas dormi ici, expliqua-t-il.

— C'est un ivrogne. Il doit sans aucun doute cuver son vin derrière un arbre ou un buisson, dit Paco.

Le maître, qui nourrissait une affection sincère envers le vieillard, réagit à cette remarque désobligeante en grommelant :

— J'espère tout de même qu'il ne lui est rien arrivé de grave.

Envoyé au village pour faire quelques courses, l'apprenti entrait dans le magasin d'accastillage lorsqu'il entendit un cri émanant du quai, en contrebas de la rue.

— Un noyé ! Un noyé !

Le jeune homme et le marchand rejoignirent les badauds qui accouraient sur les lieux, tandis que deux gaillards tiraient le cadavre hors de l'eau.

— C'est le vieux Vicente ! s'exclama quelqu'un.

Horrifié par cette vision macabre, Yonah murmura :

— Il a une balafre à la tête et son visage est couvert d'hématomes !

— Il s'est probablement cogné aux rochers et au quai, dit José Gripo, tout aussi bouleversé.

Alerté par le bruit, Tadeo Deza se précipita hors de la boutique et tomba à genoux près du corps inerte, qu'il serra dans ses bras en tremblant.

— Mon cousin... Mon cousin...

— Où devons-nous l'emmener ? demanda l'apprenti.

— Le maître armurier Fierro l'aimait bien, répondit José Gripo. Peut-être permettra-t-il qu'on l'enterre sur sa propriété, derrière l'atelier.

Tadeo ne les écoutait pas. Il divaguait.

— Nous avons passé toute notre enfance à jouer ensemble. Nous étions inséparables. Malgré tous ses défauts, il avait un bon fond.

Gripo avait deviné juste concernant l'affection de Fierro envers le défunt. Ce dernier fut inhumé dans un coin d'herbe derrière l'atelier du fabricant d'épées. Les ouvriers purent abandonner leur besogne pour assister, sous un soleil de plomb, à l'enterrement et à l'oraison funèbre. Puis tous reprirent leur ouvrage.

La hutte où logeait Yonah était désormais vide et silencieuse. Durant plusieurs nuits, il ne dormit que d'un œil, se réveillant en sursaut au moindre couinement de souris.

Chacun travaillait d'arrache-pied afin de terminer toutes les commandes en cours avant le départ des employés pour Tembleque. C'est pourquoi Manuel Fierro sourcilla quand un garçon vint lui délivrer un message : un parent de Ramón Callicó, récemment arrivé à Gibraltar, désirait rencontrer ce dernier à la taverne.

– Naturellement, tu peux y aller, dit le maestro à Yonah. Mais tâche de revenir au plus vite.

– Merci, señor.

L'apprenti se dirigea vers le village, l'esprit en ébullition. Celui qui l'attendait ne pouvait être l'oncle Aron. Il ignorait sa nouvelle identité et le nom qu'il s'était choisi sortait tout droit de son imagination. Existait-il alors un vrai Ramón Callicó, habitant dans la région ?

Devant l'auberge, deux individus l'attendaient en compagnie du jeune messager, qui, après avoir désigné Yonah du doigt, accepta une pièce et s'enfuit.

L'un, arborant les atours d'un gentilhomme, portait un bouc taillé avec soin. La mise de son compagnon était en revanche moins élégante. Tous deux portaient une épée et se tenaient près de leurs superbes montures.

– Señor Callicó ? demanda le premier.

– Oui, fit Yonah.

– Marchons un peu en conversant, si vous le voulez bien, car nous sommes fatigués d'être en selle.

– Comment vous appelez-vous, señores ? Et lequel de vous est mon parent ?

Son interlocuteur sourit.

187

– Devant Dieu, nous sommes tous frères, n'est-il pas vrai ?
Le jeune homme se tut, perplexe.

– Excusez-moi, je ne me suis pas présenté. Anselmo
Lavera, pour vous servir.

Yonah se souvenait de ce nom. Il entendait encore le nain
Mingo l'évoquer en parlant des trafiquants de reliques volées
au sud de l'Espagne. Lavera ne prit pas la peine de décliner
l'identité de son acolyte, qui demeurait silencieux.

– C'est le señor Vicente Deza qui nous envoie.

– Vicente Deza est mort.

– Oh, comme c'est malheureux ! Un accident, peut-être ?

– Il s'est noyé. On vient de l'enterrer.

– Quel dommage ! Il nous avait dit que vous étiez au courant au sujet d'une certaine grotte.

L'apprenti eut la certitude qu'ils l'avaient assassiné.

– Vous cherchez une caverne sur le rocher ?

– Non. D'après ce que nous avait dit le pauvre vieillard,
elle se trouverait quelque part à l'extérieur de Gibraltar.

– Je ne connais pas cet endroit, señor.

– Ah, je vois. Parfois la mémoire nous joue des tours. Mais
nous pouvons vous aider à la retrouver. Et nous vous en serions
très reconnaissants.

– Mais si Vicente vous a parlé de moi, comment se fait-il
qu'il ne vous ait pas indiqué le lieu que vous recherchez ?

– Comme je le disais, sa mort est une circonstance bien
malencontreuse. Nous l'avons encouragé à s'en souvenir et
nos encouragements se sont révélés un peu trop... disons...
enthousiastes...

Yonah fut atterré d'entendre Lavera avouer ses méfaits avec
tant de calme.

– Vous comprenez, je n'étais pas là. J'aurais sans doute
mieux réussi que mes partenaires. À l'instant où Vicente allait
nous indiquer l'emplacement, il s'en est révélé incapable. Mais
lorsque nous l'avons invité à nous dire qui pouvait nous aider,
il a aussitôt prononcé votre nom.

– Je vais me renseigner pour voir si quelqu'un d'autre a eu
vent de cette grotte, répliqua Yonah.

– Parfait ! À propos, avez-vous eu l'occasion de voir Vicente avant son inhumation ?

– Oui.

– Pauvre vieux ! Il devait être dans un triste état, non ?

– En effet.

– Quelle horreur, n'est-ce pas ? La mer est impitoyable !

Il observa une pause avant de conclure :

– Bon, nous devons partir maintenant, car nous avons à faire ailleurs. Mais nous repasserons dans dix jours. Songez à notre récompense et au cruel destin de votre camarade. Réfléchissez-y bien, de sorte que la mémoire vous revienne. C'est entendu, *amigo* ?

Tout au long de cet échange, Lavera avait conservé un ton excessivement affable, mais Yonah se rappelait le corps contusionné de Vicente.

– Je ferai de mon mieux, señor, répondit-il avec la même politesse.

Il n'avait pas le choix : il devait fuir loin de Gibraltar avant le retour de ces dangereux malfrats. S'il ne révélait pas l'emplacement de la grotte, ils le tueraient. Et, s'il parlait, il deviendrait un témoin gênant à éliminer. Dans les deux cas, la mort l'attendait. Allait-il devoir quitter son maître, un être d'une espèce rare, à la fois talentueux, généreux et équitable ?

– As-tu rencontré ton parent ? lui demanda Fierro quand le garçon reparut à la fabrique.

– Oui. C'est un cousin éloigné du côté de ma mère.

– Ça compte beaucoup, la famille. Heureusement qu'il est venu aujourd'hui, car dans quelques jours, tu seras loin d'ici.

– Que voulez-vous dire ?

– Eh bien, j'ai décidé que toi, Paco Parmiento, Luis Planas et Angel Costa iriez livrer son armure au comte Vasca. Le maître d'armes conduira votre petite expédition et les deux artisans effectueront les ajustements nécessaires sur place. Quant à toi, tu seras chargé de la présentation au comte, car tu parles l'espagnol le plus pur de tous. Comme tu sais lire et écrire, tu t'arrangeras aussi pour obtenir une confirmation écrite de la bonne réception de l'armure par son commanditaire. Compris ?

L'apprenti mit un temps avant de répondre, car, dans son for intérieur, il rendait grâce au Tout-Puissant.

Si Yonah était soulagé de quitter Gibraltar et d'échapper ainsi à Anselmo Lavera, il éprouvait une certaine appréhension à la perspective de retourner dans la région de Tolède. Néanmoins, il savait que l'enfant qui courait naguère dans les collines s'était métamorphosé en homme. Ses traits avaient mûri ; sa barbe fournie et ses cheveux longs le rendaient méconnaissable. De surcroît, il avait changé de nom. Il ne risquait guère d'être démasqué.

Manuel Fierro réunit les quatre employés qui devaient faire le voyage pour leur donner ses directives.

— Il est dangereux de cheminer en terre inconnue et je vous ordonne de vous comporter de manière solidaire et d'éviter toute forme d'hostilité les uns envers les autres. Angel sera chargé de votre protection et comptable devant moi de votre sécurité. Luis et Paco devront veiller à l'état de l'armure et de l'épée. C'est Ramón Callicó qui montrera notre ouvrage au comte Vasca, s'assurera de sa satisfaction et lui fera signer le récépissé.

Le maestro supervisa les derniers préparatifs. En guise de provisions, il leur remit quelques sacs de pois secs et de biscuits.

— Angel ira chasser de la viande fraîche.

Il confia un cheval à chacun. L'armure serait transportée sur quatre mules. Pour ne pas avoir à rougir de l'allure de ses émissaires, Fierro les dota tous d'une épée et leur offrit des habits neufs, non sans leur avoir fait promettre de ne se changer qu'aux abords de Tembleque. Yonah et Costa reçurent une cotte de mailles.

En voyant le maître d'armes fixer de gros éperons rouillés à ses bottes et se munir de son arc, Paco Parmiento sourit.

— Angel veut montrer qu'il est notre chef, chuchota-t-il à l'apprenti, ravi de la présence de ce complice à ses côtés.

Les voyageurs se rendirent au port de Gibraltar et embarquèrent sur le premier bateau en vue. Par une extraordinaire coïncidence, ce n'était autre que *La Lleona*. Le capitaine souhaita la bienvenue à chacun des passagers et reconnut immédiatement le jeune homme.

— *Hola !* C'est un plaisir de vous revoir sur ce vaisseau, señor.

Les trois autres regardèrent l'apprenti avec étonnement. Du reste, lui-même était surpris d'un tel accueil de la part de cet homme qui ne lui avait pas adressé deux mots durant sa courte expérience de matelot à bord.

Quarante-huit heures après le départ, le vent se déchaîna. Si Angel et Paco n'avaient pas le mal de mer, Luis vomit à plusieurs reprises. Quant à Yonah, il constata avec plaisir qu'il supportait bien la houle. Lorsque le second donna l'ordre de ferler les voiles, il se précipita machinalement vers l'échelle de corde et grimpa le long du mât d'artimon avec le reste de l'équipage.

Le lendemain à l'aube, le maître d'armes sortit son arc et ses compagnons s'installèrent pour l'observer.

— Angel manie cet instrument comme un expert, expliqua Paco à Yonah. Il vient d'un village d'Andalousie connu pour l'excellence de ses archers et c'est dans cette discipline qu'il a débuté sa carrière militaire.

Costa s'apprêtait à décocher sa première flèche quand Gatuelles, le second se précipita sur lui.

— Que faites-vous, señor ?

— Je vais tuer quelques volatiles, répondit l'autre avec aplomb.

— Pas question, répliqua le second, épouvanté. On ne tue pas d'oiseau à bord de *La Lleona*, car cela porterait malheur au bateau et à nous tous.

— Pardon ?

La tension montait entre les deux hommes. Heureusement, Paco intervint :

— Nous serons bientôt à terre, Angel, et tu pourras chasser tant que tu voudras.

Au soulagement général, Costa rangea son attirail. Alors les quatre compagnons s'assirent ensemble et contemplèrent la mer et le ciel. Luis rompit le silence :

— Raconte-nous tes batailles, Angel.

Le maître d'armes se fit un peu prier, avant de céder à la requête de son ami. Au début, les trois autres étaient tout ouïe car aucun d'eux n'avait jamais guerroyé. Mais ils se lassèrent vite de ses histoires de villages incendiés, de bétail déchiqueté et de femmes violées. Au bout d'un moment, ils cessèrent de l'écouter.

La traversée dura plus d'une semaine. L'oisiveté et la monotonie du périple leur pesaient et chacun s'isolait tour à tour pour ne pas transmettre sa mauvaise humeur aux autres.

Yonah examinait son problème sous tous les angles. S'il retournait à Gibraltar, Anselmo Lavera lui règlerait son sort. Pourtant, il pressentait que les événements pourraient tourner à son avantage : il avait vu que l'autorité d'Angel avait été supplantée par celle du second. Une force avait été mise en échec par une autre. Par conséquent, il restait au jeune homme à trouver quelqu'un de plus puissant que Lavera, quelqu'un capable de le neutraliser. De prime abord, l'idée lui sembla absurde, voire impossible. Mais à mesure qu'il scrutait l'horizon en silence, un plan commença à s'échafauder dans son esprit.

À chaque escale, les quatre voyageurs faisaient déambuler leurs montures sur le quai pour les désengourdir et, quand ils accostèrent à Valence, les chevaux et les mules étaient en pleine forme.

D'atroces anecdotes circulaient sur ce port. À l'époque de l'expulsion, les nombreux navires qui y appareillaient étaient souvent dans un état déplorable. Hommes, femmes et enfants s'entassaient dans les cales sombres et humides. Cette promiscuité insalubre favorisait les épidémies et les passagers malades étaient débarqués sur des îles désertes où on les laissait mourir à petit feu. Il arrivait même que, une fois en pleine mer, les exilés fussent tués et jetés par-dessus bord.

Pourtant ce jour-là, le soleil inondait de lumière une cité apparemment calme et insouciante. L'apprenti savait que son oncle, sa tante et son petit frère Eléazar s'étaient rendus dans un village côtier pour trouver une embarcation, qu'ils étaient sans doute partis vers une contrée inconnue et qu'il ne les reverrait jamais.

Pourtant, chaque fois qu'il croisait un adolescent, il se surprenait à le scruter, dans l'espoir de reconnaître Eléazar. S'il était encore en vie, ce dernier aurait treize ans...

Mais Yonah ne croisait que des visages étrangers.

De Valence, ils se dirigèrent vers le couchant. Le maître d'armes menait le groupe, suivi par les artisans, qui tiraient chacun deux mules. L'apprenti fermait la marche. Pour tromper l'ennui, Angel se mettait parfois à brailler de sa voix dissonante un hymne religieux ou une chanson à boire. Lorsqu'il s'agissait de mélodies chrétiennes, Paco se joignait à lui, avec un timbre profond de basse. Luis, quant à lui, somnolait sur sa selle tandis que Yonah, fidèle à lui-même, méditait en silence.

Parfois, il peaufinait sa stratégie pour contrer Anselmo Lavera. Quelque part près de Tolède se trouvaient des larrons qui s'adonnaient aussi au trafic de reliques. S'il parvenait à les convaincre d'éliminer ce terrible concurrent, il serait sain et sauf.

Il se remémorait également certains versets hébraïques et tentait de s'imprégner des mots et de la musique dans lesquels il avait baigné durant les courtes années de son enfance. Il se souvenait de bribes de liturgie qu'il répétait en esprit à l'infini.

En revanche, il se rappelait à la perfection un court passage de la Genèse, qu'il avait récité quand il avait pu monter à la Torah pour la première fois, lors de sa bar-mitsvah : « Ils arrivèrent à l'endroit que Dieu lui avait indiqué. Abraham y construisit un autel, disposa le bois, lia Isaac son fils et le plaça sur l'autel, par-dessus le bois. Abraham étendit la main et saisit le couteau pour immoler son fils. » Ce passage l'avait terrifié et le troublait encore. Comment Abraham avait-il pu envisagé d'ôter ainsi la vie à la chair de sa chair ? Pourquoi n'avait-il pas discuté avec Dieu ? Pourquoi ne s'était-il pas opposé à Lui ? Pourquoi avait-il attendu que l'Éternel lui enjoigne d'épargner Isaac pour reculer ? *Abba* n'aurait jamais fait cela. Au contraire, il s'était lui-même sacrifié afin de préserver son enfant.

Yonah était tourmenté par une autre question. Si l'Éternel était si juste, pourquoi avait-il condamné les juifs d'Ibérie à un destin si cruel ? Il savait ce que son père ou rabbi Ortega lui auraient répondu : « L'homme ne peut pas contester les motifs du Tout-Puissant, car il est incapable de comprendre les desseins divins. » Mais si ces desseins impliquaient de brûler des êtres humains, le jeune homme s'autorisait à douter de leur bien-fondé. Ce n'était pas pour un tel dieu qu'il avait refusé le baptême. Il s'était juré de survivre et de sauvegarder sa foi au nom d'*abba* et de tous les autres, au nom des nobles principes qu'il avait appris dans la Torah, au nom d'un Dieu miséricordieux, qui certes avait contraint Son peuple à l'errance, mais qui avait fini par le conduire vers la Terre promise.

Laissant son imagination vagabonder, il se voyait cheminant dans le désert au sein de cette caravane, parmi une multitude d'Hébreux, qui érigeaient leurs tentes chaque soir et priaient ensemble devant l'Arche de l'Alliance.

Il fut tiré de sa rêverie par Costa qui commanda au petit groupe de s'arrêter.

– Holà ! La nuit ne va pas tarder à tomber. Nous ferons halte ici.

Les quatre hommes attachèrent leurs bêtes sous des arbres, prirent le temps de se soulager et de se dégourdir les jambes. Puis ils cherchèrent du bois pour allumer un feu. Lorsque leur gruau du soir se mit à bouillonner, le maître d'armes s'agenouilla et ordonna aux autres de l'imiter pour réciter le *Pater Noster* et l'*Ave Maria*.

Il lança un regard féroce à Yonah, qui joignit ses marmonnements incohérents aux murmures de Paco et de Luis ainsi qu'aux bruyantes litanies d'Angel.

Dès l'aube, Costa s'en alla chasser. Lorsque les autres eurent chargé les mules, il revint avec quatre colombes et deux perdrix qu'ils plumèrent en chemin. Puis ils s'arrêtèrent à nouveau pour rôtir les oiseaux sur le feu en les embrochant sur des branches encore vertes.

Tous les matins, Angel rapportait de quoi manger : parfois un lièvre ou deux, diverses espèces de volatiles. Ils ne manquèrent jamais de nourriture. Ils voyagèrent sans relâche et sans chicaner, respectueux de l'injonction du maître : éviter toute forme de conflit.

Au bout de onze jours, ils aperçurent les murailles de Tembleque qui se profilaient dans le crépuscule. Le lendemain, avant le lever du soleil afin de ne pas trahir ses origines, Yonah se baigna dans un petit ruisseau et revêtit la nouvelle tenue que Fierro lui avait donnée. Lorsque les autres s'éveillèrent, ils le raillèrent pour son impatience juvénile à se parer de ses habits neufs.

En route vers le château lui revinrent en mémoire des images du jour où il s'y était rendu avec son père. Tout comme jadis, une sentinelle les héla devant le portail. Mais cette fois, ce fut Angel qui lui répondit, d'une voix puissante et assurée :

— Nous venons de la part de Manuel Fierro, de Gibraltar. Nous apportons une épée et une armure au comte Fernán Vasca.

Si l'intendant qui les accueillit n'était pas le même qu'autrefois, sa réponse n'avait guère changé :

— Notre seigneur est parti chasser dans le nord.

— Quand sera-t-il de retour ? demanda Costa.

— Quand il lui plaira, répliqua l'homme sur un ton acerbe.

Le maître d'armes lui darda un regard menaçant. Levant les yeux vers les gardes pour se rassurer, le régisseur grommela :

— Je ne pense pas qu'il tardera.

Angel se retira pour consulter ses compagnons.

— À présent, ils savent ce que nos mules transportent. Si nous repartons d'ici avec des marchandises d'une telle valeur, nous risquons de nous faire attaquer et dépouiller par des canailles embusquées.

Les autres tombèrent d'accord, alors Yonah alla trouver l'intendant.

— Señor, il nous a été ordonné, en cas d'absence du comte, de laisser l'épée et l'armure aux soins de son trésorier et d'obtenir un reçu écrit attestant de leur bonne livraison.

Devant le froncement de sourcils de son interlocuteur, il s'empressa d'ajouter :

— Du reste, je suis persuadé que votre maître attend avec impatience cette pièce superbe façonnée par le maestro Fierro.

195

Il ne prit pas la peine de préciser : « S'il devait se perdre par votre faute, vous le paierez de votre tête ! » L'intendant avait perçu le sous-entendu. Il les conduisit jusqu'à une aile fortifiée et leur montra où ranger le précieux attirail. Yonah rédigea le récépissé, que l'administrateur des lieux, à peine lettré, déchiffra avec difficulté. Paco et Luis observaient la scène, impressionnés par l'instruction de l'apprenti, tandis qu'Angel détournait les yeux.

— Allons, pressons, murmura-t-il, une pointe de jalousie dans la voix.

Sur quoi le régisseur griffonna sa signature au bas du document.

Délestés de leur précieux fardeau, les quatre hommes pénétrèrent dans une auberge non loin de là.

— Dieu merci, nous avons pu livrer l'armure sans encombre, soupira Paco, exprimant le soulagement de ses compagnons.

— Je vais enfin passer une nuit à dormir confortablement, dit Luis.

— Et moi, je vais boire ! déclara Angel Costa en frappant sur la table.

Ils commandèrent un vin amer que leur apporta une servante dodue aux yeux cernés. Tandis qu'elle remplissait leurs tasses, Angel frôla le jupon qui recouvrait ses cuisses. Comme elle ne protestait pas, il se fit plus entreprenant.

— Tu es belle ! lui lança-t-il.

Elle se força à sourire. Elle était habituée aux voyageurs en mal de femmes. Quelques minutes plus tard, tous deux s'isolèrent et marchandèrent fébrilement pour aboutir à un accord.

Avant de quitter les lieux, le maître d'armes se retourna vers les autres.

— Nous nous retrouverons ici même dans trois jours, déclara-t-il. Nous verrons bien si le comte est rentré.

Puis il s'empressa de rejoindre sa conquête.

25

Retour à Tolède

Aussitôt après le départ d'Angel, Paco et Luis investirent une chambre à l'auberge, impatients de se délasser sur un lit.

Et c'est ainsi que Yonah ben Helkias Toledano, dit Ramón Callicó, se retrouva à chevaucher seul, comme dans un rêve, sous le soleil implacable de midi. Sur la route menant de Tembleque à Tolède, il fredonna l'air que son père chantait autrefois :

> *Avec le doux agneau le loup séjournera,*
> *Avec le frêle enfant le tigre s'ébattra,*
> *Avec l'ours apaisé la vache dormira*
> *Et avec le mouton le lion pâturera ...*

En redécouvrant les parages familiers qu'il chérissait dans ses souvenirs, il se sentit submergé par des vagues successives de peine et de joie.

Ici, il venait avec des garçons de son âge pour discuter gravement de leçons talmudiques, de la vraie nature des hommes et des femmes, de leur avenir d'adultes et des différentes proportions de la poitrine féminine. Là se trouvait le rocher où, deux jours seulement avant son assassinat, son frère aîné lui avait joué de la guitare.

Tel chemin menait à l'ancienne demeure de Bernardo Espina, le médecin de Tolède – que son âme chrétienne repose en paix.

Tel sentier conduisait à l'endroit où Meïr avait été agressé.

197

Plus loin, dans ce champ, Yonah gardait parfois le troupeau de son oncle le fromager.

Et, au bout, dans cette ferme devant laquelle s'amusaient des enfants inconnus, habitaient Aron et Juana.

Yonah traversa le Tage, puis il gravit le sentier conduisant en haut de la falaise, sur lequel Moïse le *burro* avait trotté avec tant d'assurance dans la nuit et que sa jument longeait à présent, maladroite et nerveuse même en plein jour.

Au sommet, rien n'avait changé.

« Mon Dieu, pensa-t-il, Tu nous as dispersés et anéantis et Tu as laissé ce lieu intact. »

Son voisin de jadis, Marcelo Troca, était en train de creuser son jardin, où broutait un âne.

De l'ancienne demeure des Toledano se dégageait une odeur pestilentielle, qui s'intensifiait à mesure que Yonah s'approchait. La bâtisse avait été réparée, mais l'incendie avait laissé son empreinte çà et là.

L'apprenti mit le pied à terre. Un homme d'âge moyen parut sur le seuil, pour s'enquérir de ce visiteur impromptu.

– *Buenos días,* señor. Y a-t-il quelque chose que je puisse faire pour vous ?

– Non, señor. Seulement, j'ai comme un vertige, sans doute à cause du soleil. Me permettriez-vous de m'abriter à l'ombre, derrière votre maison, et de me reposer un moment ?

Le propriétaire l'étudia, impressionné par le cheval, la cotte de mailles, l'épée et le profil aquilin de ce curieux individu.

– Allez-y, répondit-il à contrecœur. J'ai de l'eau fraîche, je vous porterai à boire.

Yonah se rendit aussitôt vers la pierre descellée derrière laquelle il avait laissé un message pour Eléazar. Elle avait été solidement replâtrée.

Il détermina vite l'origine des relents fétides. Près de l'ancien atelier d'Helkias, des cuirs et des peaux séchaient à l'air ou trempaient dans des cuves. Il essaya de retrouver l'endroit exact où son père avait été enterré et vit qu'un chêne, presque aussi haut que lui, y avait été planté.

Le maître des lieux revint avec un bol de bois que le jeune homme vida d'un trait.

— Vous êtes tanneur, je vois.

— En fait, je fabrique mes propres cuirs et je relie des livres.

— Puis-je m'asseoir un instant ?

— Comme vous voudrez, señor.

Son hôte resta à le surveiller. De peur qu'il vole une peau humide et malodorante ? Assurément pas. Il craignait sans doute davantage pour les précieux recueils ou peut-être l'or qu'il conservait dans sa remise.

Yonah ferma les paupières et récita en silence le Kaddish, désespéré à l'idée de ne jamais pouvoir déplacer le corps de son père de ce lieu sans âme.

« Je resterai toujours un juif, *abba*, je te le jure. »

Lorsqu'il rouvrit les yeux, il remarqua que l'homme gardait la main posée sur un couteau crochu servant sans doute à découper le cuir et coincé dans sa ceinture. L'apprenti ne lui chercha pas querelle. Se relevant, il le remercia pour sa serviabilité, remonta en selle et s'éloigna du lieu où il avait grandi.

La synagogue n'avait guère subi de transformations, hormis une grande croix en bois qui se dressait désormais sur son toit. Quant au cimetière juif, il n'existait plus. Toutes les stèles avaient disparu. Une prairie où paissaient des moutons remplaçait les allées de tombes. Il foula à pas lents l'herbe jusqu'à l'emplacement du caveau où avaient été inhumés les siens et psalmodia la prière des morts au milieu du troupeau.

En se rendant en ville, il arriva aux fours communaux, jadis cashers et gérés par un juif du nom de Vidal, qui y mettait à cuire les pains tressés du Shabbat. Yonah surprit le nouveau boulanger, à la silhouette replète, occupé à apaiser une poignée de clientes furibondes.

— Vous n'êtes qu'un gros paresseux, un idiot et un porc, scandait l'une des harpies.

Cette jeune personne brandit de son panier un pain calciné et l'agita sous le nez du commerçant :

— Vous croyez que je vous paie pour voir ma pâte transformée en boule de fiente ? On devrait vous faire avaler ça de force, âne bâté !

Sur ce, elle tourna les talons. Diantre ! C'était Lucía Martín, la jolie voisine de Yonah, sa meilleure camarade de jeux, son premier amour ! Elle croisa le regard du jeune homme, détourna les yeux, les reposa sur lui plus longuement, et quitta les lieux.

L'apprenti demeura un instant interdit. Il se ressaisit rapidement et reprit sa promenade à travers la cité, en suivant l'itinéraire de Lucía. Au détour d'une venelle déserte, elle surgit soudain de derrière un arbre où elle s'était cachée.

— Est-ce vraiment toi ? demanda-t-elle à mi-voix.

La raison aurait dicté qu'il feignît une méprise et prît congé poliment. Mais il ne se déroba pas et descendit de cheval.

— Comment vas-tu depuis tout ce temps, Lucía ? dit-il dans un souffle.

Elle lui prit la main avec un air triomphal.

— Oh, Yonah ! Je n'arrive pas à croire que ce soit vraiment toi ! Où étais-tu donc passé ? Et pourquoi nous as-tu quittés ? Tu devais devenir le fils de mon père, mon frère, en somme !

C'était la première femme qu'il avait vue nue. Le souvenir de son corps si doux le troubla.

— Je ne voulais pas devenir ton frère.

Elle ne relâchait pas son étreinte.

— Je suis mariée à Tomás Cabrerizo. Tu te souviens de lui ? Ses parents possèdent les vignes de l'autre côté de la rivière.

Yonah se rappelait vaguement un adolescent rétif, qui harcelait les juifs et leur lançait des pierres.

— J'ai deux petites filles et je suis encore enceinte. Je prie la Sainte Vierge pour que ce soit un garçon.

Elle remarqua avec étonnement son cheval, ses habits et ses armes.

— Ça alors ! Je n'en reviens pas ! Alors dis-moi, et toi ? Où étais-tu ? Comment as-tu vécu ?

— C'est sans intérêt, répondit-il gentiment. Comment va ton père ?

— Il est mort depuis deux ans. Il était en pleine forme et puis, un jour, il a eu une attaque.

— Qu'il repose en paix, dit-il avec regret, en repensant à cet homme qui lui était venu en aide.

— Que son âme repose auprès de Notre Sauveur ! renchérit-elle en se signant. À propos, mon frère Enrique est entré chez les dominicains, ajouta-t-elle non sans fierté.

— Et ta mère ?

— Elle est encore vivante. Mais évite d'aller la voir. Elle te dénoncerait sur-le-champ.

— Et toi, tu ne le feras pas ?

— Jamais de la vie ! Comment peux-tu imaginer une chose pareille ?

Un éclair de colère traversa ses yeux humides. Incapable de soutenir son regard, Yonah remonta en selle.

— Dieu soit avec toi, Lucía !

— Qu'il t'accompagne aussi, mon ami d'enfance !

Avant de s'éloigner, il ne put s'empêcher de lui poser une dernière question :

— Et mon frère Eléazar, l'as-tu jamais revu ?

— Non.

— As-tu eu de ses nouvelles ?

— Aucune. Ni de lui, ni de tous les autres. Tu es le seul juif qui soit revenu ici, Yonah Toledano.

À présent, il ne fallait plus traîner. Il devait mettre à exécution son plan pour échapper à Lavera.

Il parcourut Tolède jusque dans ses moindres recoins. La muraille qui délimitait le quartier juif existait encore, mais ses portes étaient grandes ouvertes et des chrétiens occupaient toutes les demeures.

Quelqu'un sur la Plaza Mayor pouvait le reconnaître, comme Lucía l'avait fait. D'ailleurs, peut-être l'avait-elle déjà trahi. Peut-être les serres de l'Inquisition étaient-elles déjà prêtes à se refermer sur lui. Il s'efforça de conserver une apparence de calme à la vue des soldats et des gardes qui arpentaient la place. Mais personne ne lui prêta attention.

Il promit un sou à un garçonnet édenté s'il lui gardait son cheval. Puis il pénétra dans la cathédrale par la porte de la Joie. Enfant, il se demandait souvent si elle tenait la promesse sous-entendue par son nom. Mais en entrant dans ce sanctuaire, il n'éprouva aucune allégresse. Devant lui, un miséreux

en haillons trempait la main dans une fontaine avant de s'agenouiller.

L'intérieur était vaste et surplombé d'une voûte soutenue
par des colonnes de pierres qui divisaient l'espace en cinq
ailes. La grandeur des lieux donnait une impression de vide,
malgré les nombreux fidèles et religieux qui se recueillaient
en divers endroits. L'écho de leurs prières s'élevait dans les
airs. Yonah se demanda si toutes ces voix unies, émanant des
églises et des cathédrales d'Espagne, ne couvraient pas ses
appels désespérés au Tout-Puissant.

Il scruta un certain temps les visages de l'assemblée, mais
ne distingua pas celui qu'il recherchait.

Lorsqu'il ressortit, clignant des yeux sous les rayons du
soleil, il donna au garçon le sou promis et lui demanda s'il
connaissait un certain *fray* Bonestruca. Le sourire de l'enfant
s'effaça.

– Oui, répondit-il.

– Et où puis-je le trouver ?

– Beaucoup de ces frères sont dans la maison des dominicains.

Puis ses petits doigts se refermèrent sur la pièce de monnaie
et il s'enfuit en courant, le diable à ses trousses.

Devant les quartiers de l'ordre des frères prêcheurs était
installée une buvette rudimentaire – trois planches posées sur
des tréteaux. Yonah s'y assit et sirota un vin âcre sans quitter
le porche des yeux. Au bout d'un certain temps, deux prêtres
en sortirent, absorbés dans une âpre conversation.

Quelques minutes plus tard, le jeune homme reconnut la
grande silhouette de *fray* Lorenzo de Bonestruca, qui remontait la rue. Il s'attendait à le voir s'arrêter en face, mais le
religieux dépassa la bâtisse et continua son chemin. L'apprenti
paya en hâte le gargotier et suivit le moine, sans se faire remarquer, en tirant sa jument.

Le dominicain entra dans une taverne. Assis au fond de la
salle sombre et étroite, il était déjà en pleine dispute avec le
propriétaire lorsque Yonah poussa la porte.

– Peut-être pouvez-vous me payer une petite partie de votre dette ?

– Comment osez-vous, misérable vaurien ! fulmina Bonestruca.

Le tenancier, soumis et terrorisé, baissait les yeux devant son interlocuteur.

– Je vous en prie, *fray*, n'en prenez pas offense. Bien sûr que vous aurez votre vin ! Je ne voulais pas me montrer impertinent.

– Vous n'êtes qu'un rat !

L'inquisiteur s'était un peu épaissi, mais ses traits avaient conservé leur beauté d'antan : un front aristocratique, des pommettes saillantes, un long nez droit, une bouche charnue. Mais son regard, rempli de haine froide envers le monde, faisait frémir.

Le tavernier s'empressa de lui rapporter une tasse de vin, puis se tourna vers Yonah.

– La même chose pour moi et resservez aussi le bon frère.

– Oui, señor.

Le regard du religieux se posa sur le jeune homme.

– Jésus vous bénisse ! murmura-t-il pour s'acquitter de ce présent.

– Merci. Me permettez-vous de me joindre à vous ?

Son interlocuteur acquiesça, indifférent. C'est ainsi que Yonah se retrouva à partager la table de celui qui avait causé la mort d'Helkias, de Meïr et de Bernardo Espina, sans compter tous les autres.

– Je m'appelle Ramón Callicó.

Le frère vida les deux chopes d'un trait et accepta volontiers la troisième tournée que lui offrait le généreux étranger.

– J'ai eu le plaisir de prier dans la cathédrale qui fait la fierté de cette cité, commença Yonah. Quels travaux effectue-t-on sur le bâtiment ?

– Je crois qu'on restaure les portes, répondit Bonestruca en haussant les épaules avec lassitude.

– Vous officiez au sein de ce sanctuaire ?

– Non. Je remplis ma mission ailleurs.

L'inquisiteur lampait son vin avec une telle avidité que l'apprenti se demanda si sa bourse allait suffire à étancher sa soif. Pourtant, c'était de l'argent bien dépensé, car le frère devenait plus volubile. Ses yeux brillaient d'un autre éclat, son corps se détendait.

— Vous êtes au service de Dieu depuis longtemps, señor ?

— Depuis mon enfance. Je suis le deuxième fils d'une famille aristocratique madrilène. Bonestruca est un nom catalan. Mes ancêtres venaient de Barcelone. Dans mes veines coule un sang des plus purs – pas celui d'un cochon ! On m'a placé chez les dominicains quand j'avais douze ans. Dieu merci, je ne me suis pas retrouvé chez les franciscains : ils m'insupportent.

Son regard pénétrant détaillait le visage de Yonah, comme s'il pouvait lire dans ses pensées, percer ses secrets et son imposture.

— Et vous ? D'où venez-vous ?

— Du sud. Je suis apprenti chez Manuel Fierro, l'armurier de Gibraltar.

— Gibraltar ! Ma parole, vous venez de loin, mon ami !

Il se pencha alors pour ajouter :

— Par hasard, auriez-vous livré une armure fort attendue à un noble des environs dont je connaîtrais le nom ?

— Disons que je suis venu ici avec un groupe de compagnons, répliqua le jeune homme, feignant le mystère.

Sa tactique avait l'air de porter ses fruits. Autant pousser sa chance. L'homme allait-il mordre à l'hameçon ? Yonah se jeta à l'eau :

— Je cherche un ecclésiastique qui voudrait bien me conseiller...

L'inquisiteur soupira. Sans doute s'attendait-il à l'une de ces confessions graveleuses dont certains prêtres raffolaient. Mais déjà l'apprenti poursuivait :

— Si quelqu'un venait à découvrir... une chose sacrée de grande valeur... Eh bien, où devrait-il porter un tel objet ? Pour... euh... s'assurer qu'il recevra une place digne de son importance ?

– Une relique ? demanda le religieux, s'efforçant de dissimuler sa curiosité.

– C'est cela, répondit prudemment Yonah.

– Je présume qu'il ne s'agit pas d'un fragment de la Croix, railla le frère.

– Certes non.

– Alors pourquoi cela devrait-il intéresser quiconque ?

Bonestruca souligna cette plaisanterie par un sourire glacial. L'apprenti détourna les yeux pour commander deux autres chopines.

– Supposons qu'il s'agisse d'un ossement humain, continua le dominicain. Alors dans ce cas, si c'est une phalange, elle appartenait pour sûr à un fils de catin assassiné, à un misérable pêcheur ou à un pauvre porcher. Et si c'est un orteil, il provenait sans doute d'une fripouille ou d'un maquereau qui n'avait rien d'un martyr chrétien.

– C'est possible.

– Certain, vous voulez dire !

On leur servit le vin. Si l'alcool lui avait un peu délié la langue, Bonestruca conservait toute sa lucidité. Cependant, en remarquant la langueur de ses gestes, Yonah se dit qu'il aurait pu le tuer sans peine. Mais c'était hors de question. Il avait besoin de l'inquisiteur s'il voulait retourner à Gibraltar et garder la vie sauve.

Il demanda l'addition et le tavernier leur offrit gracieusement un plat de pain et d'olives.

– Quelle délicate attention ! fit remarquer le jeune homme au religieux.

Alors le frère couva le propriétaire du regard et marmonna :

– C'est un faux chrétien, un sale cochon de juif qui sentira bientôt le goût de la justice !

L'écho de ces paroles effroyables résonna longtemps dans l'esprit de Yonah tandis qu'il conduisait sa jument à travers les rues endormies de Tolède.

26

Bombardes

Le comte Vasca fit encore attendre les hommes de Gibraltar quatre jours. Yonah profita de ce délai pour retrouver la veuve de Bernardo Espina, dans l'espoir de remettre le bréviaire du médecin à son fils, comme il le lui avait promis. Mais sa quête fut vaine.

— Estrella de Aranda n'est jamais revenue ici, lui expliqua une ancienne voisine du médecin. Après l'exécution de son mari pour hérésie, aucun de ses parents n'a plus voulu la recevoir. Nous l'avons hébergée un court moment. Puis elle a pris le voile au couvent de la Sainte-Croix, où elle est morte peu après. Notre sainte Mère l'Église a également recueilli ses enfants : ses deux filles Marta et Domitila sont devenues religieuses et son fils Francisco a prononcé des vœux. Mais j'ignore où ils sont allés.

Yonah craignait que Bonestruca eût trop bu pour se souvenir de leur conversation au sujet de la relique. Il était certain que le frère prenait part au vol et au recel d'objets sacrés, qui étaient revendus à l'étranger. Par ailleurs, l'inquisiteur savait que l'apprenti resterait encore quelque temps dans les environs. S'il avait mordu à l'appât, un comparse allait probablement contacter le jeune homme pour en apprendre davantage sur sa trouvaille. Pourtant, plusieurs journées s'écoulèrent sans résultat.

Finalement, le comte Vasca rentra de la chasse. Yonah fut saisi par la stature imposante du personnage : avec sa barbe rousse et sa couronne de cheveux entourant une tonsure, il arborait l'expression froide et impérieuse de ceux qui, de par leur naissance, considèrent les autres mortels comme inférieurs et voués à leur service.

Les artisans aidèrent le noble à revêtir son armure, qui parada devant eux, muni de sa nouvelle épée, d'un air satisfait. Lorsqu'il fut libéré du carcan de métal, il leur signala une gêne à l'épaule droite. Aussitôt, une forge fut installée dans la cour, où Luis et Paco s'empressèrent d'effectuer les retouches nécessaires.

Pendant ce temps, l'intendant informa Ramón Callicó que son maître désirait le voir.

— A-t-il signé le reçu ?

— Il vous attend.

Yonah suivit l'administrateur jusqu'aux appartements de Vasca. En traversant l'enfilade de salles, il ne put s'empêcher d'inspecter discrètement chaque bibelot. Allait-il reconnaître certains objets confectionnés par son père ? Ses efforts se révélèrent vains : le château de Tembleque était trop vaste.

Pour quelle raison le comte l'avait-il convoqué ? Il n'avait pas d'argent à récupérer, puisque le paiement devait se faire par l'intermédiaire d'un marchand de Valence qui se rendait régulièrement à Gibraltar – à condition toutefois que Vasca se montrât plus prompt à respecter ses engagements envers Fierro qu'envers Helkias.

Le régisseur s'arrêta devant une lourde porte en chêne.

— Votre Excellence, le señor Callicó est là.

— Faites-le entrer.

Yonah pénétra dans une pièce longue et sombre, où, malgré la douceur du temps, un petit feu brûlait dans l'âtre. Trois chiens se vautraient sur un tapis de paille. Deux d'entre eux levèrent les yeux sur le nouveau venu, le troisième se précipita sur lui avec un grognement. Un simple mot du comte suffit à le calmer.

— Messire, dit Yonah en courbant la tête.

Vasca lui tendit le récépissé.

— Je suis fort content de cette armure. Informez-en le maestro Fierro.

— Cela ne manquera pas de le ravir.

— Je n'en doute pas. Il est toujours plaisant de recevoir de bonnes nouvelles. À ce propos, on m'a rapporté que vous aviez découvert une sainte relique.

Nous y voilà ! pensa le jeune homme.

— C'est exact.

— De quoi s'agit-il exactement ?

— Eh bien, c'est-à-dire que...

— Allons, allons, pressa Vasca. Est-ce un ossement ?

— Plusieurs, en vérité. Une dépouille entière.

— À qui appartient-elle ?

— À un saint peu connu, de la région de Gibraltar.

— Vous parlez de *Santo Peregrino el Compasivo* ?

— Oui. Vous connaissez cette légende ?

— Je connais toutes les légendes associées aux reliques, répliqua le noble. Mais qu'est-ce qui vous fait croire que vous avez retrouvé les restes du pèlerin ?

Yonah lui parla de Vicente et décrivit la grotte en détail. Son interlocuteur l'écouta attentivement.

— Pour quelle raison vous êtes-vous adressé au *fray* Bonestruca ?

— Je pensais qu'il pouvait connaître des personnes... intéressées.

— Et pourquoi donc ?

— Nous étions attablés dans une taverne, à boire du vin. Il me semblait plus judicieux de consulter un religieux bon vivant, plutôt qu'un prêtre trop austère.

— Si je comprends bien, vous recherchiez plutôt un trafiquant qu'un homme d'Église.

— Oui.

— Parce que vous espérez une grasse rétribution en échange de ce renseignement ?

— J'en réclame un prix très élevé pour moi, mais qui peut sembler dérisoire à autrui.

Le comte se pencha vers lui.

— Mais pourquoi avoir fait tout ce chemin depuis Gibraltar

pour trouver un revendeur ? N'y en aurait-il donc pas au sud de l'Espagne ?

— Si. Il y a Anselmo Lavera...

Vous le savez fort bien, ajouta Yonah à part lui.

Il relata au comte le meurtre de Vicente et sa rencontre avec Lavera.

— C'est un personnage impitoyable. Que je le conduise sur les lieux ou non, il me tuera. Mon instinct me dit de m'enfuir. Mais je souhaite ardemment continuer à travailler pour le maestro Fierro.

— Alors que demandez-vous en récompense de cette information ?

— La vie sauve.

Vasca hocha la tête sans manifester le moindre étonnement.

— Cela me paraît tout à fait acceptable.

Il tendit à Yonah une plume, de l'encre et du papier.

— Dessinez-moi un croquis indiquant l'emplacement de la caverne.

L'apprenti s'exécuta avec soin, tâchant de noter tous les repères dont il se souvenait.

— La grotte se trouve dissimulée dans une étendue de sable et de rochers. Elle est invisible depuis le sentier.

— Bien, dit Vasca. Faites une copie de cette carte et emportez-la à Gibraltar. Lorsque Anselmo Lavera vous contactera, donnez-la-lui, en précisant que vous ne pouvez l'accompagner. J'insiste bien sur ce point : ne le suivez sous aucun prétexte. C'est bien compris ?

— Oui, répondit Yonah.

L'acerbe intendant distribua à chacun des armuriers dix maravédis de prime, de la part de son maître.

Conformément aux instructions de Fierro, Angel Costa vendit les mules à Tolède et les quatre hommes reprirent la route vers la côte. À Valence, ils dépensèrent un peu de cet argent à boire. Yonah éprouvait le besoin de s'enivrer, mais, hanté par les menaces qui pesaient sur lui, il veilla à mesure garder.

Après une première tournée dans une gargote, ils firent halte dans une autre taverne. En entrant, Luis bouscula un client sur le point de sortir et s'estima insulté.

– Tu ne peux pas regarder où tu marches, chien !

L'autre le regarda, surpris.

– Qu'est-ce donc, señor ? s'exclama-t-il, avec l'accent typique des Francs.

Il n'avait pas d'arme et sa stupéfaction se transforma vite en crainte lorsqu'il vit Angel Costa s'approcher, la main sur l'épée.

– Veuillez excuser ma maladresse, dit-il avant de quitter les lieux.

Le petit groupe prit place autour d'une table. L'apprenti ne supportait pas la fierté qui illuminait le visage de Luis et la suffisance qui se lisait sur celui de Costa.

– Et s'il revient mieux équipé et avec des amis ? demanda Yonah.

– Alors nous leur ferons pièce ! Tu redoutes de te battre, Callicó ? éructa Angel.

– Je ne mutilerai ou ne tuerai personne sous prétexte que Luis et vous désirez vous amuser un peu.

– Et moi, je dis que tu es un couard ! Tu plastronnes quand c'est un jeu, mais tu serais incapable de mener un vrai combat d'hommes.

Paco s'interposa :

– Écoutez, nous avons rempli la mission qui nous a été confiée. Je n'ai nullement l'intention de justifier un mort ou un blessé auprès du maestro.

Il demanda au tenancier de les servir. Ils restèrent jusque tard dans la nuit et embarquèrent à la première marée. Durant la traversée, les quatre hommes se réunirent matin et soir pour prier sous les ordres du maître d'armes. Le reste du temps, Costa et Angel demeuraient à l'écart. Quand Yonah désirait parler, il rejoignait Paco. Mais le plus souvent, il s'isolait, rongé de remords. N'avait-il point pactisé avec le diable en conspirant avec les meurtriers de son père et de son frère ? Dès que la pointe de Gibraltar fut en vue, son humeur s'égaya. Qu'il était bon de revenir là où on l'attendait !

En l'absence de ses employés, Fierro avait reçu maintes commandes d'armures et d'épées provenant de membres de la cour, aussi la fabrique était-elle en effervescence au moment de l'arrivée de nos voyageurs. L'apprenti fut chargé d'assister Paco pour la confection d'une cuirasse destinée au duc de Carmona. Seul Fierro continuait de peaufiner ses instruments chirurgicaux, polis comme des joyaux et affûtés comme des épées, indifférent à l'affolement général.

Le soir, Yonah vaquait à un projet bien à lui. Il chauffa la lame d'acier de sa vieille houe et entreprit de la façonner. Sans intention réelle au départ, il en vint à confectionner une réplique assez grossière du ciboire qu'avait réalisé son père pour le prieuré de l'Assomption. Lorsqu'il l'eut achevée, il se retrouva face à une étrange petite coupe, sur laquelle étaient gravés les principaux motifs qui ornaient le reliquaire. Cette pièce lui servirait, au besoin, d'aide-mémoire. En outre, il pourrait l'utiliser afin de réciter le Kiddoush et de remercier le Tout-Puissant pour avoir créé les fruits de la vigne. Et enfin, avantage non négligeable, si l'on fouillait ses affaires, la croix sur le calice ainsi que le bréviaire d'Espina attesteraient de sa foi chrétienne.

Moins de deux semaines après son retour, vers midi, un garçonnet arriva à la fabrique, porteur du même message qu'auparavant : un parent de Ramón Callicó l'attendait près de la taverne.

Cette fois, Fierro se montra moins complaisant.

– Nous avons trop de travail, déclara-t-il à Yonah. Dis à ton cousin de venir ici s'il désire s'entretenir avec toi.

L'apprenti donna sa réponse au petit émissaire et se remit à l'ouvrage. Quelques heures plus tard, il aperçut par la fenêtre deux cavaliers pénétrant dans l'enceinte de l'armurerie. Il se précipita à leur rencontre.

Lavera mit le pied à terre et tendit les rênes à son acolyte, qui resta en selle.

– *Hola* ! Nous sommes déjà repassés te voir, mais on nous a dit que tu étais en voyage.

– Oui. Je livrais une armure.

— Eh bien, cela t'a laissé tout loisir pour te rafraîchir la mémoire. Te rappelles-tu à présent où se trouvent les ossements du saint ?

— Oui. Mais offrez-vous une récompense en échange d'un renseignement d'une telle valeur, señor ?

Il entendit l'homme à cheval glousser dans sa barbe.

— Naturellement ! Amène-nous jusqu'à la grotte tout de suite et tu seras payé sur-le-champ.

— Je crains de ne pas pouvoir m'absenter dans l'immédiat. Nous avons beaucoup à faire et l'on m'a même refusé l'autorisation de me rendre au village.

— Que t'importe le travail puisque tu vas devenir riche ? Allons, viens, ne perdons pas de temps.

Yonah vit que Fierro avait interrompu son ouvrage pour observer la scène.

— Non, répondit-il. Ma présence vous causerait du tort. Les hommes d'ici se lanceraient à ma poursuite et cela vous empêcherait de récupérer les fragments.

Il tira de sa tunique la copie de la carte qu'il avait dessinée à Tembleque.

— Tenez. La caverne où repose la sainte dépouille y est clairement indiquée.

Son interlocuteur étudia le croquis.

— Est-ce à l'est ou à l'ouest de la route principale ?

— À l'est. Assez près d'ici.

L'apprenti lui indiqua le chemin, puis Lavera remonta en selle.

— Nous verrons bien. Puis nous reviendrons te voir pour te régler ton dû !

Yonah se plongea dans son labeur. L'après-midi lui sembla interminable.

Les coupe-jarrets ne reparurent pas.

Cette nuit-là, il resta allongé, incapable de fermer l'œil, à guetter le moindre bruit de pas dans la nuit.

Toujours personne.

Un jour passa, puis un autre, puis un troisième.

Bientôt, une semaine s'était écoulée.

Peu à peu, le jeune homme comprit que les soudards n'allaient pas revenir. Le comte de Tembleque avait respecté ses engagements.

Les commandes de l'armurerie étant presque toutes honorées, le maestro organisa plusieurs joutes entre Yonah et Angel, à l'épée ou au fleuret, avec ou sans armure.

Costa remporta le premier combat. Au milieu du deuxième duel, il murmura, d'un ton plein de morgue :

— Allez, bats-toi, misérable poltron, excrément de la terre !

Fierro demanda à Yonah si cela ne le dérangeait pas d'affronter un adversaire aussi arrogant.

— Non, répliqua l'intéressé. D'ailleurs, je crois qu'à l'occasion je pourrais même le vaincre, si on recommençait les tournois à cheval.

L'armurier secoua la tête :

— Tu n'es pas un écuyer aspirant à devenir chevalier. À quoi cela te servirait-il de perfectionner ton maniement de la lance ? J'organise des duels d'escrime afin que tu t'améliores dans cette discipline, car elle est utile à tout homme. Chacune de ces rencontres est une leçon que tu obliges Costa à te donner.

Yonah s'échinait à vaincre. Il pensait qu'avec assez de pratique, il serait capable de parer et d'attaquer, d'esquiver les coups ou de riposter à bon escient. Mais le maître d'armes était plus vif, et, malgré tous ses efforts, l'apprenti ne parvenait pas à lui faire mordre la poussière.

Parfois, Angel faisait des démonstrations avec son arbalète, instrument qu'il n'aimait guère.

— N'importe quel novice peut apprendre en un clin d'œil à décocher carreau après carreau face à un régiment ennemi en formation serrée. Mais l'équipement est lourd à porter et son mécanisme vite gâté par la pluie. De surcroît, il n'a pas la portée d'un arc. Lorsqu'un chevalier est projeté de sa monture pendant une bataille, il doit souvent se débarrasser d'une partie de son armure pour pouvoir suivre les hallebardiers, archers et spadassins, moins protégés mais bien plus légers.

Ils rembourrèrent de paille une vieille tunique, sur laquelle ils marquèrent les endroits du corps non couverts par la cuirasse. Angel faisait mouche presque immanquablement. Chaque fois qu'il réussissait un coup particulièrement difficile, Fierro le récompensait d'une pièce.

Un après-midi, le maestro réunit ses hommes dans l'aire d'entraînement et supervisa l'installation d'un lourd dispositif.

– Qu'est-ce que c'est ? demanda Luis.

– Une bombarde française, répondit Fierro.

– Comment fonctionne l'engin ? s'enquit Paco.

– Vous allez voir.

C'était un gros cylindre de fer battu, renforcé par des anneaux et fixé par des chaînes sur un socle en bois. Un peu plus loin, on déposa au sol une botte de foin qui servirait de cible. Deux hommes chargèrent dans le fût un lourd boulet de pierre enduit de fer et y versèrent une poudre constituée de salpêtre, de charbon et de soufre. Au moyen d'un levier, Fierro inclina la bouche à feu vers le ciel. Il enjoignit aux autres de s'écarter un peu, plaça l'extrémité d'un bâton embrasé dans l'orifice de la bombarde et s'éloigna en hâte.

Il fallut attendre un peu, le temps que le mélange explosif se consumât, puis il y eut un vacarme prodigieux, comme si Dieu Lui-même grondait de colère.

Avec un sifflement, le projectile fendit l'air et s'abattit bien au-delà de l'objectif choisi, brisant le tronc d'un grand chêne sous les cris d'effroi des ouvriers.

– Mais à quoi sert une arme de guerre si elle n'atteint pas sa cible ? demanda Yonah, interloqué.

Le maître ne s'offusqua pas de sa remarque et lui répondit avec bonhomie :

– En réalité, c'est moi qui ne sais pas la manier. Mais il paraît qu'on apprend aisément à la maîtriser. Du reste, la précision ne constitue pas le facteur le plus important. Durant une bataille, en lieu et place de boulets de pierres, ces bombardes peuvent lancer de la mitraille, c'est-à-dire un agrégat composé d'éclats de pierre et de ferraille et consolidé par un ciment qui se scinde au moment de l'expulsion. Imaginez les dégâts que cela peut causer sur un bataillon de spadassins ou de cavaliers ! Ceux qui ne s'enfuient pas tombent comme des mouches !

Paco posa la main sur le fût et la retira aussitôt.

— Ça brûle ! s'exclama-t-il.

— Oui. On dit que, si on l'utilise trop, le fer finit par se fendre. On pense donc qu'il vaudrait peut-être mieux employer du bronze.

— C'est prodigieux, dit Costa. Ça rend les armures inutiles. Alors, allons-nous fabriquer ces bombardes, maestro ?

Fierro contempla l'arbre abattu et secoua la tête.

— Je ne crois pas, répondit-il posément.

27

Regards espions

Par un beau dimanche matin, quelques semaines après la visite de Lavera, Yonah emmena le cheval arabe jusqu'à la grotte. Les vents et la pluie avaient effacé toute trace de passage devant l'entrée. Les ossements avaient disparu, de même que le crucifix et les récipients en terre. Les pillards avaient brisé l'autel. Le poisson gravé sur la paroi demeurait la seule preuve tangible que le jeune homme n'avait pas rêvé.

Sous le dessin, il distingua une tache rouge sombre et, en s'agenouillant, il remarqua de grandes flaques brunâtres sur le sol de roche.

Les auteurs de cette embuscade avaient tiré un double profit de leur méfait : d'une part, ils s'étaient emparés d'un trésor précieux ; de l'autre, ils s'étaient débarrassés de leurs concurrents méridionaux.

Yonah avait signé l'arrêt de mort d'Anselmo Lavera en lui remettant le plan des lieux. Il était peut-être hors de danger, mais il avait désormais du sang sur les mains.

Depuis son retour de Tembleque, Angel Costa s'érigeait de plus en plus ostensiblement en pieux défenseur de l'Église.

— Pourquoi montes-tu à cheval le dimanche matin ? demanda-t-il à Yonah d'un ton âpre.

— Le maître m'en a donné l'autorisation.

— Lui, oui, mais pas Dieu, que je sache ! Ignores-tu donc que ce jour est consacré au Seigneur ?

– Je prie très souvent, répondit l'apprenti.

Cette affirmation manqua d'impressionner son interlocuteur, qui renifla d'un air dubitatif.

– De nous tous, Fierro et toi êtes les deux seuls à dédaigner les offices dominicaux. Tu dois assister à la messe et réviser tes manières, petit malin !

Paco, qui avait entendu cet échange, attendit que son collègue se fût éloigné pour chuchoter au jeune homme :

– Angel est un tueur et un pécheur qui finira certainement en enfer. Et pourtant, il s'emploie à sauver les âmes de ceux qui l'entourent...

D'ailleurs, Costa avait aussi fait la leçon au maestro, qui prit Yonah à l'écart.

– Mon ami José Gripo m'a également averti que mon absence à la messe avait attiré l'attention, lui dit-il. Alors nous devons tous deux modifier nos habitudes et nous y rendre cette semaine.

Le dimanche suivant, l'apprenti arriva à l'église de bonne heure et prit place au dernier rang. À l'autre extrémité, son maître bavardait amicalement avec des villageois.

Yonah se détendit sur son banc et contempla le Christ sur la croix, au-dessus de l'autel. Le *padre* Vasquez psalmodiait d'une voix aiguë et monocorde. Et, tout en imitant l'assistance, se levant, s'agenouillant, marmonnant comme les autres, le jeune homme s'imprégnait de la musique vibrante du latin, comme il aimait jadis écouter les mélodies hébraïques à la synagogue.

À l'issue du service, les fidèles se dirigèrent en file indienne vers le prêtre qui distribuait les hosties. Helkias en avait expliqué la signification à ses fils, quand on avait accusé leurs coreligionnaires de détourner l'Eucharistie pour pratiquer la magie noire.

Yonah sortit furtivement, en espérant que son départ passerait inaperçu. C'est alors que dans la ruelle, loin devant lui, il distingua la silhouette de Manuel Fierro qui pressait le pas.

L'apprenti et le maestro se rendirent à l'église quatre dimanches consécutifs. Une fois, ils retournèrent ensemble à la fabrique et bavardèrent plaisamment, comme deux camarades rentrant de l'école.

— Dis-m'en un peu plus sur cet orfèvre juif qui t'a formé, demanda Fierro.

Le jeune homme lui décrivit alors Helkias, non pas comme un père mais comme un artisan hors pair, sans pour autant dissimuler sa fierté et son affection.

— Le señor Toledano était une personne de grande qualité et un véritable artiste. J'ai eu de la chance de travailler chez lui.

Par pudeur, il n'osa pas ajouter qu'il était reconnaissant au ciel de l'avoir guidé vers un personnage tout aussi estimable.

— Avait-il des fils ?

— Deux, répondit Yonah. Le premier est mort et le second est parti avec lui lors de l'expulsion.

— Je vois.

Fierro changea tout à coup de sujet et ils parlèrent poissons, filets et bateaux : la saison de la pêche battait son plein.

À dater de ce jour, le maestro témoigna de plus en plus d'égards à son apprenti. Au début, Yonah crut qu'il se trompait, car son employeur se montrait toujours avenant et généreux envers ses ouvriers. Mais ses doutes s'estompèrent rapidement : l'armurier s'attardait bel et bien plus longtemps en sa compagnie.

Ce rapprochement faisait quelques envieux à la fabrique. Angel Costa tenait Yonah à l'œil et, en son absence, chargeait ses amis de l'épier. Un jour, l'apprenti aperçut Luis qui le suivait jusqu'au village, et plus d'une fois, en entrant dans sa hutte, il constata que ses quelques affaires avaient été déplacées. On n'avait rien volé, mais on les avait fouillées. Il essaya de se mettre à la place d'un intrus et recensa tous les objets qu'il possédait : ses vêtements, sa guitare, la coupe qu'il avait façonnée et le bréviaire du malheureux Bernardo Espina. Rien de tout cela ne l'incriminait en aucune façon.

Manuel Fierro était un des notables de Gibraltar et, à ce titre, il jouissait d'un vaste cercle d'amis et de connaissances. Les rares soirs où il s'arrêtait à la taverne du village, il ne restait jamais longtemps seul. Cette fois-là, il ne décela rien d'anormal lorsque José Gripo vint s'asseoir à sa table pour boire un peu de vin. Il ne s'étonna pas non plus du mutisme du marchand d'accastillage : celui-ci n'était pas d'un naturel loquace. Mais lorsque Gripo le pria, dans un souffle, de le rejoindre sans délai sur la berge, avant d'avaler une dernière gorgée d'alcool et de se lever en lui lançant un tonitruant : « Bonne nuit ! », l'armurier eut un mauvais pressentiment. Il termina son verre en quelques minutes, refusa la tournée qu'on lui proposait, salua l'assistance et sortit.

Il retrouva Gripo qui l'attendait dans l'obscurité, tapi derrière un abri.

Son ami ne se répandit pas en civilités.

— Tu as été dénoncé, Manuel, dit-il. Tu aurais mieux fait de renvoyer ce judas, ingrat et malfaisant, avec son arc et ses flèches.

— Tu veux parler de Costa ?

— À ton avis ? C'est un jaloux, qui ne supporte pas la réussite d'autrui, si légitime soit-elle.

L'Inquisition recevait régulièrement des accusations anonymes concernant de prétendus hérétiques, et le marchand comptait, parmi ses parents, un certain nombre d'ecclésiastiques qui l'avaient renseigné sur l'identité du délateur.

— Que me reproche-t-on ? demanda l'armurier.

— Cette crapule a raconté aux autorités que tu avais été formé chez un sorcier musulman, qu'il t'avait vu apposer, avec du sang, une marque maléfique sur chaque article vendu aux bons chrétiens. De surcroît, comme je te l'ai déjà dit, ton manque d'assiduité à la messe a été remarqué.

— J'y suis allé ces derniers temps.

— C'était trop tard. On te soupçonne d'être un ennemi de notre sainte Mère l'Église. On te dit suppôt de Satan.

Fierro discerna une profonde tristesse dans la voix de son compagnon.

— Je te remercie beaucoup, José.

Le maestro attendit un peu que Gripo se fût éloigné, puis reprit son chemin vers la fabrique.

219

Le lendemain après-midi, tandis qu'il polissait ses instruments chirurgicaux avec Yonah, il lui rapporta la teneur de cette conversation sur un ton calme et dénué d'émotion, sans révéler le nom de son informateur.

– Il ne fait aucun doute que ces allégations calomnieuses portaient non seulement sur moi, mais aussi sur toi. C'est pourquoi nous devons tous les deux quitter ces lieux dans les plus brefs délais.

L'apprenti se sentit pâlir.

– Oui, señor.

– Tu sais où te réfugier ?

– Non.

– Et ces cousins qui t'ont rendu visite récemment ?

– Il ne s'agissait nullement de parents. C'étaient des bandits. Mais à présent ils sont bien loin.

– Je vois.

Fierro hésita avant d'ajouter :

– Je vais te demander une faveur, Ramón Callicó. J'ai l'intention de me rendre chez mon frère Nuño, à Saragosse. Veux-tu m'accompagner et me servir de garde du corps pendant ce voyage ?

Saisi par l'angoisse, le jeune homme ne parvenait plus à raisonner. Il resta un instant pétrifié, le regard dans le vide, incapable d'articuler une parole. Puis il se ressaisit juste assez pour répondre :

– Vous avez toujours été bon avec moi. Je vous escorterai.

– Bien. Alors nous devons dès maintenant nous occuper des préparatifs de notre départ.

Pendant que tous les autres dormaient, Yonah se glissa dans la nuit pour rejoindre le maestro, comme convenu. Ils rassemblèrent des provisions de bouche, une paire de bottes solides, des éperons et une cotte de mailles pour chacun, deux épées, dont celle de l'armurier, d'apparence très sobre mais de facture exceptionnelle.

Fierro enveloppa séparément les instruments chirurgicaux dans du tissu et les plaça dans un petit coffre. Puis les deux hommes se rendirent à l'étable et emmenèrent un robuste mulet jusqu'à un entrepôt verrouillé à l'extrémité de la propriété. La pièce contenait, d'un côté, un amas de pièces métalliques de toutes sortes et, de l'autre, un tas de bois à brûler qu'ils entreprirent de débarrasser. Dessous était dissimulée une cassette en cuir que l'armurier demanda à Yonah de dégager. En la soulevant, ce dernier poussa un grognement de surprise. Malgré sa taille, l'objet pesait étonnamment lourd. Ils le fixèrent sur le bardot.

— Il faut à tout prix éviter que ses braiments réveillent le voisinage, murmura Fierro.

Alors, tandis que l'apprenti tirait l'animal, le maître lui tapotait le cou et lui parlait doucement pour le calmer. Une fois le chargement mis en sûreté chez le maestro, celui-ci pria Yonah de reconduire le mulet et de se recoucher.

Le lendemain matin, en partant chasser, à l'aube, Angel Costa avisa la présence de crottin frais dans la cour. Il vérifia alors si toutes les bêtes étaient bien dans leurs stalles respectives et constata qu'aucune ne manquait.

— Qui a fait sortir un cheval ou un âne cette nuit ? lança-t-il à la cantonade.

Paco haussa les épaules.

— Sans doute un voyageur s'est-il égaré, suggéra-t-il en bâillant.

Angel secoua la tête. À l'évidence, il n'allait pas se satisfaire de cette réponse.

Éperdu d'inquiétude, Yonah pressa le maître de s'enfuir.

— J'ai une dernière démarche importante à faire, répliqua-t-il. Nous partirons ce soir.

Fierro se rendit au village pour déposer un paquet chez un magistrat de ses amis, avec la consigne de ne l'ouvrir que deux semaines plus tard. Il y avait placé de l'argent, à partager entre ses employés en fonction de leur ancienneté, ainsi qu'un document leur cédant collectivement la propriété de l'armurerie, avec tous ses vœux de réussite.

Yonah et Fierro attendirent la fin de la nuit pour se mettre en route, de manière à profiter de la lumière du jour une fois qu'ils se retrouveraient en terre inconnue. Ils chargèrent les coffres sur le mulet, revêtirent leur tenue de voyage, se munirent de leurs épées, puis retournèrent à l'écurie pour seller leurs montures. Le maître sortit sa jument noire, réputée pour être le meilleur cheval des lieux et proposa au jeune homme de monter l'étalon arabe, ce qu'il accepta avec joie.

C'est ainsi qu'ils traversèrent les terres de la fabrique dans les lueurs grises de l'aube, sans prononcer un mot. Yonah regrettait de ne pas avoir dit adieu à Paco. Voilà qu'il éprouvait de nouveau la douleur d'un exil, et il s'imaginait sans mal celle de Fierro. Aussi, lorsqu'il entendit un geignement sourd, crut-il que son compagnon étouffait son chagrin. Il se retourna aussitôt : l'armurier avait une flèche plantée dans sa gorge, juste à la limite de sa cotte de mailles. Le sang avait giclé et gouttait à présent sur la selle.

Angel Costa se tenait à une quarantaine de pas. Sans doute avait-il d'abord visé l'armurier, car il craignait de l'affronter à l'épée. En revanche, il ne redoutait nullement l'apprenti. Il avait lâché son arc et brandi sa lame quand il se précipita sur lui. Pris de panique, Yonah pensa d'abord à détaler au galop. Mais il restait peut-être encore une chance de sauver son maître.

Il n'eut guère le temps de réfléchir. Costa l'avait rejoint et déjà leurs armes se heurtaient. L'apprenti n'avait aucun espoir. Son adversaire l'avait toujours battu. La face déformée par un méchant rictus, il cherchait, parmi les nombreuses manœuvres qui lui avaient assuré ses précédentes victoires, celle qu'il allait utiliser à présent.

Animé par cette force caractéristique de ceux qui n'ont plus rien à perdre, le jeune homme parvint à immobiliser l'épée de son agresseur, dans un violent corps à corps. En cet instant précis, il crut entendre la voix de Mingo lui souffler ce qu'il devait faire. De la main gauche, il tira prestement de sa ceinture la dague que lui avait offerte son ami le nain et la planta dans le ventre d'Angel.

Le maître d'armes s'effondra à terre.

Quand Yonah revint s'accroupir près de lui, Fierro avait rendu l'âme. Il tenta de dégager la flèche, mais la pointe résista. Alors il en brisa la hampe. Résolu à priver les inquisiteurs de la possibilité de le déshonorer en l'incinérant lors du prochain autodafé, il se mit en devoir de lui offrir une sépulture.

Il s'éloigna un peu du sentier et creusa, au moyen de son épée, un trou assez peu profond. Comme sa lame s'était émoussée au contact du sol rocailleux, il prit celle du maître et emporta aussi sa bourse et la cordelette attachée à son cou, à laquelle étaient accrochées les clés des deux coffrets. Il ensevelit la dépouille sous de lourdes pierres, afin de la protéger des bêtes sauvages. Enfin il la recouvrit d'une couche de terre sur laquelle il dissémina cailloux et brindilles, de manière à dissimuler la tombe à l'œil des passants.

Quelques mouches tournoyaient déjà au-dessus de Costa. L'apprenti s'assura qu'il était bien mort et l'abandonna inerte dans la poussière. Puis il s'éloigna à vive allure sur son cheval gris, tirant derrière lui la jument noire et le mulet.

Il ne ralentit pas avant d'avoir traversé le bras de terre reliant Gibraltar au continent. Il passa devant la grotte du saint pèlerin sans la voir et poursuivit sa route jusqu'aux montagnes. Là, enfin seul dans les hauteurs, il donna libre cours à ses sanglots. Il pleurait la perte de son maître, mais aussi celle de son innocence : il avait indirectement causé la mort de deux hommes et il venait d'en assassiner un troisième de ses propres mains. Il lui faudrait désormais vivre avec ce lourd fardeau sur la conscience.

À présent sûr de ne pas être pourchassé, il chemina vers l'est durant cinq jours à une allure plus tranquille. Puis il bifurqua un peu vers le nord jusqu'à Murcie.

Il n'ouvrit la cassette en cuir qu'une seule fois. Compte tenu de son poids, il ne fut guère surpris qu'elle contînt des pièces d'or – tout le capital accumulé par l'armurier en vingt ans de service auprès des riches et des puissants du pays. Cette somme considérable paraissait irréelle pour Yonah, qui n'osa pas toucher le moindre ducat avant de refermer le coffret.

Ses cheveux et sa barbe redevinrent hirsutes. Les éperons et la cotte de mailles avaient rouillé par endroits, au contact de l'herbe humide sur laquelle il s'allongeait pour dormir. Il s'arrêta à deux reprises pour acheter de quoi manger dans des villages reculés. En vérité, son apparence le protégeait malgré lui. Il offrait la vision parfaite du chevalier errant, dont l'aspect barbare, l'épée tranchante et les nobles chevaux dissuadaient d'éventuels agresseurs ou importuns de lui chercher querelle.

Il continua son périple vers le nord, parcourut la province de Valence pour arriver en Aragon. Le temps s'était rafraîchi. Il acheta à un berger une couverture en peau de mouton dont il s'enveloppait pour supporter le froid de la nuit.

Hébété d'épuisement et empestant le cuir, la sueur et la saleté, il arriva un matin à Saragosse. Sur la Plaza Mayor, il accosta un homme en train de charger du bois dans une charrette.

— Connaissez-vous un médecin du nom de Fierro ?

— Évidemment, lui répondit son interlocuteur, avec un regard nerveux.

Puis il lui indiqua le chemin. Yonah dut revenir sur ses pas pour rejoindre une petite ferme isolée, un peu à l'extérieur de la ville. Près d'une écurie, un cheval mâchait l'herbe maigre et roussie.

Il frappa à la porte de la maison, d'où émanaient des effluves de pain. Une femme entrouvrit le battant, laissant à moitié apercevoir son doux visage de paysanne et les rondeurs de son buste.

— Vous voulez voir le médecin ?

— Oui.

Nuño Fierro apparut et, malgré le ciel couvert, plissa les paupières comme aveuglé par le soleil. Ce personnage ventripotent, au crâne dégarni, au nez droit et au regard tranquille, ne ressemblait guère à Manuel, qui semblait plus vif et plus robuste. Mais à l'examiner plus avant, le jeune homme reconnut une certaine similitude avec son frère dans la démarche, le port de tête, les expressions faciales.

Lorsqu'il lui annonça le décès de son frère, Nuño demeura un moment silencieux.

— C'était une mort naturelle ? s'enquit-il enfin, avec une peine manifeste.

— Non. Il a été tué.

— Vraiment ?

— Oui. Tué... et dépouillé, s'entendit ajouter Yonah.

Il n'avait nullement prémédité sa décision de conserver à part lui l'argent du maestro. Cette idée foudroyante lui était venue à l'esprit au moment même où il prononçait ces mots.

Il détacha du mulet le coffret contenant les instruments chirurgicaux. Le médecin l'ouvrit et frôla avec émotion les scalpels, les pinces et les sondes.

— Le maître les a confectionnés de ses mains. Il y tenait beaucoup.

— Merci, répondit Nuño en contemplant le cadeau posthume de son frère.

Puis il leva les yeux.

— Entrez, je vous en prie.

— Non, je ne puis...

— Vous semblez éreinté. Vous devez vous reposer.

— Je vous remercie, mais il faut que je m'en aille, répondit brusquement l'apprenti.

Puis il remonta en selle et s'efforça de repartir au pas, tandis que derrière lui le docteur Fierro le regardait s'éloigner, perplexe et désorienté.

Le jeune homme chemina quelques heures sans but.

Après tout, compte tenu de son âge et de sa situation, ce médecin n'avait que faire de la fortune de son frère. Tandis que lui, Yonah, vivait dans le besoin depuis fort longtemps. Alors pourquoi refuser cet argent envoyé par le ciel ? Assurément, l'Éternel désirait lui redonner espoir ! Au bout d'un moment, il fut pris de vertige à force d'imaginer tout ce que cet or pourrait lui apporter : le pouvoir, la sécurité, une nouvelle vie...

Il se retrouva au pied des montagnes et grimpa le long du versant pour s'isoler au sein de ce sanctuaire majestueux, sous la lune et les étoiles.

Malgré la fatigue, le sommeil ne venait pas. Il fit donc un feu et passa la nuit à contempler les flammes. Au matin, il se releva et jura entre ses dents tout en dispersant les cendres à grands coups de pied.

Il refit lentement le trajet jusqu'à Saragosse.

Nuño sortait juste au moment où Yonah détachait la cassette de son mulet. Le jeune homme posa le coffret devant le médecin et se défit de l'épée qu'il plaça dessus.

– Tout ceci lui appartenait. La jument et l'étalon arabe aussi.

Fierro le dévisagea de ses yeux pénétrants.

– C'est vous qui l'avez tué ?

– Oh non ! s'écria Yonah. Je l'adorais ! Il était... mon maître.

Sa véhémence attestait de sa sincérité.

– Entrez, dit le médecin en lui ouvrant grand sa porte.

28

Livres

Yonah narra en détail son départ de l'armurerie, la mort de Manuel Fierro et son combat contre Angel Costa. Nuño écouta ce douloureux récit les yeux fermés, puis sortit pour s'isoler un moment.

La gouvernante du médecin, Reyna Fadique, une femme robuste d'environ quarante ans, avait un caractère paisible et des talents de cuisinière confirmée. Après avoir pris le bain qu'elle lui avait préparé, le jeune homme passa la journée à dormir et à se nourrir.

Il sortit enfin de son lit le lendemain après-midi, enfila ses vêtements lavés de frais et partit explorer les parages. Son hôte le rejoignit près du ruisseau, où il observait une petite truite remontant le courant.

Yonah remercia le médecin de son accueil et ajouta, avec une pointe d'hésitation :

— Eh bien, à présent, je suis reposé et prêt à reprendre la route.

En fait, il n'avait aucune envie de cheminer à pied et ne possédait pas de quoi racheter l'étalon arabe. Le mulet coûterait moins cher, songeait-il. Mais Nuño déclara de but en blanc :

— J'ai ouvert la cassette en cuir.

L'apprenti détecta une intention sous-jacente dans la voix de son interlocuteur et le scruta avec un regard interrogateur :

— Il y manque quelque chose ?

– Au contraire ! J'ai découvert ceci.

Il lui tendit un petit morceau de papier déchiré sur lequel était inscrit : « Je crois que le porteur de ces biens est un nouveau chrétien. »

Le jeune homme resta pétrifié. L'armurier ne s'était pas laissé berner par sa fausse identité. Il avait deviné ses origines. En outre, ce message prouvait sa conviction qu'en cas d'événement fâcheux son compagnon de route remettrait sa fortune à son parent – un gage de la confiance que Yonah avait failli trahir. Cependant, il avait aussi jugé utile d'avertir son frère de la présence d'un *converso* sous son toit.

Nuño perçut la perplexité de son invité.

– Suivez-moi, je vous prie.

Yonah obtempéra et accompagna le médecin jusqu'à son bureau. Là, Fierro décrocha la tapisserie murale, révélant une niche creusée dans la pierre, d'où il extirpa deux objets soigneusement enveloppés dans du tissu.

Il s'agissait de deux livres. Écrits en hébreu.

– J'ai effectué mon apprentissage chez Gabriel ben Nissim Sporanis, l'un des médecins les plus respectés de toute l'Espagne. J'ai ensuite eu l'honneur d'exercer à ses côtés. C'était un juif et l'Inquisition lui avait déjà ravi son frère. Dieu soit loué, il est mort de vieillesse deux mois avant la proclamation de l'édit d'expulsion. Lorsque ses deux enfants et sa sœur durent s'exiler, ils disposaient d'assez d'argent pour financer leur voyage. Je leur ai racheté cette maison et ce terrain, ainsi que les deux recueils.

– De quoi traitent-ils ?

– D'après ce qu'on m'a dit, il s'agirait du *Commentaire des aphorismes médicaux d'Hippocrate*, par Moïse ben Maimon – que votre peuple appelle Rambam et que nous appelons Maimonide – et du *Canon de la médecine*, par Avicenne le Persan. J'avais écrit à Manuel que je détenais ces ouvrages et que je brûlais d'en percer les secrets. Et aujourd'hui, voilà qu'il m'envoie un nouveau chrétien !

Yonah contempla avec exaltation ces lettres qu'il n'avait pas vues depuis si longtemps. Les caractères stylisés semblaient danser devant ses yeux comme des serpents en volutes.

– C'est le seul texte de Maimonide que vous possédez ? demanda-t-il à brûle-pourpoint.

Il aurait tout donné pour tenir un exemplaire du *Mishne Torah*, qu'Helkias conservait dans sa bibliothèque et qui constituait une exégèse exhaustive de la pratique religieuse juive, de ces traditions depuis longtemps effacées de son existence.

Nuño secoua la tête.

– J'ai bien peur que non. Les fils de Gabriel Sporanis ont emporté tous les autres livres avec eux.

Puis il le fixa avec des yeux anxieux.

– Seriez-vous capable de traduire ces documents ?

Yonah se pencha à nouveau sur les pages. L'alphabet était cher à son cœur, mais de là à en déchiffrer le sens...

– Je ne sais pas. Jadis, je déchiffrais couramment l'hébreu, mais voilà neuf ans que je ne l'ai pas fait.

– Voudriez-vous demeurer chez moi un moment et vous y essayer ?

– D'accord, répondit-il.

S'il avait eu le choix, il aurait débuté par le texte de Maimonide, car il s'agissait d'une copie très ancienne dont le papier commençait à se désagréger. Mais Nuño Fierro était impatient de prendre connaissance des préceptes d'Avicenne.

Le jeune homme doutait de sa capacité à en réaliser la traduction et se mit donc à la tâche avec une extrême minutie, se concentrant sur un mot à la fois, puis sur une phrase, puis sur une pensée.

– Alors, qu'en dites-vous ? lui demanda le médecin à la fin du premier jour.

Yonah haussa les épaules d'un air sceptique.

Les caractères hébraïques réveillaient en lui le souvenir de son père lui enseignant la signification de chaque expression, son interprétation en fonction du contexte, son implication dans les relations de l'homme avec ses semblables, avec Dieu, avec l'univers. Il se rappelait les voix tremblantes des anciens et le timbre assuré des plus jeunes qui psalmodiaient en chœur des chants joyeux ou déchirants. Des prières et des versets oubliés lui revenaient en mémoire. Et même si les textes qu'il pénétrait traitaient de tétanos, de pleurésies, de fièvres et d'onguents, ils véhiculaient la musique, la poésie, la ferveur d'un passé révolu.

Lorsqu'il ignorait le sens de certains termes, il les laissait tout simplement en hébreu, dans l'attente d'une proposition adéquate.

Anxieux, le médecin rôdait autour de lui et l'interrogeait quotidiennement sur son travail.

– Je crois que je progresse, lui répondit-il enfin.

Un soir, Nuño lui fit part du terrible sort qu'avaient subi les juifs à Saragosse.

– L'Inquisition est arrivée ici assez tôt et a frappé très brutalement.

En effet, dès le moi de mai 1484, Torquemada avait envoyé deux de ses émissaires dans la cité. Ces ecclésiastiques se montrèrent si pressés d'anéantir hérétiques et relaps qu'ils organisèrent leur premier autodafé sans tenir compte de l'édit de Grâce permettant aux accusés d'avouer leur faute et ainsi d'implorer la pitié. Le 3 juin, ils procédèrent à l'exécution des deux premiers *conversos* et exhumèrent le corps d'une femme pour le brûler en place publique.

– Pourtant, à Saragosse, poursuivit le médecin, habitaient des hommes bons, membres de la Diputación[1] d'Aragon, que ces meurtres scandalisaient.

Ces dignitaires avaient envoyé une délégation auprès du roi pour se plaindre de l'illégalité de ces procédures, arguant que les confiscations de propriétés allaient à l'encontre des *fueros* – les libertés locales – du royaume d'Aragon. Ils ne contestaient pas les procès en eux-mêmes, mais demandaient que l'Inquisition s'attache à ramener les pécheurs sur le droit chemin par des biais éducatifs et dissuasifs, ou des châtiments plus cléments. Ils insistaient aussi sur le fait que la calomnie ne devait pas affecter les individus pieux et vertueux, et qu'en Aragon ne vivait aucun mécréant notoire.

---

1. Assemblée des états généraux. (*N.d.T.*)

Ferdinand avait vertement renvoyé ces solliciteurs en leur lançant :

— S'il n'y a pas d'hérétiques dans votre royaume, pourquoi m'importuner avec des craintes dès lors injustifiées ?

La nuit du 16 septembre 1485, l'inquisiteur Pedro Arbués fut assassiné alors qu'il se recueillait dans la cathédrale. Malgré l'absence de témoins, les autorités conclurent que les coupables étaient des nouveaux chrétiens. Elles arrêtèrent donc le chef de la communauté, Jaime de Montesa, un juriste distingué, adjoint du juge principal de la municipalité.

Certaines de ses relations furent également interpellées, notamment des individus réputés pour leur foi catholique et parents de moines, dont les ancêtres avaient été des convertis. Parmi eux figuraient des notables et de grands négociants, dont certains avaient été faits chevaliers en reconnaissance de leur valeur. L'un après l'autre, ils furent déclarés *judios mamas*, « effectivement juifs ». À l'issue de séances de tortures inhumaines, les inquisiteurs obtinrent des aveux révélant un complot. En décembre 1485, deux *conversos* furent exécutés et, à compter de février 1486, il se tint à Saragosse un autodafé par mois.

— Il nous faut donc faire attention, conclut le médecin. Très attention. Ramón Callicó est votre véritable identité ?

— Non, je suis recherché en tant que juif sous mon vrai nom.

Nuño grimaça.

— Je ne veux pas le connaître. Si l'on nous interroge, nous dirons simplement que vous êtes un ancien chrétien, neveu par alliance de mon défunt frère de Gibraltar.

Yonah ne rencontra ni soldats ni prêtres. Il ne s'éloignait pas trop de l'hacienda que Gabriel ben Nissim Sporanis, son ancien propriétaire, avait construite suffisamment en retrait de la ville pour n'être dérangé que par des personnes requérant des soins médicaux.

Les terres de Nuño Fierro couvraient trois versants d'une colline. Chaque fois que le jeune homme avait la vue ou l'esprit fatigués, il abandonnait ses livres et se promenait un peu. À l'évidence le sol était riche, mais le médecin ne possédait guère de talents pour les travaux agricoles. Les oliviers et le petit verger, quoique productifs, avaient grand besoin d'être taillés. Dans la grange, l'ancien *peón* devenu secrétaire trouva une scie avec laquelle il élagua plusieurs arbres, avant de brûler les branches coupées. Il mélangea les cendres obtenues à du crottin de cheval et de la litière qu'il trouva derrière l'étable, et répandit cette mixture au pied de certains plants. Au sommet de la butte, sur la face nord, se trouvait un champ abandonné que Reyna surnommait la « demeure des âmes perdues » et où étaient enterrés les suicidés, considérés comme damnés et exclus des cimetières chrétiens.

La pente orientée vers le sud, où était construite la maison, présentait le terrain le plus fertile. Mais en dehors du minuscule potager entretenu par la gouvernante, il n'abritait plus que des mauvaises herbes et des buissons. Yonah pensait qu'une personne de bonne volonté pourrait aisément exploiter cette parcelle et y faire pousser toutes sortes de cultures.

Il ne savait combien de temps il allait rester. Absorbé dans sa redécouverte de l'hébreu, il ne vit pas les semaines passer et il reprit vite l'habitude de vivre au sein d'un foyer, grisé par les odeurs de cuisine et de feu de cheminée. Il se chargeait de couper le bois à la place de Reyna, qui lui en était reconnaissante.

Au rez-de-chaussée, on pouvait tout à la fois préparer les repas, manger, se détendre et travailler. Au premier étage se trouvait une petite remise dans laquelle dormait Yonah, entre la vaste chambre du maître et celle, plus étroite, de la servante.

À travers les minces cloisons, le jeune homme percevait le moindre son émanant des pièces. Le soir venu, il imaginait Reyna en train de s'étirer d'aise après sa journée de labeur. Il se risquait parfois à la contempler à son insu, mais ne se permettait guère davantage car il savait qu'elle n'était pas libre. En effet, la nuit, il l'avait à plusieurs reprises entendue ouvrir sa porte pour rejoindre Nuño dans son lit. Prisonnier de ses propres désirs, il écoutait dans l'obscurité leurs soupirs de plaisir.

Les deux amants avaient adopté un code : après le dîner, Fierro déclarait que, le lendemain, il dégusterait bien une poule au pot. La cuisinière opinait alors du chef et, quelques heures plus tard, elle allait le retrouver. Mais cela se produisait assez rarement. En dehors de ces moments intimes, ils conservaient des relations formelles de maître à employée.

Un après-midi, Yonah quitta la petite table sur laquelle il effectuait ses traductions et vit le médecin assis sur les premières marches de l'escalier, le teint pâle et les yeux clos.

— Vous avez besoin d'aide, señor ? lui demanda-t-il en accourant auprès de lui.

Fierro secoua la tête.

— Non, non. Laissez-moi juste me reposer un peu. J'ai seulement eu un petit vertige, rien de plus.

En retournant à son bureau, le jeune homme l'entendit se redresser et monter dans sa chambre.

La même semaine, la sécheresse fit place à une pluie torrentielle, accompagnée de violentes bourrasques. Une nuit, les trois occupants de la maison furent réveillés en sursaut. Un homme cognait à la porte et appelait désespérément le señor Fierro.

Reyna se précipita en criant :

— Oui, j'arrive ! Que se passe-t-il ?

— Je suis Ricardo Cabrera. Je vous en prie, nous avons besoin d'un médecin. Mon père vient de faire une terrible chute.

— Je viens tout de suite, répondit Nuño du premier étage.

— Où se trouve votre ferme ? demanda la gouvernante.

— Sur la route de Tauste.

— Mais c'est sur l'autre rive de l'Èbre !

— Je n'ai eu aucun mal à traverser le fleuve, assura l'homme d'une voix suppliante.

Pour la première fois, Yonah surprit la domestique qui morigénait son maître sur le ton d'une épouse.

— Inutile de préparer ainsi vos instruments et vos médicaments. C'est beaucoup trop loin et je ne vous laisserai pas y aller sous une telle tempête !

N'ayant pas eu gain de cause, elle frappa à la chambre du jeune homme, entra sans attendre sa réponse et se planta au-dessus de son lit :

— Il n'est pas assez robuste pour s'y rendre seul. Accompagnez-le, aidez-le et veillez à ce qu'il revienne sain et sauf !

Nuño lui-même parut soulagé en voyant Yonah descendre. Ce dernier sella la jument brune du médecin comme son étalon arabe et prit la sacoche du praticien pour lui permettre de tenir les rênes à deux mains. Tous deux suivirent le fils du fermier sur son pauvre poney, le long des chemins boueux, sous une pluie battante.

Ils étaient déjà trempés en parvenant à la rivière, qu'ils traversèrent sans encombre. Ils arrivèrent sur les lieux en grelottant, mais n'eurent pas le temps de se réchauffer.

Pascual Cabrera gisait sur le sol de l'étable tandis que sa femme donnait du foin à ses animaux. Nuño se pencha sur le blessé.

— Je suis tombé, murmura ce dernier, le souffle coupé.

— Un loup rôde dans les parages, expliqua son épouse. Il a déjà dévoré une de nos brebis voici quinze jours. Ricardo a posé des pièges pour le capturer. Mais en attendant, nous rentrons nos bêtes pour la nuit. Mon mari les avait presque toutes rassemblées dans la grange, à l'exception de cette chèvre. Elle avait grimpé sur le rocher qui surplombait notre champ et refusait d'en descendre.

Son mari articula quelques mots inaudibles que Fierro dut lui faire répéter.

— Cette *cabra*... c'est notre meilleure laitière...

— Donc il est monté au sommet, poursuivit la fermière, indifférente à l'interruption. Il a glissé et a dévalé toute la pente. Je ne sais pas comment il a réussi à revenir jusqu'ici. Je l'ai déshabillé et enveloppé dans une couverture, mais il avait trop mal pour que je puisse le sécher.

Yonah découvrit le médecin sous un autre jour. Dans l'exercice de son art, il était rapide, efficace et sûr de lui. Il examina le patient avec soin et précaution, avant de déterminer son diagnostic.

– Vous avez plusieurs côtes cassées et peut-être une fêlure au bras.

Au moyen de linges bien serrés autour de son torse, il lui fabriqua une sorte de corset et bientôt, le blessé poussa un soupir de soulagement.

– Oh, ça va mieux !

– Maintenant, il faut nous occuper de votre bras.

Pendant qu'il le pansait, Nuño demanda à Yonah et Ricardo de fixer la couverture entre deux baguettes de bois, posées dans un coin de la grange. Ils installèrent Cabrera sur ce brancard de fortune et le transportèrent jusqu'à la maison. Le médecin donna à l'épouse quelques poudres à administrer en infusion, pour aider son mari à dormir.

Il bruinait encore quand les deux visiteurs reprirent leur route, mais la tempête s'était calmée. Lorsqu'ils arrivèrent enfin, la pluie avait complètement cessé et les premiers rayons du soleil perçaient à travers les nuages.

Reyna avait allumé un feu et préparé du vin chaud. Elle mit immédiatement de l'eau à bouillir pour le bain de son maître.

Dans sa petite chambre, Yonah se changea en claquant des dents et en écoutant la gouvernante gronder gentiment Fierro, d'une voix douce et pressante, tendre comme celle d'une mère.

La semaine suivante, le jeune homme accompagna volontiers le médecin lors de ses visites, si bien que, peu après, Nuño ne sortait plus sans son secrétaire.

C'est en se rendant chez une femme atteinte d'une forte fièvre qu'il en apprit davantage sur ses frères en exil. Alors que Nuño prenait soin de la malade, le mari de cette dernière, un marchand de tissu ayant souvent à faire à Lisbonne, resta avec Yonah pour bavarder un peu.

– Comme partout, le Portugal a des problèmes avec ses juifs, pesta-t-il.

– Il paraît qu'on les a déclarés esclaves de l'État.

– C'était vrai, avant qu'Emmanuel accède au trône et les libère. Mais il désirait épouser la fille de nos souverains espagnols et, comme Isabelle et Ferdinand l'ont réprimandé pour son indulgence, il a adopté une attitude plus ferme. Cependant, il se retrouvait face à un dilemme : d'un côté, il voulait se débarrasser de cette racaille, mais en même temps, il ne pouvait se le permettre, parce que ces filous ont un don diabolique pour le commerce.

— J'ai entendu dire cela.

— Et on ne t'a pas menti. Je l'ai constaté dans mon secteur comme dans bien d'autres. Quoi qu'il en soit, Emmanuel a ordonné que tous les enfants juifs de quatre à quatorze ans soient baptisés de force. Il a tenté une expérience en envoyant sept cents de ces petits renégats sur l'île de San Tomás, au large de l'Afrique, pour les éduquer à la vie chrétienne. Mais une épidémie les a tous anéantis.

— Et les autres ?

— En fait, la plupart pouvaient rester dans leur famille, à condition que leurs parents se convertissent. S'ils refusaient, ils devaient quitter le pays. Naturellement, comme ici, certains ont renié leur foi, mais on peut douter qu'un *judío mamas* puisse un jour devenir un bon et honnête catholique, non ?

— Où sont partis ceux qui n'ont pas renoncé à leur religion ?

— Je n'en ai pas la moindre idée. D'ailleurs, je m'en fiche, du moment qu'ils nous laissent tranquilles !

Cette conversation fut interrompue par un geignement particulièrement sonore, qui incita le marchand à se précipiter au chevet de son épouse.

Un jour, deux fossoyeurs empruntèrent l'allée du médecin pour tirer un âne chargé d'un fardeau amorphe. Assoiffés, ils s'arrêtèrent à l'hacienda pour demander de l'eau.

— Vous avez besoin des services du médecin ? questionna Reyna.

— Je crois qu'il est un peu tard, lança l'un des hommes en riant.

Puis il expliqua qu'ils transportaient le cadavre d'un inconnu à la peau noire, qui s'était lui-même tranché la gorge sur la Plaza Mayor. Après s'être désaltérés, son compagnon et lui reprirent leur lent trajet jusqu'à la « demeure des âmes perdues ».

Cette nuit-là, Nuño réveilla Yonah.

— J'aimerais que vous veniez m'aider.

— Tout de suite, señor Fierro. Que voulez-vous que je fasse ?

— D'abord, je dois vous avertir qu'il s'agit d'une chose considérée comme de la sorcellerie par l'Église et passible de mort. Si vous me suivez, vous risquez d'être brûlé, tout comme moi.

— Je suis déjà recherché. On ne pourra pas m'exécuter deux fois !

— Alors, allez chercher une pelle et brider un *burro*.

Sous la froide lumière de la lune, ils se rendirent avec le baudet à la fosse des suicidés. Le médecin avait déjà repéré l'endroit où la terre avait été fraîchement retournée et il le retrouva sans peine. Puis il demanda au jeune homme de creuser.

— Elle ne doit pas être très profonde, parce que ces fainéants de croque-morts étaient à moitié ivres quand Reyna les a reçus.

C'est ainsi qu'ils déterrèrent le cadavre et le rapportèrent jusqu'à la grange, où ils lui retirèrent son linceul avant de l'allonger sur une table éclairée par de nombreuses lampes à huile.

Il s'agissait d'un individu d'environ trente ans, aux cheveux noirs crépus, aux membres assez minces, avec des hématomes aux jambes, diverses cicatrices un peu partout et une profonde entaille au cou qui avait provoqué la mort.

— La couleur de la peau ne représente pas un facteur exceptionnel, expliqua Fierro. Dans des régions extrêmement chaudes comme l'Afrique, les hommes ont au fil des siècles acquis un épiderme sombre pour se protéger contre les rayons brûlants du soleil. En revanche, dans les contrées septentrionales, notamment chez les Slaves, les climats froids ont engendré des teints très blancs.

Il saisit un scalpel façonné par son frère avant de poursuivre :

— Cette pratique a cours depuis que l'art de guérir existe.

Il effectua une longue incision du sternum jusqu'au pubis.

– Notre corps abrite différentes glandes qui assurent les diverses fonctions vitales.

Pris d'un haut-le-cœur, Yonah détourna la tête.

– Je sais ce que vous éprouvez, le rassura Nuño. J'étais dans le même état la première fois que j'ai vu Sporanis réaliser une dissection.

Ses mains œuvraient avec maîtrise et précision.

– Je ne suis qu'un médecin. Je n'ai rien d'un prêtre ou d'un démon. J'ignore ce que devient notre âme, mais j'ai une certitude : elle ne demeure pas dans cette enveloppe charnelle qui, après la mort, se transforme en poussière.

Il demanda à son assistant néophyte de noter les dimensions et le poids de chacun des organes dans un livre relié de cuir, tout en commentant :

– Voici le foie. De lui dépend l'alimentation de notre corps. Il me semble qu'il génère le sang... Et voici la rate... La vésicule biliaire qui régule les humeurs... Le cœur...

Le médecin le détacha avec précaution et le tendit à Yonah, qui le recueillit dans ses mains tremblantes.

Un véritable cœur humain !

– Il aspire le sang et le renvoie. La nature du sang reste un mystère, mais il apparaît clairement que le cœur insuffle la vie. Sans lui, nous ne serions que des végétaux.

Fierro désigna les quatre compartiments qui le composaient avant d'ajouter :

– C'est peut-être l'un d'eux qui causera ma perte. À moins que mon problème ne provienne des poumons.

– Alors, vous êtes gravement atteint ?

– J'ai des problèmes respiratoires qui me gênent par intermittence. Parfois, je souffre beaucoup, parfois non.

Il expliqua comment les os, membranes et ligaments maintenaient et protégeaient le corps. Il scia le sommet du crâne pour découvrir le cerveau et montra qu'il était relié à la moelle épinière et à certains nerfs.

Il faisait encore sombre lorsqu'il remit tout en place et recousit les incisions. Ils enveloppèrent le cadavre dans son linceul et retournèrent en haut de la colline.

Cette fois, ils enterrèrent la dépouille plus profondément et lui rendirent un dernier hommage en récitant chacun une prière, chrétienne pour l'un, juive pour l'autre. Lorsque l'aube se leva, chacun avait rejoint son lit.

La semaine suivante, Yonah se sentit en proie à une curieuse agitation. Il traduisait une phrase d'Avicenne : « La médecine vise la préservation de la santé et la guérison de la maladie, laquelle provient de causes inhérentes au corps. »

Lorsqu'il se rendait auprès des malades avec Fierro, il les regardait différemment, cherchant à reconstituer sur leur silhouette le squelette et les organes qu'il avait vus dans le cadavre.

Il lui fallut sept jours pour trouver le courage de parler au praticien.

– J'aimerais devenir votre apprenti.

Son interlocuteur le considéra calmement.

– S'agit-il d'un de ces caprices qui s'envolent comme le brouillard avec le vent ?

– Non. J'y ai longuement réfléchi. Je crois que dans votre métier, vous vous mettez au service de Dieu.

– Au service de Dieu ? Laissez-moi vous dire une chose, Ramón. J'ai souvent la foi dans le Seigneur, mais il m'arrive de douter de son existence.

Le jeune homme se tut, ne sachant que répondre.

– Quelles sont les autres raisons qui justifient votre requête ?

– Un médecin se consacre à secourir autrui.

– Ainsi, vous désirez faire le bien de l'humanité ? demanda son interlocuteur avec une pointe d'ironie.

– Oui, c'est ce que je veux.

– Savez-vous combien de temps dure une telle formation ?

– Non.

– Quatre ans. Ce sera le troisième apprentissage que vous entreprendrez et je ne suis pas sûr de vous accompagner jusqu'au bout. Peut-être Dieu ne me permettra-t-il pas de vivre aussi longtemps.

Yonah décida alors de laisser parler son cœur.

— Je ne peux plus continuer ainsi à errer sans but. J'ai besoin de trouver ma place, de m'atteler à une mission positive et bienfaisante.

Fierro pinça les lèvres d'un air pensif.

— Je travaillerai dur.

— Vous travaillez déjà dur pour moi, admit le médecin en souriant.

Puis il ajouta avec un haussement d'épaules :

— Après tout, pourquoi pas ?

VI

Le médecin de Saragosse

Aragon
Le 10 février 1501

29

L'apprenti du médecin

À présent, lorsque Yonah accompagnait Nuño Fierro en visite, il ne l'attendait plus oisivement. Il restait avec lui au chevet du malade et écoutait le médecin commenter à voix basse son examen et le traitement qu'il préconisait.

– Ses draps sont-ils humides ? Sentez-vous une odeur acide quand il respire ? demandait-il à l'épouse d'un malade fébrile et souffrant de douleurs abdominales, avant de prescrire un régime léger sans épices et des infusions pendant une semaine.

En tournée, les deux hommes se déplaçaient assez vite, mais une fois la journée terminée, ils rentraient à une allure plus tranquille et l'apprenti interrogeait son maître sur certains détails.

– Les manifestations de la colique varient-elles d'un sujet à l'autre ?

– Oui. Parfois, le patient a de la fièvre et transpire beaucoup, mais on ne peut pas généraliser. Quand il s'agit de constipation aiguë, le remède s'obtient en faisant bouillir des figues dans de l'huile d'olive et en les mélangeant avec du miel, pour confectionner une pâte assez épaisse. En revanche, en cas de diarrhée, il faut griller des grains de riz, les cuire dans de l'eau et les manger lentement.

Fierro posait également des questions à son assistant.

– Que dit Avicenne concernant le diagnostic d'une maladie ?

– Selon lui, on la reconnaît souvent à travers les sécrétions naturelles du corps : expectorations, selles, urine, sueur.

Les passages qu'il traduisait étayaient les leçons de Nuño : « Les symptômes s'identifient à partir de l'examen physique du corps, au moyen des cinq sens. Certains sont détectables à l'œil nu, comme la jaunisse ou l'œdème ; d'autres perceptibles à l'auscultation, comme les gargouillis qui révèlent une hydropisie de l'abdomen ; une odeur fétide peut signifier, par exemple, un ulcère purulent ; le goût sert aussi à déterminer l'acidité de la bouche ; quant au toucher, il intervient pour évaluer la fermeté de... »

Lorsqu'il rencontrait un terme inconnu, il consultait Nuño.

– Je ne comprends pas. Le mot hébraïque est *sartan*, mais j'ignore ce qu'il signifie.

Le médecin lisait alors le passage.

– Je suis presque sûr que l'auteur parle d'une tumeur : « la fermeté d'une tumeur ».

Cependant, le jeune homme n'avait pas beaucoup de temps à consacrer à ce travail, car il effectuait sa formation avec un professeur exigeant, qui lui donna d'autres ouvrages classiques en espagnol. C'est ainsi qu'il dut intégrer les enseignements de Teodorico Borgognoni sur la chirurgie, d'Isaac sur la fièvre ou de Galien sur le pouls.

– Il ne suffit pas de les parcourir, lui disait le médecin. Il faut les apprendre de manière à ne plus avoir à les consulter à l'avenir. Un livre peut se perdre ou se détruire. Le savoir, lui, ne vous fera jamais défaut.

Les occasions de pratiquer des dissections étaient rares. Une nuit, ils étudièrent la dépouille d'une femme qui s'était jetée dans le fleuve. En l'éventrant, Nuño découvrit un minuscule corps, informe.

– La vie est engendrée par le sperme, issu du pénis, expliqua-t-il à son disciple. On ne comprend pas exactement comment la transformation s'opère dans la matrice. Certains affirment que la semence présente dans les sécrétions masculines se développe grâce à la chaleur naturelle émanant de la cavité féminine. D'autres ajoutent que la friction provoquée

244

par le va-et-vient du membre de l'homme augmente la température intérieure de sa partenaire et facilite la fécondation.

Le médecin lui indiqua ensuite un sein aux tissus spongieux,
en précisant qu'en cet endroit apparaissaient parfois des
tumeurs.

– Outre leur fonction d'allaitement, les mamelons constituent une zone érogène très sensible. On peut susciter le désir
d'une femme en lui caressant la poitrine. Mais bon nombre
de mes confrères ignorent encore que le siège du plaisir
féminin se trouve ici, dit-il en désignant le clitoris, enfermé
tel un joyau entre deux plis de chair.

Ceci l'amena à un autre détail qu'il souhaitait aborder.

– En ville, se trouvent quantité de créatures prêtes à satisfaire les pulsions viriles. Mais je te conseille d'éviter ces pros-
tituées, car la plupart sont atteintes de vérole, une affection
aux conséquences terribles.

La semaine suivante, il confirma ses dires en emmenant
Yonah chez Lucía Porta.

– *Hola*, señora ! Je suis le médecin et je viens voir José et
Fernando, appela-t-il de derrière la porte.

Une femme leur ouvrit sans les saluer. Un garçonnet maigre,
au regard morne, se tenait debout contre le mur.

– *Hola*, Fernando !

Fierro ajouta en se tournant vers son apprenti :

– Il a neuf ans.

Le petit n'en paraissait pas plus de cinq ; ses jambes trop
courtes étaient anormalement arquées. Le médecin l'examina
et montra à son assistant deux grappes d'excroissances sombres
au scrotum et à l'anus.

– Ce sont des signes relativement peu courants. En
revanche, regardez son palais perforé et ses incisives écartées
et effilées. On constate fréquemment ce type de malformation
des dents et de la bouche.

Puis il s'approcha d'un nourrisson qui pleurait sur sa
couche.

– *Hola*, José !

Le nourrisson avait des plaies et des cloques autour des
narines et des lèvres.

— Vous reste-t-il du baume, señora ?

— Non. J'ai tout utilisé.

— Alors il faut aller à la boutique de *fray* Medina. Je lui dirai de vous en donner.

Lorsqu'ils sortirent de cette sombre maison pour retrouver la lumière du soleil, Nuño expliqua :

— Aucun remède ne peut vraiment les aider. Les plaies disparaîtront, mais le petit évoluera sans doute comme son frère et souffrira peut-être de complications encore plus graves. J'ai remarqué que plusieurs de mes patients atteints de démence avaient souffert de la vérole dans leur enfance. Il m'est impossible de prouver la relation entre ces deux facteurs, mais il s'agit d'une coïncidence assez troublante.

Fierro exigea de Yonah qu'il se rendît régulièrement à l'église. Au début, ce dernier renâcla : s'il avait accepté de simuler la piété à Gibraltar, c'était parce qu'il se savait surveillé, mais en l'absence de menace, il refusait de s'adonner à cette comédie. Son maître ne transigea pas :

— Lorsque vous aurez terminé votre apprentissage, vous devrez vous présenter devant les autorités pour demander votre titularisation. Si l'on met en doute votre foi chrétienne, vous ne l'obtiendrez pas. En outre, vous êtes sous ma responsabilité. Si l'on vous condamnait, Reyna et moi serions également arrêtés.

Cet argument acheva de convaincre le jeune homme.

— Entendu, j'irai à la messe. Mais j'ai un problème. J'ai déjà assisté à plusieurs offices chrétiens et j'ai réussi tant bien que mal à imiter les autres fidèles. Cependant, à la longue, on risque de remarquer mon ignorance des rituels.

— Ils ne sont pas très compliqués à apprendre, répondit calmement Nuño.

Dès lors, durant un temps, les leçons de médecine furent doublées d'une formation accélérée sur les us et coutumes du christianisme : comment se tenir au cours des différentes phases de la messe, s'agenouiller en entrant, réciter les prières en latin, faire le signe de croix, le tout visant à ce que Yonah

246

se comporte aussi naturellement dans une église que dans une synagogue.

Avec l'arrivée du printemps, les journées s'allongèrent et le climat se radoucit. Les pommiers et pêchers que le jeune homme avait taillés et fertilisés regorgeaient de fleurs. Au bout de quelques semaines, les pétales odorants tombèrent pour faire place aux premiers fruits.

Un matin, une veuve du nom de Loretta Cavaller vint consulter le médecin. Depuis deux ans, ses menstruations s'étaient interrompues et elle souffrait de crampes doulou-reuses. Cette femme de petite taille, aux cheveux gris, décrivit ses troubles d'une voix haletante, les yeux fixés sur le mur, fuyant du regard ses deux interlocuteurs.

— Je suis déjà allée voir deux sages-femmes qui m'ont admi-nistré divers remèdes, sans aucun résultat.

En voyant sa carriole à l'extérieur du dispensaire, le médecin lui conseilla désormais de faire ses courses à cheval afin de faciliter les saignements. Il lui prescrivit également une infusion d'écorce de cerisier, de pourpier et de feuilles de framboisier à boire quatre fois par jour, jusqu'à ce que son cycle se fût régulé.

— Je ne suis pas sûre de pouvoir me procurer ces ingré-dients, dit la patiente.

— Vous les trouverez chez l'apothicaire de Saragosse, lui répondit Nuño.

Le lendemain après-midi pourtant, l'apprenti entreprit de recueillir dans les environs les plantes nécessaires, qu'il apporta le soir même, ainsi qu'une bouteille de vin, chez la patiente. Elle lui ouvrit pieds nus, le pria d'entrer et le remercia. Puis ils s'installèrent ensemble près du feu et bavar-dèrent en buvant un peu.

Yonah la complimenta pour les deux superbes chaises sculp-tées sur lesquelles ils étaient assis.

— C'est mon défunt mari, Jiménez Reverte, qui les a confec-tionnées, expliqua-t-elle. Il était maître charpentier.

— Il est mort depuis longtemps ?

– Depuis deux ans et deux mois. Je prie chaque jour pour le salut de son âme.

Leur conversation fut assez malaisée, entrecoupée de silences pesants. Le jeune homme ne trouvait pas les mots pour donner à leur rencontre le tour qu'il désirait. Finalement, il se leva et elle fit de même. Il savait qu'à moins de se montrer plus entreprenant, il devrait partir. Alors, il l'enlaça et lui effleura les lèvres.

Loretta Cavaller demeura un moment dans ses bras, puis se dégagea pour prendre une chandelle et le précéda jusqu'en haut de l'étroit escalier menant à sa chambre. Il eut à peine le temps d'apercevoir le lit en chêne, gravé de figues, de raisins et de grenades. Son hôtesse ressortit immédiatement pour poser le bougeoir sur le sol du couloir avant de le rejoindre.

Leurs corps se joignirent avec la fièvre de deux voyageurs assoiffés découvrant une oasis dans le désert. Pourtant, de cette union, Yonah ne tira qu'une forme de soulagement, et non l'intense plaisir auquel il aspirait.

Il ne la vit jamais nue. Elle se rhabilla dans le noir et le reconduisit. Par la suite, ils se revirent trois fois, sans passion.

Un soir, elle lui ouvrit la porte, mais ne l'invita pas à l'intérieur. Par-dessus son épaule, Yonah aperçut Roque Arellano, le boucher de Saragosse, déchaussé et assis à sa table. Quelques semaines plus tard, il assistait à la messe dominicale lorsque le prêtre annonça leur mariage.

La veuve se mit alors à travailler au côté de son nouvel époux. Comme Nuño ne possédait ni porc ni vache, il arrivait que Reyna demandât à l'apprenti d'acheter de la viande. Il se rendait alors à l'échoppe de son ancienne maîtresse et admirait la rapidité avec laquelle elle avait appris à découper les morceaux d'un geste sûr et habile. Arellano pratiquait des prix assez élevés, mais sa femme accueillait toujours l'assistant du médecin avec un grand sourire et lui offrait des os à moelle que la cuisinière ajoutait dans la soupe ou au bouillon.

Gabriel ben Nissim Sporanis, l'ancien propriétaire de l'hacienda, avait l'habitude de prendre un bain tous les vendredis avant le coucher du soleil, pour se préparer à l'arrivée du Shabbat. Les nouveaux occupants avaient adopté ce rituel hebdomadaire mais le médecin se lavait le lundi et sa servante le mercredi. Ils utilisaient une baignoire en cuivre, placée devant la cheminée, où ils gardaient une bouilloire remplie d'eau chaude supplémentaire.

Le mercredi soir, Yonah s'arrangeait pour sortir ou rester dans sa chambre à jouer de la guitare ou à travailler à ses traductions, même si la vision fugace de Reyna effectuant ses ablutions l'empêchait de se concentrer. Parfois, le maître allait prendre le récipient suspendu au-dessus du feu pour réchauffer le bain de sa gouvernante.

Il en faisait autant pour son apprenti, dont la toilette était fixée au vendredi. Yonah constata les efforts démesurés qu'il lui fallait pour soulever le lourd pot de métal.

— Il ne se ménage pas assez, lui confia un jour la servante. Il n'est plus tout jeune !

— J'essaie pourtant d'alléger un peu son fardeau.

— Je sais bien. Pour vous parler franchement, je lui ai même demandé pourquoi il usait autant ses forces à vous former. Il m'a répondu : « Parce qu'il en vaut la peine. »

Elle haussa les épaules en soupirant.

Yonah se trouvait dans l'incapacité de la réconforter. Le médecin refusait qu'il se rendît seul en visite, même pour les cas les plus bénins. Non qu'il doutât de ses compétences, loin de là. Mais Fierro désirait profiter de chaque occasion possible pour lui prodiguer ses enseignements sur le terrain, l'aider à reconnaître les différences de couleur dans les urines, à distinguer telle ou telle odeur dans l'haleine, à identifier le degré de cicatrisation d'une plaie.

Nuño se révéla également très féru de remèdes. Il savait faire sécher et broyer les herbes, fabriquer onguents et perfusions. Mais il sacrifiait cette commodité – confectionner ses propres drogues – au profit d'un vieux franciscain, *fray* Luis Guerra Medina, chez qui il envoyait ses patients.

— Les accusations d'empoisonnement sont fréquentes, particulièrement lorsqu'un aristocrate meurt. Parfois ces soupçons s'avèrent fondés, mais souvent, ils ne le sont pas, expliqua-t-il à son apprenti. Longtemps, l'Église a interdit aux chrétiens d'employer des remèdes préparés par des juifs, de peur qu'il s'agisse de potions mortelles. Du reste, certains médecins convertis ont été dénoncés pour des motifs fallacieux par des malades qui refusaient de les payer. C'est pourquoi Gabriel Sporanis préférait, par mesure de sécurité, adresser ses clients chez ce frère apothicaire. Lorsque j'ai pris sa suite, j'ai agi de même. D'autant plus que Medina possède également de bonnes notions de médecine.

Yonah mesura avec le recul les risques qu'il avait encourus en fournissant à Loretta Cavaller des herbes pour son traitement et se jura de ne plus jamais recommencer.

C'est ainsi qu'au fil du temps il apprit de ce maître exceptionnel non seulement les compétences professionnelles mais aussi les aspects humains de son métier.

Au bout d'un an d'apprentissage, Yonah s'aperçut qu'il avait déjà vu mourir onze patients. Ses connaissances lui permettaient à présent de reconnaître la valeur du médecin qui l'initiait. Cependant, il ressentait une immense anxiété à l'idée de se consacrer à une vocation dans laquelle l'échec était souvent inéluctable.

Nuño observait son disciple avec une vigilance mêlée de fierté. Au chevet des malades agonisants, il le voyait lutter amèrement contre la mort et lisait la gravité sur son visage devant chaque décès.

Un soir, alors qu'ils se détendaient ensemble de leur longue journée de travail, il entreprit d'aborder ce sujet.

— Vous m'avez dit que vous aviez abattu l'assassin de mon frère. Est-ce la seule fois où vous avez ôté la vie à quelqu'un, Ramòn ?

— Non.

Le jeune homme lui relata alors comment il s'était rendu responsable du meurtre des deux trafiquants de reliques.

— Et si c'était à refaire, agiriez-vous de même ?

— Oui, parce que sinon, c'est moi qu'ils auraient tué. Mais ma conscience me tenaille.

— Votre volonté d'exercer la médecine constitue-t-il pour vous une manière de racheter ces fautes ?

– Ce n'était pas ma motivation initiale. J'avoue néanmoins que, ces derniers temps, cette pensée m'a souvent traversé l'esprit.

– Alors il vous faut mesurer plus clairement les limites de notre art. Un praticien a le pouvoir de soulager la souffrance dans un nombre très limité de cas. Nous combattons les maladies, pansons les blessures, pratiquons les accouchements et apaisons la douleur. Cependant, toute créature vivante est un jour ou l'autre condamnée à s'éteindre. Quels que soient notre savoir-faire et notre dévouement, nous serons toujours confrontés à la mort. Il ne faut pas en concevoir de tristesse ou de culpabilité. Nous ne sommes pas des dieux. Nous ne pouvons garantir l'éternité à quiconque. En revanche, nous devons être reconnaissants que toutes ces personnes aient reçu la bénédiction de la vie.

– Je comprends, acquiesça Yonah.

– Je l'espère bien, autrement vous ne ferez pas un bon médecin !

30

L'examen de Ramón Callicó

La clientèle de Nuño, éparpillée dans toute la campagne environnante, était principalement composée de villageois et de fermiers ordinaires. À l'occasion, un noble le sollicitait, mais les personnes de haut rang se montrant souvent tyranniques et réticentes à payer les honoraires, il ne cherchait pas à en devenir le médecin attitré.

L'apprenti terminait sa deuxième année de formation quand, le 20 novembre 1504, Ferrio fut appelé pour une visite à laquelle il ne put se soustraire.

À la fin de l'été, les deux monarques Ferdinand et Isabelle avaient été victimes d'une affection débilitante. Le roi, de constitution robuste, s'en était assez vite remis. Mais son épouse s'affaiblissait de jour en jour et, à présent de passage à Medina del Campo, son état subissait une aggravation accélérée. Le souverain avait donc dépêché des émissaires chez une demi-douzaine de praticiens parmi lesquels celui de Saragosse.

Yonah en eut vent et s'échina à dissuader Nuño d'entreprendre le voyage :

— Mais vous ne pouvez pas y aller ! C'est à dix jours de cheval d'ici. Le trajet vous tuera !

— Elle est ma reine et doit être secourue avec autant de loyauté que n'importe quel malade.

— Permettez-moi au moins de vous accompagner...

– Non. Vous devez rester ici pour vous occuper de nos patients.

Devant un tel entêtement, Reyna insista pour qu'au moins quelqu'un l'escortât. Cette fois, Nuño céda et demanda à Andrés de Ávila de partir avec lui dès le lendemain matin.

Ils revinrent plus tôt que prévu, sous une pluie diluvienne. Yonah aida son maître à descendre de selle et Reyna lui prépara immédiatement un bain chaud.

Pendant ce temps, Ávila relata ce qui s'était passé.

– Au bout de quatre jours et demi, nous avons atteint une auberge des environs d'Atienza. Le docteur me semblait bien trop fatigué pour continuer. Je l'ai convaincu de s'arrêter afin de manger et de dormir un peu. À l'intérieur, les clients buvaient à la mémoire d'Isabelle. Alors il leur a demandé s'ils étaient certains qu'elle était morte. Ils lui ont assuré que oui et ont même ajouté qu'on ramenait son corps à Grenade pour l'enterrer dans la crypte royale.

Après une nuit blanche, les deux voyageurs avaient repris la route vers Saragosse, à une allure plus tranquille. Mais ils avaient terminé leur voyage sous la tempête.

L'épuisement et l'extrême pâleur de Fierro alarmèrent l'apprenti. Il recommanda à la gouvernante de le mettre au lit et de lui apporter régulièrement des boissons chaudes et des plats reconstituants. Au bout d'une semaine de repos, le malade s'était un peu rétabli, mais ce périple stérile avait usé ses forces.

Au fil des jours, les mains de Nuño se mirent à trembler au point de ne plus pouvoir utiliser un instrument chirurgical. Il confia alors à Yonah le soin d'opérer tandis qu'il lui donnait ses instructions.

C'est ainsi qu'il dut notamment amputer l'auriculaire d'un maçon, attaqué par la gangrène. Avant l'intervention, Fierro expliqua à l'apprenti :

– Localisez d'abord l'endroit sur votre propre main. Essayez de sentir le creux juste au niveau de l'articulation.

– Ici ?

– Oui. C'est là que vous devrez couper, mais il vous faut

253

laisser la peau intacte un peu en dessous. Savez-vous pourquoi ?

— Pour la rabattre et la recoudre ?

— Exactement, répliqua le maître, satisfait de son élève.

Si le jeune homme était désolé de l'infirmité de son professeur, cette dernière constituait néanmoins une chance dans son initiation. Il se sentait cependant coupable de toute l'énergie que Nuño lui consacrait. Il s'en ouvrit à Reyna, qui le rassura :

— Je crois que loin de le diminuer, cet engagement à vous former le maintient en vie.

Cette intuition se révéla exacte. À la fin de la quatrième année d'apprentissage, Yonah put lire une lueur de triomphe dans le regard du médecin.

Tous les ans, trois jours avant Noël, les autorités de la ville élisaient deux praticiens chargés de délivrer l'autorisation d'exercer aux candidats. Fierro avait déjà rempli cette fonction et connaissait bien les rouages de ce jury.

— J'aurais préféré attendre la prochaine nomination, confiat-il à Yonah. Pedro de Calca fait partie des examinateurs et il ne m'apprécie guère. Je le soupçonne même de nourrir envers moi une pointe de jalousie. Mais je crains de ne pas tenir assez longtemps. Du reste, je pense que vous avez toutes les qualifications nécessaires.

Il se rendit donc sans tarder à l'hôtel de ville pour inscrire son disciple au concours.

Le matin de la date fixée, les deux hommes quittèrent l'hacienda assez tôt. Ils chevauchèrent lentement sous un ciel ensoleillé, presque sans parler. Aucun mot n'aurait pu apaiser leur nervosité. Et ce n'était pas durant ce court trajet qu'ils rattraperaient les éventuelles lacunes accumulées au cours des quatre précédentes années.

Le bâtiment municipal, quasiment vide à cette heure, sentait la poussière et le renfermé. Les deux médecins les attendaient dans une vaste salle austère, dont les fenêtres parvenaient à peine à laisser filtrer un rai de lumière.

Le premier, Miguel de Montenegro, était un personnage de petite taille, au regard grave, aux cheveux gris et à la barbe argentée. Nuño le connaissait depuis longtemps et ne doutait ni de son sérieux ni de son équité. Le second, Pedro de Calca, présentait un abord jovial et souriant. Il portait une tunique maculée de sang et de pus – preuve ostentatoire et répugnante de sa profession. Fierro avait prévenu Yonah que les lectures de ce confrère se résumaient presque exclusivement aux textes de Galien et qu'il l'interrogerait principalement sur cet auteur.

– Messieurs, j'ai l'honneur de vous présenter le señor Ramón Callicó.

Tous quatre s'assirent autour d'une table. L'apprenti songea alors que, trente ans auparavant, son maître s'était trouvé à sa place, et que, quelques décennies plus tôt, l'avait précédé devant des juges Gabriel ben Nissim Sporanis, à une époque où les juifs n'étaient pas encore bannis du pays.

Chacun des examinateurs devait poser deux séries de questions. En raison de son ancienneté, Montenegro ouvrit la séance.

– Señor Callicó, auriez-vous l'obligeance nous parler des avantages et des inconvénients de la prescription de thériaque comme antidote de la fièvre.

– Si vous me le permettez, je débuterai par les aspects négatifs, qui sont assez peu nombreux. Ce médicament contient soixante-dix ingrédients différents. Il est par conséquent difficile à préparer et revient assez cher. Cependant, son utilité et son efficacité ont été grandement prouvées dans les cas d'hyperthermie, de douleurs intestinales et parfois même d'empoisonnement.

Son interlocuteur parut satisfait de son exposé.

– À présent, pouvez-vous nous dire la différence entre une fièvre tierce et quarte ?

– La première apparaît tous les trois jours, la seconde, tous les quatre jours. Toutes deux se rencontrent le plus souvent par temps chaud et humide et s'accompagnent de frissons, de sueurs et d'extrême faiblesse.

– Voilà une réponse succincte et rapide. Passons maintenant à un autre sujet. Pour traiter les hémorroïdes, procéderiez-vous à une ablation au bistouri ?

– Uniquement en dernier recours. Souvent les désagréments et la souffrance qu'elles causent sont minimisés par un régime sain, en s'abstenant d'aliments trop salés, trop sucrés ou épicés. En cas d'hémorragie importante, on peut prescrire un astringent styptique. Face à une congestion sans saignements, on emploiera des sangsues pour les percer et les vider.

Montenegro acquiesça et s'enfonça dans sa chaise, signalant à son collègue que le postulant était tout à lui.

– Parlez-nous donc de la pathologie humorale selon Galien, demanda Calca avec suffisance.

Yonah s'attendait à cette question. Il prit une grande inspiration avant de commencer.

– Cette théorie est issue de quelques idées ébauchées par l'école d'Hippocrate. Elle fut ensuite modifiée par d'autres philosophes comme Aristote. Galien en élabora un système, fondé sur le principe que toute chose est composée de quatre éléments – le feu, la terre, l'air et l'eau –, représentant respectivement les caractères chaud, froid, sec et humide. Lorsque les aliments et les liquides sont absorbés, ils cuisent sous l'effet de la température naturelle du corps et se transforment en quatre humeurs : le sang – humide et chaud, correspondant à l'air –, la lymphe – humide et froide, correspondant à l'eau –, la bile – sèche et chaude, correspondant au feu – et l'atrabile – sèche et froide, correspondant à la terre. Galien écrit qu'une portion de ces substances est véhiculée par le sang pour alimenter nos divers organes, les déchets restants étant excrétés. La proportion de ces humeurs au sein de l'organisme est essentielle. Une combinaison harmonieuse engendre un individu en bonne santé. En revanche, tout excédent ou déficit d'une humeur provoque un déséquilibre, engendrant la maladie.

– Bien, bien, commenta l'examinateur en se caressant la barbe. À présent, dites-nous ce que vous savez de la chaleur interne et du pneuma.

– Hippocrate, Aristote et Galien ont écrit que la chaleur interne du corps est la substance même de la vie. Elle est alimentée par le pneuma, essence constituée du sang le plus pur du foie et acheminée par les veines. Elle n'est pas visible, mais...

– Comment pouvez-vous affirmer qu'elle ne l'est pas ? l'interrompit Calca.

Yonah sentit le genou de Nuño se presser contre sa cuisse. Seule une dissection permettait d'aboutir à cette conclusion. Un instant, il demeura pétrifié de terreur.

— Je... l'ai lu quelque part.

— Où donc, señor Callicó ? Car je n'ai jamais entendu parler du caractère visible ou invisible du pneuma.

— Voyons. Ce n'était ni dans Galien ni dans Avicenne...

Il fit semblant de réfléchir.

— J'y suis ! Je crois que Teodorico Borgognoni y fait référence.

— Vraiment ?

— En effet. Borgognoni traite de ce sujet, confirma son collègue.

Fierro acquiesça.

— Naturellement ! conclut Calca avec une mauvaise foi manifeste.

Montenegro entama sa seconde série de questions par la différence de traitement pour une fracture ou une luxation. Puis il demanda d'énumérer les facteurs nécessaires à une bonne santé.

— De l'air, de l'eau et de la nourriture non contaminés ; une juste mesure de sommeil, afin de reprendre des forces, et de veille, afin d'activer les sens ; un exercice physique modéré qui permette d'évacuer résidus et impuretés ; l'élimination des déchets ; et assez de joie pour dynamiser son corps.

— Comment une affection se répand-elle lors d'une épidémie ? enchaîna Calca.

— Des miasmes toxiques se forment dans les cadavres en décomposition ou les eaux fétides des marécages. La chaleur et l'humidité de l'air favorisent la prolifération de vapeurs nocives susceptibles d'infecter l'organisme de ceux qui les respirent. Ainsi, durant une épidémie, les individus sains devraient être encouragés à quitter les lieux, de sorte à échapper à ces émanations transportées par les vents.

Suivit une cascade de courtes questions sur un même thème.

— Que signifie une coloration jaune des urines ?

— Une légère présence de bile.

— Orangée ?

— Elles en contiennent beaucoup.

— Rouge foncé ?

— À moins que le patient ait mangé du safran, elles contiennent du sang.

— Si l'on y distingue du sédiment ?

— Cela indique une faiblesse. Si le dépôt sent mauvais et ressemble à du son, il révèle une ulcération des canaux. Si l'on y trouve du sang décomposé, il s'agit d'une tumeur phlegmoneuse.

— Et du sable ?

— C'est un signe de calcul.

Il y eut un long silence.

— Je suis satisfait, dit Calca.

— Moi aussi, renchérit son confrère. Voici un excellent étudiant, tout à fait digne de son maître.

Montenegro tira alors d'une étagère le grand volume à la reliure de cuir dans lequel il nota le nom du candidat et des examinateurs. Puis il écrivit d'une écriture soigneusement calligraphiée :

En ce dix-septième jour d'octobre de l'an de grâce 1506, le señor Ramón Callicó de Saragosse, après avoir comparu devant le jury officiel, a été déclaré médecin et a obtenu l'autorisation d'exercer la médecine.

Sur le trajet du retour, le professeur et son disciple riaient comme des enfants.

— « Je crois que Teodorico Borgognoni y fait référence ! » s'exclamait Fierro en se moquant de son élève. Quel culot vous avez eu !

— Mais pourquoi Montenegro m'a-t-il soutenu ?

— Cet homme est un bon catholique, et même, pour ainsi dire, le médecin attitré de l'Église. Il peut voyager loin pour soigner un évêque ou un cardinal. Mais il possède un véritable esprit de savant et décide par lui-même de ce qui relève de la science ou du péché. Dans notre jeunesse, nous avons effectué plusieurs dissections ensemble. Il s'est manifestement douté que votre affirmation émanait d'un tel examen.

– Qu'il en soit remercié ! Je l'ai échappé belle !

– C'est vrai. Mais votre réussite me paraît tout à fait méritée.

– J'ai surtout été formé par un professeur exceptionnel, mon cher maître.

– Ce titre ne me convient plus, puisque nous sommes désormais confrères.

Yonah secoua la tête.

– J'éprouverai toute ma vie une immense gratitude envers deux hommes portant l'un et l'autre le nom de Fierro. Je les considérerai à jamais comme mes maîtres.

31

Une dure journée

Quelques semaines après l'examen, Nuño céda une partie de sa clientèle à Yonah, qui, de jour en jour, se départait de son statut d'apprenti pour endosser celui de praticien.

À la fin du mois de février devait se tenir à Saragosse le congrès annuel des médecins d'Aragon. Tous deux s'arrangèrent pour y assister.

– Ce sera l'occasion pour vous de rencontrer vos pairs, dit Fierro à son protégé.

L'événement avait pour siège l'auberge de la ville. Ils y retrouvèrent sept de leurs confrères se délectant de vin doux et de canard rôti. Nuño prit un immense plaisir à présenter son associé à ses autres collègues de la région.

Après le repas, Pedro de Calca donna une conférence au sujet du pouls, que Yonah trouva somme toute assez médiocre et mal préparée. Une fois l'exposé terminé, les membres de l'assistance tapèrent des pieds pour exprimer leur satisfaction. L'orateur demanda s'il y avait des questions. Personne ne réagit. Or Calca n'avait mentionné que trois sortes de pouls : fort, faible et irrégulier. « Oserai-je le contredire ? » se demandait Yonah. Incapable de se contenir, il leva la main.

– Señor Callicó ? dit Calca, visiblement surpris.

– J'aimerais faire remarquer, avec tout votre respect, qu'Avicenne décrit neuf types de pouls, qui se distinguent par leur régularité, leur intensité, leur rythme plus ou moins lent, leur résonance plus ou moins superficielle...

Tandis que le maître de séance fronçait les sourcils, il sentit près de lui Fierro qui se levait à grand-peine.

— Quelle chance pour nous, déclara ce dernier, de nous trouver en présence à la fois d'un récent diplômé doté de connaissances livresques encore fraîches et d'un praticien chevronné et reconnu, conscient que, dans l'exercice quotidien de notre métier, les règles sont simplifiées grâce à une sagesse acquise au fil de l'expérience !

Quelques rires fusèrent dans l'assemblée, suivis d'applaudissements. Calca recouvra son sourire et son calme, tandis que Yonah se rassit, les joues empourprées.

Une fois rentré à l'hacienda, il laissa exploser son indignation.

— Comment avez-vous pu intervenir de la sorte ? Vous saviez très bien que j'avais raison.

— Calca est le genre d'individu qui n'hésitera pas à calomnier un rival auprès de l'Inquisition si on le provoque. Je prie pour que revienne le temps où en Espagne on pourra contredire autrui en public sans courir ce risque ! Mais un tel changement n'est pas près d'arriver, ni demain, ni la semaine prochaine !

Le jeune homme mesura immédiatement son imprudence et marmonna des excuses confuses au vieil homme. Il en fut quitte pour une mise en garde :

— Quand vous êtes arrivé, vous connaissiez les menaces qui pèsent sur vous en raison de vos origines. Désormais, il vous faut également rester vigilant face aux dangers que présente notre profession.

Puis il ajouta avec un sourire malicieux :

— D'ailleurs, votre remarque n'était pas tout à fait exacte. Dans le passage du *Canon* que vous avez traduit, Avicenne cite non pas neuf mais dix pouls différents. De surcroît, selon lui, ces distinctions subtiles ne se révèlent utiles que pour des praticiens de grande qualité. Et vous constaterez assez vite que cette description s'applique à très peu de nos collègues présents ce soir.

Une vingtaine de jours plus tard, Nuño gravissait les escaliers lorsqu'il fut saisi par une douleur terrible dans la poitrine. Faible et haletant, il fut contraint de s'asseoir sur les marches pour éviter de tomber. Reyna accourut vers Yonah, occupé à desseller son cheval.

– Le maître est au plus mal ! s'écria-t-elle.

Ils se précipitèrent dans la maison et parvinrent à transporter le malade jusqu'à son lit. Dégoulinant de sueur, ce dernier énumérait d'une voix essoufflée ses symptômes comme s'il examinait un patient :

– La douleur est... sourde, non pas... aiguë... et pourtant brutale... très brutale.

Son pouls battait avec une irrégularité alarmante. Yonah lui fit boire quelques gouttes de camphre mélangées à de l'alcool de pomme pour soulager sa souffrance, qui persista malgré tout avec la même intensité pendant quatre heures.

Le soir venu, Fierro s'apaisa enfin, à bout de forces. Il pouvait à nouveau parler. Il demanda à sa cuisinière de lui préparer un bouillon de poule pour le dîner puis sombra dans un sommeil profond. Yonah demeura à son chevet, impuissant devant la fatalité.

Au bout de trois jours, le médecin connut une rémission et put redescendre dans la salle de séjour. Son jeune ami reprenait espoir. Cependant, la semaine suivante, l'état du vieil homme s'était encore aggravé. Sa poitrine était congestionnée, ses jambes enflaient à vue d'œil. Au début, il dut dormir appuyé sur plusieurs coussins, la tête et le torse relevés. Mais bientôt, ses difficultés respiratoires et ses œdèmes empirèrent.

À présent Nuño refusait de quitter son fauteuil près de la cheminée. La nuit, Yonah restait allongé sur le sol, à quelques pas de lui, écoutant dans l'obscurité les râles de son maître.

Il fallait s'y résoudre : le malade était à l'agonie. Le liquide qui emplissait ses poumons semblait s'être répandu dans tous ses tissus, et le médecin avait l'air frappé d'obésité.

Depuis un moment, il évitait de parler afin d'économiser son souffle. Mais voyant la fin approcher, il voulut confier ses dernières volontés à son ancien disciple. D'une voix syncopée, il commença :

– Je veux qu'on m'enterre sur cette propriété... au sommet de la colline... Et surtout, pas de stèle.

– D'accord.

– Mon testament... Écrivez...

Bouleversé, Yonah prit du papier, de l'encre et une plume sur le bureau. Sous la dictée du mourant, il nota les quelques instructions de Nuño d'une main peu assurée.

À Reyna Fadique, Fierro léguait les économies qu'il avait accumulées au long de sa carrière.

À Ramón Callicó, il cédait ses terres et son hacienda, ses livres médicaux et ses instruments, ainsi que le contenu du coffret en cuir ayant jadis appartenu à son défunt frère.

– Mais c'est beaucoup trop ! protesta le jeune homme. Je n'ai nul besoin de...

Mais Nuño ferma les yeux.

– Vous n'avez plus de famille, murmura-t-il.

Puis il leva le bras, décrétant le sujet clos. Il ordonna à Yonah de lui tendre la plume, signa le document en tremblant, presque incapable d'écrire son nom.

– Une dernière chose... Vous devez... étudier mon corps.

Son élève le regarda, comme foudroyé. Disséquer des inconnus ne lui avait pas posé de problème, mais jamais il n'aurait le courage d'ouvrir la dépouille de son maestro, même au nom de la science. Celui-ci parut lire dans ses pensées. Un éclair exalté traversa ses yeux.

– Désirez-vous prendre exemple sur Calca... ou sur moi ?

– Sur vous, bien sûr ! s'écria Yonah. Ignorez-vous combien je vous aime, combien je vous sais gré de vos enseignements ?

Avec une tendresse infinie, Fierro plongea son regard brûlant dans celui de son disciple.

– Je respecterai votre souhait, conclut Yonah, la gorge nouée. Je vous en donne ma parole.

Nuño s'éteignit dans la nuit du 17 au 18 janvier 1507.

Yonah le contempla en silence avant de l'embrasser sur le front et de lui fermer les paupières. Puis il emporta le cadavre jusqu'à la grange en chancelant sous le poids de son fardeau et de son chagrin.

Il commença par consigner par écrit toutes ses observations antérieures au décès : la toux productive aux expectorations contenant du sang ; la teinte pourpre de la peau ; les veines du cou saillantes ; les suées abondantes ; le pouls anarchique ; le souffle rapide et bruyant ; le lent gonflement de l'épiderme.

Puis il saisit l'un des scalpels confectionnés par Manuel Fierro.

En ouvrant la poitrine, il vit que le cœur présentait un aspect différent de tous ceux qu'il avait vus auparavant. Sur la paroi externe, on distinguait une zone noircie, comme si les tissus s'étaient consumés. L'un des quatre compartiments était endommagé. Pour l'examiner, il dut le tamponner au moyen de chiffons. Cette pompe vitale ne remplissait pas correctement sa fonction, car le sang avait reflué dans les veines avoisinantes.

Lorsqu'il découpa l'abdomen, il constata la présence de liquide partout, y compris dans les poumons, comme si le défunt s'était noyé de l'intérieur.

D'où provenait cet œdème ? Yonah l'ignorait.

Il suivit la procédure qu'il avait apprise, notant le poids et les dimensions des divers organes avant de les remettre en place et de recoudre le tout. Puis il se lava avec soin et consigna ses commentaires dans le livre, avant de retourner dans la maison.

Reyna préparait un gruau avec son impassibilité proverbiale. En apercevant le fauteuil vide, elle avait deviné que son maître était mort.

— Où est-il ?

— Dans la grange.

— Puis-je le voir ?

— Non.

Elle poussa un soupir affligé et se signa, sans rien ajouter. Nuño avait confié à son élève qu'au bout de trente ans de service auprès de médecins, la servante savait tout de leurs agissements et qu'elle était digne de confiance.

— Je vais vous porter à manger.

– Je n'ai pas faim.

– La journée s'annonce difficile, répliqua-t-elle sur un ton qui ne souffrait aucune contradiction.

Elle remplit deux bols et ils mangèrent en silence. Lorsqu'ils eurent terminé, le jeune homme lui demanda si Nuño avait exprimé le souhait de réunir quelques personnes pour ses funérailles.

– Personne à part nous deux.

Sur ce, il sortit et se mit à l'ouvrage.

Dans une stalle, il dénicha quelques planches assez vétustes mais utilisables. Au moyen d'une ficelle, il mesura le corps et découpa le bois en fonction de ses dimensions. Il lui fallut la matinée entière pour confectionner le cercueil.

Puis il se munit d'une pelle et d'une pioche et se rendit sur la colline. Malgré le temps hivernal, le sol n'avait pas gelé et il parvint à creuser une tombe relativement propre, au prix d'efforts constants qui ne manqueraient pas de lui laisser quelques courbatures le lendemain. Il œuvrait avec soin et lenteur afin d'obtenir des parois lisses et régulières. À la fin, le trou était si profond qu'il dut se hisser pour s'en extraire.

De retour dans la grange, il rassembla les chiffons maculés de sang dans un tissu propre, qu'il plaça près de la dépouille, avant de sceller la bière avec des clous. Il s'agissait de la manière la plus sûre d'effacer toute trace de la dissection. Nuño aurait assurément approuvé cette marque de prudence.

Le crépuscule poignait lorsqu'il attela la jument brune et le cheval arabe à la carriole. Reyna l'aida à y charger le cercueil. Le descendre ensuite dans la terre se révéla beaucoup plus ardu. Yonah avait fixé à des pitons enfoncés dans les bordures de la cavité deux solides cordes transversales, sur lesquelles ils le déposèrent. Puis ils détachèrent les liens afin d'abaisser la caisse progressivement. Malgré sa constitution vigoureuse, la gouvernante relâcha un instant son emprise, ce qui eut pour effet d'ébranler l'ensemble.

– Tirez fort sur la corde, lui dit le jeune homme avec un calme qui l'étonna lui-même.

Ils parvinrent à rééquilibrer leur fardeau, qui atteignit le fond sans dommage.

Reyna récita un *Pater Noster* et un *Ave Maria*, en versant des larmes silencieuses, comme si elle avait honte de son chagrin.

— Ramenez la charrette et les animaux et rentrez à la maison. Je m'occupe du reste, conclut Yonah doucement.

Il attendit qu'elle se fût suffisamment éloignée. Il saisit la pelle, face vers le haut, pour jeter sur la tombe les premières mottes de terre, conformément à la tradition juive. Puis il retourna son outil et entreprit de combler la fosse.

La nuit était tombée lorsque la cuisinière revint le voir.

— Vous en avez encore pour longtemps ?

— Non.

Elle tourna les talons.

Une fois son ouvrage terminé, le jeune homme posa la main sur sa tête en guise de kippa et murmura le Kaddish.

Quand il rejoignit l'hacienda, Reyna s'était déjà retirée dans sa chambre. Elle avait installé la baignoire dans la salle de séjour, mis de l'eau à chauffer et disposé sur la table du pain, du fromage, des olives et du vin.

Il se déshabilla près du feu crépitant, empila ses habits sales et humides dans un coin, puis se recroquevilla dans le grand bac de cuivre. Le regard dans le vague, il pensa à Nuño, à sa sagesse et à sa tolérance, à son amour pour ses patients et à son dévouement à la médecine, à la bonté avec laquelle il avait accueilli cet étranger perdu, au nouveau tour qu'il avait donné à son existence.

32

Le médecin solitaire

Le lendemain matin, Yonah retourna au sommet de la colline. Il y trouva un jeune chêne, semblable à celui qu'il avait vu à l'endroit où était enterré *abba*. Il entreprit de l'extraire avec précaution et de le replanter au-dessus de la tombe.

– Il faut informer les prêtres et faire un don à l'Église afin qu'ils célèbrent une messe pour le salut de son âme, lui dit Reyna lorsqu'il revint à l'hacienda.

– Entendu. Mais auparavant, j'observerai sept jours de deuil au sein de sa demeure.

La piété de la gouvernante était assez superficielle pour qu'elle acceptât.

– Agissez à votre guise, lui répondit-elle.

Yonah éprouvait encore le regret de ne pas avoir respecté les rites d'usage après la mort d'Helkias. Or il considérait Nuño comme un second père et désirait lui rendre un ultime hommage selon ses traditions. En signe d'affliction, il déchira l'un de ses vêtements et se déchaussa. Il recouvrit d'un drap le seul miroir de la maison et récita le Kaddish matin et soir pendant une semaine, comme l'aurait fait un fils. Il ne s'interrompit que pour soigner quelques patients chez eux ou au dispensaire.

Une fois terminée la période de sept jours de deuil, il se retrouva face à une existence nouvelle, dont il devait lui-même établir les règles.

La gouvernante attendit plusieurs jours avant de lui demander pourquoi il dormait encore sur sa paillasse dans la remise, alors qu'il était désormais devenu le maître du logis. Yonah la regarda d'un air vague. Elle avait recensé les effets de Fierro, poursuivit-elle, et ses vêtements, quoique de bonne qualité, se révélaient trop courts et trop larges pour le jeune homme.

– Je pourrais en retoucher certains, proposa-t-elle. Ainsi, vous porterez de temps à autre des habits de votre maestro et vous repenserez à lui. Le reste, je le donnerai aux pauvres.

À peine sorti du deuil, Yonah n'avait guère l'esprit à ces détails prosaïques, aussi lui dit-il d'agir à sa guise. Mais la sollicitude de Reyna l'avait touché. Le soir même, l'ancien apprenti investit la chambre principale, avec deux fenêtres orientées vers le sud et vers l'est. C'était la première fois depuis son départ de Tolède qu'il passait la nuit dans un véritable lit.

Au bout de quinze jours, il commença à se sentir propriétaire des lieux. Il chérissait l'hacienda et ses terres comme s'il y était né.

Nombre de ses patients lui firent part de la tristesse qu'avait suscitée la disparition de Fierro.

– Il a toujours été un bon médecin. Nous éprouvions beaucoup d'affection à son égard, lui dit Pascual Cabrera.

Mais ce dernier, comme beaucoup d'autres, s'était habitué à la présence de Ramón Callicó au cours de ses quatre années d'apprentissage et semblait satisfait de ses services.

Il fallut moins de temps à Yonah pour s'accoutumer à son statut de praticien que pour s'acclimater à sa nouvelle couche. Du reste, il ne se sentait pas tout à fait livré à lui-même dans l'exercice de son art. Confronté à un cas difficile, il entendait toutes sortes de voix résonner dans sa tête : celles d'Avicenne, de Galien, de Borgognoni, sans oublier celle, omniprésente, de Nuño qui lui murmurait :

« N'oubliez pas les enseignements des savants et tout ce que je vous ai appris. Puis examinez le sujet avec vos yeux, votre nez, vos mains et vos oreilles. Et enfin, servez-vous de votre bon sens pour déterminer le meilleur mode d'action. »

Reyna et lui s'installèrent dans une routine tranquille quoique un peu malaisée. Quand il restait à la maison, il lisait des ouvrages puisés dans la bibliothèque ou poursuivait ses traductions. La servante quant à elle vaquait à ses corvées ménagères en prenant soin de ne pas le déranger.

Un soir, plusieurs mois après la mort de Nuño, Yonah était assis dans le fauteuil près du feu après le dîner lorsqu'elle lui demanda, comme chaque jour :

– Aimeriez que je vous prépare quelque chose de particulier pour demain soir ?

Un peu grisé par le vin, il la regarda qui se tenait devant lui, comme si elle ne l'avait jamais connu misérable et perdu, comme s'il avait toujours été son maître.

– J'aimerais déguster une poule au pot, s'entendit-il répondre.

Leurs yeux se croisèrent. Elle ne laissa rien deviner de ce qu'elle pensait et inclina simplement la tête.

Cette nuit-là, elle vint le rejoindre dans sa chambre pour la première fois.

Elle était plus âgée que lui d'environ vingt ans et ses cheveux noirs commençaient à blanchir. Mais son corps, raffermi par son dur labeur, ne manquait pas d'attraits et elle partageait volontiers son lit. Parfois, elle laissait entendre qu'elle n'avait pas seulement été la maîtresse de Fierro, mais aussi celle de Sporanis. Cependant, elle ne considérait pas ces relations comme inhérentes à son statut de servante. Le contact charnel avec un homme lui donnait le sentiment d'être en vie et elle s'était véritablement attachée aux trois médecins qu'elle avait côtoyés.

Yonah goûtait enfin aux plaisirs de l'existence. Son métier lui apportait de multiples satisfactions, sa gouvernante prenait soin de lui au quotidien, et tous deux s'offraient des moments de plaisir et de réconfort dans l'intimité de la nuit.

Son unique sujet de contrariété était le terrain en friche. Il n'envisageait toutefois pas d'engager des *peóns* pour l'exploiter car, comme ses prédécesseurs, il redoutait que les manants ne dénoncent ses pratiques illicites, taxées de sorcellerie par l'Église. Au printemps, il entreprit donc de consacrer son peu de temps libre à entretenir la propriété. Il y installa trois ruches afin d'en recueillir le miel, tailla les oliviers et autres arbres fruitiers. Quelques mois plus tard, le verger donna sa première bonne récolte.

Tous les vendredis soir, il faisait brûler dans sa chambre deux bougies en murmurant en hébreu la prière consacrée : « Béni sois-Tu, Éternel notre Dieu, Maître de l'univers, qui nous as sanctifiés par Tes commandements et nous as ordonné d'allumer les lumières de Shabbat. » S'il ne s'autorisait guère d'autre manifestation de son judaïsme, il tentait d'en conserver l'essence dans son âme. Ses traductions l'avaient aidé à se remémorer la langue de ses ancêtres, mais il avait oublié de larges passages de la liturgie.

Il se rappelait par exemple qu'une partie de l'office, la Amida, se composait de dix-huit bénédictions. Pourtant il ne parvenait à s'en souvenir que de dix-sept. En revanche, il était capable de réciter la douzième sans hésitation. Elle invoquait la destruction des hérétiques, des calomniateurs et des apostats. En l'apprenant dans son enfance, il n'y avait pas vraiment réfléchi. Mais aujourd'hui qu'il vivait dans l'ombre menaçante de l'Inquisition, elle le frappait de plein fouet.

Dieu Tout-Puissant, pourquoi autorises-Tu que soit perpétré un tel carnage en Ton nom ?

L'auteur de ce cruel passage, aussi pieux et érudit fût-il, se serait abstenu de l'écrire s'il avait été le dernier juif d'Espagne...

Un jour, Yonah flânait sur la Plaza Mayor lorsqu'il aperçut, sur l'étal d'un camelot ambulant, un objet qui lui coupa le souffle. Il s'agissait d'un petit verre à Kiddoush en argent, semblable à ceux que confectionnait son père.

Il prétendit d'abord s'intéresser à d'autres articles : un vieux sac de toile, un nid de guêpes, un morceau de ferraille. Puis il saisit la coupe et constata, déçu, qu'elle ne portait par les initiales HT – marque de fabrication d'Helkias Toledano –, que ce dernier apposait sur toutes ses œuvres. Elle avait sans doute été abandonnée lors de l'expulsion par un habitant de Saragosse.

Malgré sa surface sale, noircie et éraflée, le jeune homme désirait ardemment se l'approprier. Pourtant, la crainte d'être surpris en train de l'acheter le retenait. En effet, seul un juif aurait pu convoiter un tel objet. Peut-être avait-il été placé là à dessein, comme un piège permettant de démasquer un éventuel mécréant.

Il fit le tour de la place et scruta chaque porte, fenêtre, toiture. Une fois sûr que nul ne le surveillait, il retourna vers le brocanteur. Il fouilla à nouveau parmi son capharnaüm et choisit une demi-douzaine de babioles insignifiantes, sans oublier la coupe. Après en avoir marchandé le prix, ainsi que le voulait la coutume, il rentra chez lui.

Il ne réussit jamais à restaurer son éclat au métal, mais la coupe devint l'un de ses biens les plus précieux.

En cet automne froid et humide de l'année 1507, Yonah travaillait avec ardeur. De nombreux gens souffraient d'une mauvaise toux et parfois lui-même éprouvait des maux de gorge lorsqu'il effectuait sa tournée.

En octobre, il fut appelé chez doña Sancha Berga, la veuve d'un cartographe réputé qui habitait une somptueuse demeure dans l'un des beaux quartiers de la cité. Son fils, don Berenguer Bartolomé, et sa fille Monica, épouse d'un noble, l'attendaient lorsqu'il vint en visite. Geraldo, le troisième de la fratrie, négociant à Saragosse, était absent.

L'état de la malade ne présentait aucune gravité, mais, compte tenu de son âge vénérable, le praticien lui prescrivit du miel et du vin mélangé à de l'eau chaude, quatre fois par jour.

– Avez-vous d'autres problèmes, señora ?

– Ma vue se trouble de plus en plus ces derniers temps.

Il s'approcha pour mieux voir son visage. En soulevant ses paupières, il distingua une faible opacité à la surface de l'œil.

– Il s'agit d'une affection appelée cataracte.

– Ma mère est devenue aveugle avec l'âge. C'est un mal héréditaire dans la famille, soupira la dame, résignée.

– Peut-on y remédier ? s'enquit son fils.

– Il existe un traitement chirurgical consistant à prélever le cristallin atteint. Dans certains cas, la vision s'en trouve nettement améliorée.

– Pensez-vous que je puisse subir une telle intervention ? demanda doña Sancha.

Il étudia à nouveau ses yeux. Il avait pratiqué cette opération à trois reprises, dont une sur un cadavre et les deux autres en présence de Fierro. Ce dernier y avait en outre procédé par deux fois en sa présence.

– Je crois que ce sera possible. Mais n'espérez pas de miracle. Tant que vous y verrez, nous n'y toucherons pas. L'ablation se fait plus aisément quand la cataracte atteint un stade plus avancé. La patience est donc de mise. Je surveillerai l'évolution de votre état et vous préviendrai le moment venu.

Don Berenguer l'invita à boire un verre de vin dans la bibliothèque. Yonah hésita. D'ordinaire, il évitait des contacts prolongés avec les chrétiens de souche, de peur que la conversation ne déviât sur des sujets trop personnels, tels que la famille, les amis communs et les relations au sein de la paroisse. Mais dans la situation présente, il lui était difficile de refuser. Il se retrouva donc confortablement assis devant un feu dans une pièce magnifique, meublée d'une table à dessin et de quatre grands bureaux recouverts de cartes géographiques.

– Pourriez-vous me recommander un chirurgien susceptible d'opérer ma mère ? interrogea son hôte.

– Je peux le faire moi-même. Ou vous pouvez vous adresser au señor Miguel de Montenegro, qui a toute ma confiance.

Son interlocuteur ne cacha pas son étonnement.

– J'ignorais que vous étiez versé dans la chirurgie...

– Il est vrai que la plupart des praticiens se concentrent soit sur la chirurgie soit sur la médecine. Mais quelques-uns s'instruisent dans ces deux matières. Feu mon oncle et professeur Nuño Fierro pensait que cela évitait l'écueil de ne se fier qu'aux seules vertus des remèdes ou du bistouri.

Don Berenguer acquiesça, pensif. Ils sirotèrent ensemble un excellent cru et Yonah se détendit, heureux du tour agréable que prenait leur discussion.

Il s'avéra que son hôte avait suivi les traces de ses aïeux et était lui-même devenu cartographe.

– Mon grand-père, Blas Bartolomé, a tracé les premières cartes scientifiques des côtes espagnoles, tandis que mon père, Martín Bartolomé, s'est davantage axé sur les rivières et les fleuves. Quant à moi, je m'intéresse aux régions montagneuses.

À mesure qu'il montrait ses travaux au jeune médecin, celui-ci en oubliait ses craintes. Il raconta son expérience de matelot et reconstitua sur les plans les itinéraires de ses périples. Il appréciait la compagnie de cet homme aussi plaisant que passionnant. Son instinct lui soufflait qu'il pourrait trouver en lui un ami loyal.

33

Le témoin

La première semaine d'avril, un messager du bureau de l'*alguacil* informa Yonah que sa présence était requise, en qualité de témoin, devant le tribunal municipal quinze jours plus tard.

L'audience devait se tenir un jeudi. La veille au soir, le médecin descendit de sa chambre pendant que sa gouvernante prenait son bain hebdomadaire. Comme l'eau refroidissait, il décrocha la bouilloire suspendue au-dessus du feu et en versa le contenu dans le bac. Ils profitèrent de ce moment pour parler un peu de cette convocation devant la cour.

– C'est au sujet des deux garçons, expliqua-t-il.

L'affaire avait fait grand bruit dans la région. Deux camarades de quatorze ans, liés depuis leur plus tendre enfance, s'étaient disputés au sujet d'un cheval de bois assez rudimentaire avec lequel ils s'amusaient fréquemment ensemble. Chacun affirmait que le jouet lui appartenait. La querelle tourna vite à la bagarre et, s'ils avaient été plus âgés, elle se serait sans nul doute transformée en duel. Mais ils se contentèrent de coups de poing suivis d'une fâcherie.

L'incident aurait pu en rester là, mais les parents s'en mêlèrent, revendiquant la propriété de l'insignifiant objet.

Quand les deux adolescents se revirent, ils se lancèrent des pierres et l'un d'entre eux en reçut une sur la tempe droite. Il rentra chez lui le visage ensanglanté et sa mère fit immédiatement mander le docteur Callicó, qui soigna le blessé. Or, peu de temps après, ce garçon contracta une mauvaise fièvre et mourut. Les choses s'envenimèrent.

Yonah avait certifié aux parents bouleversés que leur fils avait succombé à une affection contagieuse et nullement des suites de sa plaie superficielle. Mais accablé de chagrin, le père avait porté plainte contre le jeune agresseur, l'accusant d'avoir provoqué le décès de son enfant.

L'*alguacil* avait alors fixé l'audience en question afin de déterminer s'il convenait d'inculper le garçon pour meurtre.

— C'est une tragédie dans laquelle vous êtes impliqué en tant que médecin, commenta Reyna. Mais qu'avez-vous donc à craindre ?

— J'ai entendu dire qu'un nouvel inquisiteur assez virulent avait été nommé à Saragosse. En témoignant, je contredirai une puissante famille de la cité et je redoute les dénonciations anonymes.

— Vous ne pouvez pourtant pas vous soustraire à cet ordre !

— Eh non ! De surcroît, il faut que justice soit faite. Je n'ai donc pas le choix. Je me rendrai au tribunal et je raconterai la vérité.

La petite salle d'audience, au dernier étage de l'hôtel de ville, était déjà bondée quand Yonah y pénétra. Les parents de l'accusé, José Pita et Rosa Menendez, l'accueillirent avec un signe de tête. Il les avait vus auparavant et leur avait clairement expliqué sa version des faits.

Leur fils Oliverio était assis, seul et silencieux, devant le magistrat Alberto Porreño, qui signala l'ouverture de la séance en frappant sa lourde chevalière sur la table.

Il appela son premier témoin.

— Señor Ramiro de Roda ?

— Oui, señor.

— Votre fils, Guillermo de Roda, est bien mort le 14 février de l'an de grâce 1502 ?

— C'est exact, señor.

— Par quoi son décès a-t-il été causé ?

— Il a reçu une pierre sur la tête, délibérément jetée sur lui.

Et cette blessure a entraîné une maladie fatale qui l'a emporté. Le médecin n'a pas pu le sauver.

— Qui a lancé le projectile ?

— Lui, répondit le père en désignant du doigt Oliverio, qui gardait les yeux baissés.

— Comment le savez-vous ?

— Un voisin commun, Rodrigo Zurita, a assisté à la scène.

— Le señor Zurita se trouve-t-il parmi nous ?

Un vieillard famélique à la barbe blanche se leva et le procureur se dirigea vers lui.

— Comment se fait-il que vous ayez aperçu les deux garçons en train de se battre ?

— Je prenais le soleil à l'extérieur de ma maison.

— Et qu'avez-vous vu ?

— Tout ! Le fils de José Pita a visé le pauvre Guillermo et l'a atteint en pleine face.

— Où, plus précisément ?

— Entre les yeux. Là, dit-il en montrant son front du doigt. Cela m'a immédiatement alerté parce que du sang et du pus coulaient de la blessure.

— Merci, señor.

Porreño s'adressa alors à Yonah.

— Señor Callicó, vous avez soigné la victime à la suite de l'incident ?

— Oui, señor.

— Quel était votre diagnostic ?

— La pierre n'a pas pénétré sa chair. Elle l'a plutôt éraflée près de la tempe droite.

— Elle ne l'a pas touché au front ?

— Non. La plaie se trouvait ici, juste au-dessus de l'oreille.

— Pouvez-vous la décrire ?

— Il s'agissait d'une égratignure assez bénigne. J'ai nettoyé le sang séché et j'ai trempé un chiffon dans du vin rouge pour faciliter la cicatrisation. D'ailleurs, je me souviens avoir pensé que l'adolescent avait eu de la chance. Si le caillou l'avait heurté un peu plus sur la gauche, ce choc se serait révélé bien plus grave.

— Le sang et le pus ne constituent pas un signe de gravité ?

Le praticien prit une grande inspiration avant de décréter sans ambages :

— Il n'y avait pas de pus.

Il croisa le regard furieux du voisin.

— Comment pouvez-vous certifier une telle chose ? demanda le procureur.

— On ne trouve pas de pus dans l'épiderme humain. Il ne suinte pas dès que la peau est écorchée. Il apparaît ultérieurement, quand la blessure s'infecte au contact d'un air malsain. Or je n'ai pas constaté la présence d'une telle substance sur ce patient, ni le jour même de l'accident, ni trois semaines plus tard. À ce moment-là, il ne subsistait sur son visage qu'une croûte propre et froide. La plaie était pour ainsi dire guérie.

— Pourtant, quinze jours après, le garçon trépassait.

— Oui, mais pas à cause de cette lésion.

— De quoi est-il mort, alors ?

— D'une affection caractérisée par une toux persistante, s'accompagnant de mucus dans les poumons et d'une forte fièvre.

— Par quoi est causée cette maladie ?

— Je l'ignore, señor. Je le regrette beaucoup d'ailleurs, parce que je rencontre des cas similaires à une fréquence décourageante et il arrive que les patients en meurent.

— Vous êtes par conséquent certain que la pierre lancée par Oliverio Pita n'a pas tué Guillermo de Roda ?

— Absolument.

— L'affirmeriez-vous sous serment, docteur ?

— Oui.

On apporta alors une bible. Yonah posa la main sur l'ouvrage et jura avoir témoigné de façon sincère et honnête.

Le juge hocha la tête et ordonna à l'inculpé de se lever. Il l'avertit qu'il s'exposerait à un châtiment sévère si le moindre de ses actes le conduisait à comparaître à nouveau devant la justice. Puis il le déclara libre, avant de clore l'audience en frappant un coup final sur la table.

José Pita pleurait en serrant son fils dans ses bras.

— Señor, nous vous serons redevables toute notre vie.

277

– J'ai seulement dit la vérité, lui répondit Yonah avant de s'esquiver.

En s'éloignant du centre, il tenta d'effacer de son esprit la haine qu'il avait lue dans les yeux de Ramiro de Roda. Le verdict n'y ferait rien : la famille de la victime n'en démordrait pas et considérerait toujours le jeune Oliverio comme coupable. Cependant, Yonah avait témoigné en toute conscience et estimait avoir rempli son devoir.

Venant de l'autre extrémité de la rue, trois cavaliers se dirigeaient vers lui. À mesure qu'ils approchaient, le médecin distingua deux hommes d'armes et un ecclésiastique en habit blanc et noir.

C'était un frère prêcheur.

Mon Dieu, non !

Malgré son embonpoint et sa tonsure, cerclée de cheveux grisonnants, l'identité du religieux ne faisait pas de doute.

Les trois individus l'avaient à peine dépassé quand il entendit sa voix.

– Señor !

Il fit demi-tour sur son cheval arabe et s'immobilisa.

– Vous ne m'êtes pas inconnu, il me semble.

– En effet, *fray* Bonestruca. Nous nous sommes rencontrés voici quelques années à Tolède.

– Ah oui... Rappelez-moi votre nom ?

– Ramón Callicó. J'étais venu pour livrer une armure au comte de Tembleque.

– Ça alors ! L'apprenti de Gibraltar ! J'ai pu admirer le magnifique ouvrage que vous aviez confectionné pour Fernán de Vasca. Il en est d'ailleurs très fier. Est-ce une mission similaire qui vous amène à Saragosse ?

– Non. J'y réside. Le Seigneur ayant rappelé à lui mon oncle et ancien professeur, l'armurier Manuel Fierro, je me suis rendu en cette cité pour suivre une initiation auprès de son frère, le médecin Nuño Fierro.

– Eh bien ! La vie vous a doté d'éminents parents !

– J'en conviendrais volontiers. Malheureusement, Nuño nous a lui aussi quittés. J'exerce aujourd'hui la médecine.

– Ah bon ? Alors nous aurons l'occasion de nous rencontrer, car je vais demeurer ici.

– Je suis sûr que Saragosse vous plaira. C'est une ville peuplée de bonnes gens.

– Vraiment ? Il s'agit d'une espèce fort rare. Pour ma part, j'ai découvert qu'une apparence de rectitude dissimulait souvent une face sombre beaucoup moins reluisante.

– Je n'ai aucune peine à le croire.

– En tout cas, il est fort agréable de croiser une connaissance quand on se retrouve déraciné. Il faut absolument que nous nous revoyions ! ajouta-t-il avec chaleur.

– Naturellement !

– En attendant, que le Christ soit avec vous !

– Le Christ soit avec vous, *fray* Bonestruca.

Sous le coup de l'émotion, Yonah reprit son chemin sans guère prêter attention au trajet. Les rênes lui échappèrent des mains et l'étalon alla de lui-même se repaître d'herbe fraîche, tandis que son cavalier brinquebalait sur la selle, perdu dans ses pensées.

Des années auparavant, il avait caressé le projet d'assassiner Bonestruca. Puis il l'avait utilisé pour se débarrasser de redoutables ennemis. Et voilà que l'homme resurgissait comme une ombre du passé, qu'ils en venaient à se côtoyer...

Il s'aperçut, presque étonné, qu'il ne tenterait plus de le tuer. Son unique souci, désormais, en tant que médecin, était la préservation de la vie. S'il versait le sang de quiconque, même à la barbe des autorités, cela compromettrait son intégrité de médecin. Vaincre la mort coûte que coûte était un sacerdoce. Cela surpassait tout : la religion, la culture, la famille et, a fortiori, l'amère satisfaction d'assouvir une vengeance qui, du reste, ne ressusciterait personne.

Pourtant il nourrissait une haine féroce à l'égard de Bonestruca et de Vasca, et son cœur ne pourrait jamais leur pardonner le meurtre de son père et de son frère. Dès lors, il se promit de garder l'œil sur l'ecclésiastique, dans l'espoir que les circonstances lui permettraient de le traîner devant la justice.

Ayant recouvré sa sérénité et sa détermination, il assena deux vigoureux coups de talon à son destrier et repartit sur le sentier conduisant à sa propriété.

34

Chez Bonestruca

La nouvelle affectation de *fray* Lorenzo de Bonestruca à Saragosse tenait davantage du blâme que de la promotion. En effet, lorsque Francisco Jiménez de Cisneros était devenu archevêque de Tolède, en 1495, il avait sollicité feu la reine Isabelle afin qu'elle se joignît à lui dans sa campagne visant à amender le clergé espagnol, égaré dans le vice et la corruption. Les ecclésiastiques s'étaient habitués à une vie d'opulence et possédaient, à titre personnel, d'immenses étendues de terre. En outre, ils jouissaient de tous les attributs de la richesse, employaient des serviteurs et entretenaient des liaisons amoureuses.

La souveraine et son confesseur se répartirent les diverses communautés catholiques. Elle se chargea des couvents et usa de son statut et de sa puissance pour persuader les nonnes, en brandissant tour à tour menaces et promesses, de retourner à l'existence austère dictée par la religion. L'archevêque, quant à lui, visita tous les prieurés et monastères, revêtu de la plus simple tenue brune et cheminant à dos de mule. Il inventoria leurs biens et incita les membres des communautés à céder aux pauvres tout ce qui relevait du superflu. Il restaura la tonsure obligatoire, symbolisant la couronne d'épines du Christ, et rasa même Bonestruca de ses propres mains.

Ce dernier ne put échapper pas à cette vague de réforme. Il n'avait pas résisté plus de quatre ans au célibat. Une fois qu'il eut goûté aux plaisirs de la chair, il y avait succombé sans retenue. Au cours des dix dernières années, il avait entretenu une maîtresse du nom de María Juana Salazar, à qui il avait donné cinq enfants. L'un était mort à la naissance, un autre à l'âge de six semaines. Sa relation avec cette femme présentait toutes les caractéristiques d'un mariage et il n'en faisait pas mystère, car il n'était pas le seul de ses pairs – loin s'en fallait – à cohabiter avec une femme.

Au début, les autorités chargèrent Cisneros de mettre Bonestruca en garde : le temps du laxisme était révolu et seule une authentique contrition, accompagnée de changements réels, lui vaudrait la clémence. L'intéressé ayant ignoré cet avertissement, il fut convoqué devant l'archevêque qui lui parla sans détour.

– Débarrassez-vous d'elle séance tenante, ou vous n'échapperez pas à mon courroux.

Bonestruca n'en eut cure et préféra recourir à un subterfuge. Il installa María Juana et ses petits dans un village à mi-chemin entre Tolède et Tembleque. Il leur rendait visite en secret et passait parfois plusieurs semaines sans les voir. De la sorte, il réussit à jouir de sa famille en toute impunité pendant encore six ans.

Mais un jour, il reçut une nouvelle notification de ses supérieurs et un prêtre dominicain lui annonça que, en raison de son insubordination, il était muté à l'Inquisition à Saragosse.

– Vous devez partir sur-le-champ. Et seul, lui déclara son interlocuteur, sardonique.

Le dominicain s'était plié à cet ordre sans broncher. Mais une fois arrivé sur place, il s'était vite rendu compte que ce prétendu châtiment représentait pour lui une aubaine et lui permettait de sauvegarder sa vie privée.

Environ un mois après avoir croisé l'inquisiteur, le médecin fut contacté par un novice : *fray* Bonestruca désirait le rencontrer immédiatement sur la Plaza Mayor. Il s'y rendit aussitôt et trouva le frère assis sous l'unique arbre de la grand-place.

– Venez, je vais vous conduire, lui dit ce dernier en se levant de son banc. Mais auparavant, je vous préviens : ne mentionnez devant personne ce que vous aurez vu ou fait, sinon ma colère s'abattra sur vous. Et elle peut être terrible. C'est bien compris ?

– C'est bien compris, répondit Yonah, en s'efforçant de conserver son calme.

Il chevauchait au pas derrière le religieux, à pied, qui tournait régulièrement la tête pour vérifier qu'ils n'étaient pas suivis. Arrivé à la rivière, il souleva sa robe pour traverser les eaux peu profondes. Plus loin se trouvait une *finca*, assez petite mais en bon état. Sur une fenêtre, quelques planches de bois neuf attestaient de récentes réparations.

L'inquisiteur entra sans frapper dans la mansarde, encombrée de sacs et de caisses encore fermés. Une femme se tenait au milieu de ce désordre, un nourrisson dans les bras et deux enfants agrippés à ses jupons.

– Je vous présente María Juana.

– Señora, dit le praticien avec une légère inflexion du buste.

Ses rondeurs, sa peau mate, ses grands yeux noirs, ses lèvres rouges et charnues : tout en elle respirait la sensualité.

– C'est le docteur Callicó, lui précisa son compagnon. Il va examiner Filomena.

Puis il ajouta à l'intention du médecin :

– C'est le bébé.

La petite souffrait d'une forte fièvre et présentait des lésions autour de la bouche. L'aînée, Hortensia, âgée de sept ans, semblait en bonne santé. Dionisio, cinq ans, paraissait très affaibli et un peu attardé. L'une de ses jambes était excessivement arquée. Il plissait les paupières, car il ne voyait pas bien. En l'observant de plus près, Yonah découvrit des zones opaques dans ses yeux, ainsi que la perforation du palais et la malformation des dents, symptômes typiques de la syphilis.

Bonestruca lui expliqua que ses trois enfants étaient arrivés de Tolède deux jours auparavant, ce qui justifiait leur fatigue.

– Quant aux plaies de Filomena, je pense qu'elles disparaîtront d'elles-mêmes, comme chez les deux autres.

– Hortensia a également été atteinte de ces symptômes ?

– Oui.

– Êtes-vous le père des trois petits, *fray* Bonestruca ?

– Bien sûr !

– Pardonnez mon indiscrétion, mais, dans votre jeunesse, avez-vous jamais contracté la vérole – *malum venereum* ?

– Tout homme de constitution normale connaît un jour ce mal, non ? Je me rappelle, j'étais couvert de pustules. Mais au bout d'un moment, j'ai été guéri et je n'en ai plus subi les manifestations.

Son interlocuteur hocha la tête doucement.

– Je vois... Eh bien, je crois que vous avez transmis cette maladie à votre... à María Juana.

– En effet.

– Et à son tour, elle a contaminé vos filles et votre fils à la naissance. La difformité de la jambe et les troubles de la vision qui ont frappé Dionisio proviennent de là.

– Alors, comment se fait-il que mon Hortensia ne présente pas ces déficiences ?

– Cette affection se traduit de diverses façons selon les individus.

– Quoi qu'il en soit, je suis sûr que, sous peu, la peau de Filomena redeviendra aussi lisse que de la soie, décréta le religieux.

– C'est certain, confirma Yonah.

« Mais les problèmes de votre garçon persisteront toute sa vie et qui sait quelles autres tragédies la syphilis apportera dans votre foyer... » songea-t-il.

Il prescrivit un baume pour le nourrisson avant de conclure :

– Je reviendrai voir la petite dans une semaine.

– Combien vous dois-je ? l'interrogea le frère en le reconduisant.

Comme il ne souhaitait aucunement encourager une quelconque relation d'amitié avec *fray* Bonestruca, il réclama ses honoraires habituels, sur le ton le plus professionnel possible.

Le lendemain, Evaristo Montalvo amena son épouse Blasa de Gualda au dispensaire.

– Elle a perdu la vue, señor, dit-il au médecin.

– Laissez-moi l'examiner.

Yonah l'approcha de la fenêtre et, à la lumière du soleil, distingua une opacité dans les deux cristallins. Apparemment, la cataracte avait atteint un stade avancé.

– Pouvez-vous me venir en aide ? implora la dame.

– Je ne vous promets rien, mais je peux essayer. Cependant, je vous préviens, il faudra opérer.

– Vous voulez inciser mes yeux ?

– En effet. Votre vision est occultée par une sorte de rideau qu'il convient de retirer.

– C'est que je désire tellement voir à nouveau !

– Vous ne retrouverez jamais votre perception d'autrefois, avertit le praticien. Même si l'intervention réussit, vous ne distinguerez pas les objets trop éloignés.

– Cela me permettra donc au moins de cuisiner, voire de coudre, n'est-ce pas ?

– Certes... Mais si nous échouons, votre cécité sera irrémédiable.

– Que m'importe ! Je suis déjà aveugle. Je vous en prie, docteur, prenons ce risque !

Yonah lui donna rendez-vous pour le lendemain matin. Il passa l'après-midi à préparer ses instruments et la table opératoire ainsi qu'à relire les enseignements de Borgognoni sur le sujet.

– J'aurai besoin de votre aide, déclara-t-il le soir même à Reyna.

Puis il lui montra comment il voulait qu'elle relevât la paupière de la patiente pour l'empêcher de cligner.

– Mais je n'aurai peut-être pas le courage de regarder pendant que vous inciserez, objecta la gouvernante.

– Vous détournerez la tête. Le principal, c'est de maintenir l'œil bien ouvert. Vous y arriverez ?

La servante haussa les épaules d'un air dubitatif avant de soupirer :

– J'y tâcherai.

Le jour suivant, le couple revint comme prévu. Yonah envoya le mari faire un tour et administra à son épouse deux tasses d'alcool fort mélangé à une poudre soporifique.

Reyna et lui aidèrent Blasa de Gualda à s'allonger sur la table. Puis ils lui sanglèrent les poignets, les chevilles et le front, afin de l'immobiliser.

Le médecin choisit le plus petit scalpel et fit signe à son assistante :

— Nous allons commencer.

Effrayée par la lame, la patiente s'étrangla en inspirant.

— Ce ne sera pas long, assura le chirurgien.

Il effectua de minuscules incisions autour du cristallin gauche, qu'il rabattit et fit glisser jusqu'à l'extérieur de l'orbite à l'aide de la pointe de son instrument. Après quoi, il réitéra l'opération du côté droit.

— Merci, dit-il à la gouvernante. À présent, vous pouvez relâcher sa paupière.

Ils détachèrent la femme et recouvrirent ses yeux fermés de compresses fraîches et humides.

Au bout d'un moment, le praticien ôta les linges et se pencha sur Blasa. Des larmes lui coulaient sur les joues. S'agissait-il d'un réflexe mécanique ou pleurait-elle d'émotion ? Yonah n'aurait su le dire. Il essuya doucement la face de la vieille femme.

— Señora Gualda, à présent, ouvrez les yeux.

Ses paupières frémirent et se plissèrent sous la lumière du jour. Elle tourna la tête vers lui.

— Vous avez un très beau visage, docteur, murmura-t-elle en souriant.

Quel sentiment étrange de constater qu'un individu que l'on méprise et que l'on hait se comporte comme un père attentionné et affectueux !

Yonah espérait que Bonestruca serait absent lors de sa visite suivante. Mais, à sa grande déception, ce fut le dominicain lui-même qui vint lui ouvrir. Les trois enfants semblaient remis du déménagement et le médecin discuta de leur alimentation avec leur mère. Celle-ci précisa avec fierté qu'ils mangeaient depuis toujours de la viande et des œufs en abondance.

— Quant à moi, je bois régulièrement un très bon vin et j'insiste pour le partager avec vous, déclara le religieux d'un ton égrillard.

À l'évidence, cette offre ne souffrait aucun refus. Yonah le suivit dans un bureau où il dut lutter afin de ne pas perdre son sang-froid. Sur les étagères étaient exposés les trophées de guerre de l'inquisiteur : des phylactères, une kippa et un rouleau de la Torah.

Tout en sirotant son verre, le praticien s'efforçait de ne pas regarder cet objet sacré si cher à son cœur. Il cherchait un prétexte pour pouvoir enfin s'éclipser de la demeure de son vieil ennemi lorsque ce dernier lui demanda à brûle-pourpoint :

— Connaissez-vous le jeu turc qu'on appelle les dames ?

— Je n'en ai jamais entendu parler.

— Il s'agit d'un remarquable exercice de l'esprit. Je vais vous y initier.

Consterné, son invité le vit se lever et extraire de la bibliothèque un plateau de bois et deux bourses de tissu qu'il posa entre eux. Le plateau se composait de cent cases alternativement blanches et noires. Les sachets contenaient chacun vingt petites pierres lisses, sombres dans l'un et claires dans l'autre.

Bonestruca tendit les plus foncées à Yonah et lui dit de les placer sur les quatre premiers rangs des cases noires devant lui comme il le faisait lui-même.

— De la sorte, nous disposons chacun de quatre lignes de soldats. Nous sommes en guerre, señor !

Le jeu consistait à avancer, chacun son tour, une pierre en diagonale, sur une case vide adjacente.

— Si l'un de mes combattants se trouve entre l'un des vôtres et une case vide, vous devez vous en emparer et l'éliminer. Les déplacements s'effectuent toujours vers l'avant. Lorsqu'un héros atteint la dernière rangée ennemie, il « fait dame » et on le couronne d'un pion supplémentaire. Ainsi, un pion double peut aussi se mouvoir en arrière, car personne n'a le droit d'ordonner à un souverain la direction qu'il doit suivre. Une armée est vaincue quand tous les soldats sont capturés ou bloqués.

Le religieux remit toutes les pièces en place.

— Et maintenant, à nous deux, docteur !

Ils se livrèrent cinq batailles. Les deux premières furent rapidement gagnées par Bonestruca, mais au moins Yonah saisit-il qu'aucun coup ne pouvait être laissé au hasard. À plusieurs reprises, son adversaire le trompa en sacrifiant l'un de ses guerriers afin de capturer davantage d'ennemis. Finalement, le médecin parvint à reconnaître certains pièges et à les esquiver.

– Ah ! Vous apprenez vite ! Vous deviendrez très bientôt un opposant intéressant !

Ce jeu exigeait une attention constante et un examen permanent des positions des deux armées, de manière à évaluer les intentions de l'adversaire et les possibilités tactiques. Au bout de la cinquième partie, le néophyte avait déjà déployé un certain nombre de défenses contre les manœuvres sournoises de son hôte. Celui-ci lui fit compliment de son adresse, tout en s'emparant de son dernier pion :

– Vous êtes aussi rusé qu'un renard !

– Je suis désolé, mais je dois partir, déclara Yonah à contre-cœur.

– Soit. Mais il faut absolument que vous reveniez pour disputer d'autres batailles. Pourquoi pas demain ou après-demain après-midi ?

– Je crains que mes journées ne soient accaparées par mes patients.

– Vous êtes un médecin très couru, je vois ! Alors rejoignez-moi ici mercredi en fin d'après-midi. Je vous attendrai.

Pourquoi pas ? se demanda Yonah. Après tout, cette distraction mettait au jour des stratégies révélatrices de la personnalité de l'inquisiteur, et l'aiderait à mieux le cerner.

– Entendu, répliqua-t-il.

Le soir convenu, les deux hommes se retrouvèrent et passèrent le temps à boire du bon vin et à croquer des amandes tout en déplaçant leurs pions. Le médecin tentait de déceler les intentions de son adversaire sur son visage, mais ses expressions ne trahissaient rien de ses pensées. Ils disputèrent cinq parties et chacune lui révéla de nouvelles subtilités.

– Les batailles durent plus longtemps à présent, constata son hôte.

Lorsqu'il suggéra de prendre rendez-vous pour la semaine suivante, son invité acquiesça de bon gré.

— Je vois que ce jeu a conquis votre âme ! lança le frère en souriant.

— Seulement mon esprit, *fray* Bonestruca, rétorqua Yonah.

— Alors je me chargerai de votre âme, señor !

Au bout de la quatrième soirée, Yonah réussit enfin à remporter une partie. Plusieurs semaines s'écoulèrent sans qu'il parvînt à terrasser son adversaire et, au bout d'un certain temps, il commença à le battre assez régulièrement.

Bien que Bonestruca l'accueillît toujours avec une chaleur désarmante, le médecin ne baissait jamais sa garde, conscient que son hôte avait sa part de ténèbres, susceptible de rejaillir à tout moment. Il avait en effet compris que l'inquisiteur se comportait aux dames comme dans l'existence : en employant la feinte, la tromperie, la manipulation pour avoir raison de ses opposants.

— Après tout, vous ne disposez pas d'un intellect aussi fin que cela, conclut le frère après une victoire facile et écrasante.

Pourtant, il insistait toujours pour qu'ils se revoient dans les plus brefs délais et Yonah y consentait malgré lui.

Un mercredi soir, l'ecclésiastique lui annonça triomphalement, après avoir capturé l'un de ses pions :

— Je suis à Saragosse depuis peu et j'ai déjà démasqué un juif !

— Vraiment ? répondit Yonah sur un ton désinvolte, tout en avançant un de ses soldats pour contrecarrer l'attaque.

— Vous savez, l'un de ces relaps qui prétend être un ancien chrétien.

Le dominicain parlait-il de lui ? Il garda les yeux fixés sur le damier et captura deux pions adverses. En relevant la tête, avec un calme qui l'étonna lui-même, il commenta la nouvelle :

— Votre âme s'en réjouit. Je le devine à votre voix.

— Ne dit-on pas : « Qui sème le vent récolte la tempête » ?

Qu'il aille au diable ! pensa le praticien en fixant son interlocuteur dans les yeux.

– N'est-il pas aussi écrit : « Bienheureux les miséricordieux ; c'est à eux que miséricorde sera faite » ?

Bonestruca sourit. À l'évidence, cette joute verbale l'amusait beaucoup.

– Certes, mais réfléchissez à ceci. « Je suis la résurrection et la vie. Celui qui croit en moi, encore qu'il soit mort, vivra. Et quiconque vit et croit en moi ne mourra point, à jamais. » Ne peut-on dès lors considérer comme un acte de miséricorde le fait de sauver une âme immortelle de l'enfer ? Car c'est ce que nous faisons lorsque nous réconcilions le cœur des juifs avec le Christ avant de les exécuter. Nous mettons un terme à leur existence pécheresse et leur octroyons la paix et la gloire pour l'éternité.

– Et ceux qui refusent cette réconciliation ?

– Comme nous l'enseigne saint Matthieu : « Si ton œil droit est pour toi une occasion de chute, arrache-le et jette-le loin de toi ; car il est avantageux pour toi qu'un de tes membres périsse et que ton corps ne soit pas jeté dans la géhenne. »

Sur ce, il ajouta d'un air malicieux que le mécréant en question serait arrêté d'une minute à l'autre.

Yonah passa la nuit et le jour suivants étreint par l'angoisse. Il était prêt à s'enfuir, mais connaissait suffisamment l'inquisiteur pour savoir que cette mention d'un hérétique pouvait n'être qu'un piège. À supposer que Bonestruca eût lancé un tel appât, mieux valait ne pas y mordre et vaquer à ses obligations sans lui donner satisfaction.

Il se rendit donc au dispensaire comme tous les matins et, l'après-midi, il effectua sa tournée quotidienne au domicile de ses patients. Il venait de rentrer à l'hacienda quand deux soldats de l'*alguacil* arrivèrent sur ses terres. Il s'attendait à ce type de visite et conservait son arme à portée de la main. Se soumettre à l'Inquisition était inutile. Si son épée parvenait à vaincre les deux hommes, il pourrait déguerpir et se réfugier ailleurs ; en cas de défaite, il quitterait ce bas monde plus paisiblement que sur le bûcher.

L'un des gardes s'inclina devant lui avec déférence.

— Señor Callicó, l'*alguacil* demande que vous nous suiviez sur-le-champ jusqu'à la prison de Saragosse, où l'on a besoin de vos compétences.

— Dans quel but ? s'enquit le médecin, méfiant.

— Un juif a tenté de se trancher la queue, répliqua son interlocuteur sans ambages, tandis que son acolyte ricanait.

— Comment s'appelle-t-il ?

— Bartolomé.

Il reçut cette nouvelle comme un coup en plein cœur. Il se remémora la superbe demeure, et son hôte si raffiné et intelligent.

— Vous parlez de don Berenguer Bartolomé, le cartographe ?

— Lui-même, répondit le cavalier en crachant.

Dans la prison, un jeune prêtre en robe noire, assis derrière une table, notait le nom des visiteurs.

— Nous avons amené le médecin, lui annonça le soldat.

— Le señor Bartolomé a brisé une cuvette et tenté de se circoncire avec un tesson, expliqua le religieux à Yonah.

Ce dernier fut conduit jusqu'à la cellule du détenu et le geôlier verrouilla la porte derrière lui en lui disant :

— Quand vous en aurez fini, appelez-moi et je vous ouvrirai.

Le descendant de l'éminent savant qui avait dessiné les côtes espagnoles, issu lui-même d'une prestigieuse lignée, gisait à présent sur le sol infect, dans des habits maculés de sang et empestant l'urine.

— Veuillez me pardonner, murmura le praticien avant de retrousser les pans du vêtement pour découvrir la nudité de son patient.

De sa sacoche, il produisit une flasque d'alcool fort que le blessé avala à grandes gorgées.

Le pénis était dans un état lamentable. Le prépuce avait presque entièrement été découpé, mais avec une telle maladresse qu'il en subsistait encore quelques lambeaux.

Comment a-t-il pu s'infliger une telle torture ?

Le chirurgien savait combien sa douleur était intense et déplorait de l'amplifier encore. Cependant, il s'y voyait contraint. Au moyen de son scalpel, il effectua une incision plus propre, afin de retirer les vestiges de peau.

Lorsqu'il eut fini, il enduisit la plaie de baume avant de la panser.

— Il faudra une quinzaine de jours pour que cela cicatrise, dit-il au cartographe en sueur et haletant. D'ici là, vous aurez encore mal. Alors ne remettez pas vos chausses. Si vous avez froid, drapez-vous dans une couverture, mais faites en sorte qu'elle ne soit pas au contact de votre membre.

Ils se regardèrent en silence. Yonah secoua la tête.

— Pourquoi avez-vous fait cela ? Qu'aviez-vous à y gagner ?

— Vous ne pouvez pas comprendre.

Le médecin soupira et hocha la tête.

— Je reviendrai demain, si on m'y autorise. Y a-t-il autre chose que vous souhaitiez me demander ?

— Si vous pouviez apporter des fruits à ma mère...

— Elle est ici ? s'étonna le médecin, interloqué.

— Toute ma famille. Y compris ma sœur Monica, son époux Andrés et mon frère Geraldo.

— Je ferai de mon mieux, lui certifia son visiteur.

Il héla le garde pour qu'il le laissât sortir et rejoignit le prêtre. Il n'eut pas le temps de s'enquérir du bien-être des autres captifs. L'homme d'Église lui demandait déjà :

— Pourriez-vous examiner doña Sancha Berga ? Je crois qu'elle a terriblement besoin d'aide.

Il paraissait sincèrement troublé et inquiet.

— Bien volontiers, répliqua Yonah.

La vieille dame jadis si élégante et si digne semblait brisée.

— C'est le docteur Callicó, lui murmura doucement l'ecclésiastique.

Elle tourna la tête vers ses visiteurs sans les voir. Sa cataracte s'était accentuée et le chirurgien songea un instant qu'elle était arrivée à maturité, mais qu'il n'aurait pas l'occasion de l'opérer.

— Je suis... blessée, señor.

— Comment est-ce arrivé ?

— Ils m'ont torturée sur le chevalet.

Elle paraissait à bout de forces. Son épaule droite était disloquée et le médecin la remit en place avec l'aide du religieux. Sancha Berga poussa un cri, puis éclata en sanglots.

— Mes enfants ! Mes enfants chéris ! dit-elle en hoquetant. Je les ai condamnés !

Yonah quitta la cellule le cœur gros.

— Qu'en dites-vous ? lui demanda le prêtre.

— Compte tenu de son grand âge, ses os sont devenus très fragiles. Je crois qu'elle n'en a plus pour longtemps.

Le lendemain, il retourna à la prison nanti de raisins, de dattes et de figues. Don Berenguer souffrait encore le martyre. Pourtant, ses premiers mots furent pour sa mère.

—Vous l'avez vue ?

— Oui. Je m'efforce de la soulager.

— Merci beaucoup, lui répondit le prisonnier avec une telle gratitude dans les yeux que le praticien ne put soutenir son regard.

— Comment tout cela s'est-il produit ? demanda-t-il.

— Nous sommes des chrétiens de vieille souche du côté de mon père. Mais mes grands-parents maternels étaient des juifs convertis. Ils avaient conservé certains rituels anodins dans lesquels maman a grandi et qu'elle nous a aussi transmis. Elle nous racontait des anecdotes de son enfance. Le vendredi soir, elle allumait des bougies et nous réunissait autour d'un somptueux dîner au cours duquel nous bénissions la nourriture et le vin. J'ignore encore à ce jour pourquoi elle agissait ainsi. J'imagine que cela représentait pour elle un témoignage de fidélité envers ses chers disparus.

— Je vois.

— Elle a été dénoncée. Pourtant, elle n'avait pas d'ennemi. Seulement, elle venait de renvoyer une servante qu'elle avait retrouvée ivre à plusieurs reprises.

— Nous vivons une époque effroyable, où le moindre ressentiment peut entraîner une calomnie aux conséquences terribles.

— J'ai entendu les hurlements de ma mère pendant qu'on la torturait. C'était atroce, insoutenable. Par la suite, j'ai appris

292

qu'elle avait avoué que nous tous, même mon défunt père, étions impliqués dans un complot.

— Pauvre femme !

— Alors j'ai su que nous étions perdus. J'ai été élevé comme un pur catholique, mais dans mes veines coule un sang mêlé. Après mon arrestation, je me suis senti déchiré entre deux identités. Et dans mon désespoir, je me suis dit que, quitte à être brûlé comme juif, je préférais me présenter devant mon Créateur en tant que tel. Voilà ce qui m'a conduit à vouloir me circoncire.

Il secoua la tête, d'un air las et résigné, et répéta, comme la veille :

— Vous ne pouvez pas comprendre.

— Détrompez-vous, don Berenguer, lui répondit Yonah. Je vous comprends fort bien.

Il se dirigeait vers la porte de la prison lorsqu'il entendit un garde s'adresser au jeune prêtre :

— J'y vais tout de suite, *padre* Espina.

Le médecin se figea, puis revint sur ses pas.

— Vous vous appelez Espina ?

— Oui. Francisco Rivera de la Espina. Pourquoi ?

— Seriez-vous le fils d'Estrella de Aranda ?

— C'était bien ma mère, paix à son âme. Pourquoi ? Nous nous connaissons ?

— Vous êtes bien né à Tolède ?

— Oui, répliqua le religieux, perplexe.

— Alors je dois vous remettre un objet qui vous revient.

35

Mission accomplie

Lorsque Yonah rapporta le bréviaire à la prison, le jeune prêtre le conduisit le long d'un étroit corridor jusqu'à un réduit humide où ils purent s'asseoir à l'abri des regards indiscrets. Il s'empara du livre comme s'il s'agissait d'un objet maléfique. Il l'ouvrit de ses mains tremblantes, osant à peine le toucher, et lut tout haut la dédicace manuscrite au verso de la couverture :

– « À mon fils, Francisco Rivera de la Espina, ces dévotions quotidiennes adressées à Jésus-Christ notre Sauveur, avec l'amour de son père sur cette terre. Bernardo Espina. »

Il referma l'ouvrage froidement.

– Quelles paroles étranges venant d'un homme condamné pour hérésie !

– Votre père n'était pas un hérétique.

– Au contraire. Il a même été brûlé pour cela, à Ciudad Real. J'étais encore un petit garçon, mais on m'a tout raconté. Je connais bien son histoire.

– Alors, le récit qu'on vous en a fait était faux ou tronqué, *padre*. Je me trouvais moi-même à Ciudad Real et j'ai vu Bernardo tous les jours, juste avant sa mort. Je l'avais rencontré durant mon enfance. C'était un médecin aux qualités professionnelles et humaines rares.

– Vous êtes sûr de ce que vous affirmez, señor ?

– Absolument. Votre père était innocent de ce dont on l'accusait.

– Vous me dites bien la vérité ? demanda le religieux à voix basse.

– Je l'ai constaté de mes yeux. Dans sa cellule, il récitait chaque jour les prières de ce livre. Il invoquait encore le Seigneur en poussant son dernier soupir. La veille de son exécution, abandonné de ses amis, il m'a demandé de partir à votre recherche et de vous remettre son bréviaire. Et j'ai tenté de vous localiser au cours de mes nombreuses pérégrinations.

Le *padre* Espina semblait habitué à dissimuler ses émotions. Pourtant, sa pâleur trahissait son trouble.

– C'est notre sainte Mère l'Église qui m'a élevé. Mon père a toujours représenté la honte de ma vie. Son apostasie m'a été maintes fois jetée au visage, de sorte que je ne suis pas son exemple.

– Et pourtant vous pouvez être fier de lui, car jamais je n'ai rencontré chrétien plus pieux ni homme plus intègre.

Ils conversèrent longtemps. L'ecclésiastique confirma ce que son ancienne voisine de Tolède avait jadis relaté à Yonah. Sa mère était morte au couvent de la Sainte-Croix et ses trois enfants avaient été recueillis par des cousins. À l'âge de dix ans, ces parents l'avaient placé chez les dominicains et ses deux sœurs avaient pris le voile.

– Je ne les ai pas revues depuis. J'ignore ce qu'il est advenu de Domitila, si elle est encore de ce monde. En revanche, j'ai appris, voici deux ans, que Marta vivait dans une abbaye à Madrid. J'espère lui rendre visite un jour.

Le médecin décrivit sommairement son propre parcours : son expérience de commis dans la prison de Ciudad Real, ses deux apprentissages chez Manuel et Nuño Fierro.

S'il ne pouvait tout révéler de son existence à son interlocuteur, il sentait de manière confuse que ce dernier ne s'autorisait pas non plus à lui parler librement. Le prêtre n'occupait qu'une fonction temporaire au bureau de l'Inquisition. À l'évidence, il ne disposait pas de la sévérité nécessaire pour remplir cette mission répressive.

— J'ai reçu l'ordination voilà huit mois et je quitterai Saragosse dans quelques jours. L'un de mes maîtres, le *padre* Enrique Sagasta, a été nommé évêque auxiliaire de Tolède. Il a fait en sorte que je sois muté auprès de lui, en qualité d'assistant. C'est un érudit et un historien de renom et il m'a encouragé à marcher sur ses traces. Je m'apprête donc à commencer mon apprentissage sous sa férule.

— Le docteur Espina se réjouirait de la voie que vous avez choisie.

— Je ne vous remercierai jamais assez, senõr. Vous m'avez restitué mon père.

Tous deux se levèrent et se dirigèrent vers la sortie.

— Pourrais-je revenir demain voir mes patients ? demanda le praticien.

Le *padre* parut mal à l'aise. Il ne voulait pas faire preuve d'ingratitude à son égard, mais ne pouvait sans doute pas lui accorder de trop grandes faveurs, au risque de s'attirer des problèmes.

— Le matin seulement. Cependant, je vous préviens, ce sera votre dernière visite auprès d'eux.

Le lendemain, on l'informa que doña Sancha Berga s'était éteinte dans la nuit. Il rapporta la triste nouvelle à don Berenguer, qui ne flancha pas.

— Je suis heureux de la savoir enfin libérée.

Les autres membres de la famille avaient été notifiés qu'ils étaient condamnés pour hérésie et qu'ils seraient exécutés sous peu lors d'un autodafé.

Yonah savait qu'il n'existait aucune façon délicate d'exprimer le fond de sa pensée.

— Le bûcher est la pire fin au monde, dit-il.

— Quel besoin avez-vous de m'assener des propos aussi cruels ? s'indigna le prisonnier. Vous pensez que je n'en ai pas conscience ?

— Il y aurait un moyen de l'éviter.

— Ah oui ! Et lequel, je vous prie ?

— En vous réconciliant avec l'Église.

Son interlocuteur lui darda un regard glacial.

— Ah çà ! Mais, señor médecin, il est bien trop tard ! rétorqua-t-il avec un sourire las.

— Pour échapper à la mort, oui. Mais pas pour abréger vos souffrances et succomber au garrot.

— Vous pensez donc que je me suis mutilé sur une simple folie ! Je ne vous ai pas assez dit ma détermination de mourir en juif ?

— Vous pouvez le demeurer dans votre cœur. Feignez la contrition et achetez votre délivrance. Selon la loi de Moïse, la religion hébraïque se transmet par la mère et c'est une chose qu'on ne perd jamais. Peu importe ce que vous déclarez, vous êtes et serez toujours juif.

Berenguer baissa les yeux. Il réfléchit un instant et rétorqua, plus résolu que jamais :

— Non. Cela constituerait un acte de couardise et me dépouillerait de la seule dignité, de la seule noblesse que je pourrais trouver dans mon trépas.

— Je ne vois aucune lâcheté là-dedans. D'ailleurs, la plupart des rabbins s'accordent pour dire que la conversion n'est pas un péché si elle représente l'unique expédient pour sauver sa vie.

— Que savez-vous des rabbins et de Moïse ? lança le détenu avant de s'arrêter net, saisi par l'évidence.

Il regarda alors son visiteur, abasourdi.

— Mon Dieu ! C'est impossible !

Yonah le coupa dans son élan :

— Avez-vous des contacts avec les autres ?

— Parfois nous sortons dans la cour pour nous dégourdir les jambes et nous échangeons quelques mots.

— Alors passez-leur le message.

— Ma sœur et son mari sont des catholiques fervents. Ils se repentiront d'eux-mêmes. Mais j'en parlerai à mon frère.

— Je n'aurai plus la permission de vous revoir, ajouta le médecin.

La gorge serrée, il s'approcha du condamné et le serra dans ses bras.

– J'espère que nous nous croiserons dans un monde plus heureux, lui dit ce dernier. La paix soit avec vous.

– La paix soit avec vous.

Le garde ouvrit la porte, qui claqua derrière lui avec la sécheresse d'un couperet.

Ce mercredi-là, en plein milieu d'une partie que Yonah s'apprêtait à gagner, *fray* Bonestruca se leva subitement pour divertir ses enfants. Il se mit à grimacer et à sautiller de tous côtés en gloussant joyeusement. Malgré ce qu'elles avaient d'incongru, ses gamineries avaient un côté charmant, et son jeune public semblait aux anges. Dionisio courut vers son père et lui lança une petite balle en bois. Hortensia, riant aux éclats, le pointait du doigt. Blottie dans les bras de sa mère, Filomena ne le lâchait pas des yeux.

Cependant, à mesure que le frère continuait ses pitreries, son sourire disparut, sa voix se fit rauque et moins enjouée, son visage se distordit en un rictus amer. Il gesticulait toujours, son habit noir virevoltant autour de lui, mais à présent, il offrait la vision monstrueuse d'un sorcier en proie à la plus effroyable des rages.

Les petits se figèrent, stupéfaits, puis s'écartèrent de lui avec précaution, muets de terreur. María Juana les réconforta d'une voix douce en les faisant sortir au plus vite de la pièce.

Yonah se vit contraint de contempler sans bouger cette danse frénétique, dont les mouvements ralentirent peu à peu. Finalement, épuisé, le religieux épuisé se laissa tomber à genoux.

Sa compagne vint lui passer un linge humide sur la face et lui porta du vin. Il en but deux verres et elle l'aida à se réinstaller sur sa chaise avant de sortir.

Le dominicain mit un moment à relever la tête.

– Je suis parfois victime de sortilèges.

– Je vois.

– Vraiment ? Et que voyez-vous, señor Callicó ?

– Rien, señor. C'était seulement une façon de parler.

– Ce genre de crise s'est déjà produite en présence de prêtres et de frères avec lesquels je travaille. Ils m'épient.

Était-ce un fantasme issu de son esprit dérangé ? s'interrogea le médecin.

– Ils m'ont suivi jusqu'ici. Ils savent pour María Juana et les enfants.

Voilà qui, au moins, paraissait vraisemblable.

– Qu'encourez-vous ? demanda Yonah.

Son interlocuteur haussa les épaules.

– Je crois qu'ils attendent de voir s'il s'agit de manifestations passagères. Selon vous, à quoi est dû cet envoûtement ?

Le praticien avait diagnostiqué une forme de démence, mais ne souhaitait pas choquer le malade. Il se rappela la corrélation qu'avait évoquée Nuño entre la folie et la syphilis.

– Je ne peux pas l'affirmer, mais peut-être votre état a-t-il un rapport avec la vérole.

– Impossible ! Ce mal ne m'a plus atteint depuis bien longtemps. Pour ma part, je suis convaincu que Satan tente de s'approprier mon âme. Je dois rassembler des efforts surhumains pour lutter contre le diable, mais chaque fois, j'ai réussi à le repousser.

Yonah ne savait que répondre. Fort heureusement, son hôte concentra à nouveau son attention sur le damier.

– Était-ce à vous ou à moi de jouer ?

– À vous, señor.

Ils reprirent la partie en cours. Yonah se sentait perturbé et perdit sans lutter. Son opposant, quant à lui, ayant recouvré tous ses moyens, se réjouit ostensiblement de sa victoire.

Malgré l'avertissement de *padre* Espina, le médecin se rendit le lendemain à la prison. Il fut accueilli par un prêtre assez âgé qui lui refusa formellement l'accès aux cellules.

L'autodafé eut lieu une semaine plus tard. La veille, Yonah dut s'absenter pour plusieurs jours, afin d'examiner des patients résidant à quelques dizaines de lieues de Saragosse.

Il redoutait d'en avoir trop dit à Berenguer, qui aurait pu, sous la torture, révéler l'identité d'un autre hérétique. Mais ses craintes n'étaient pas fondées.

299

À son retour, nombre de ses malades furent heureux de lui narrer l'exécution publique avec moult détails. Tous les membres de la famille Bartolomé avaient embrassé la croix et étaient morts étranglés par le garrot, avant qu'on incinère leurs corps.

36

Le jeu de dames

Lorsque Yonah reparut à la *finca*, il fut saisi d'effroi. María Juana avait la joue et l'œil gauches contusionnés et les bras de la petite Hortensia étaient couverts d'hématomes.

Bonestruca le salua évasivement et se montra très laconique pendant la soirée. Il remporta la première partie de justesse mais, au cours de la seconde, il commit erreur sur erreur. Son adversaire avait l'avantage. C'est alors que Filomena se mit à pleurer.

Le dominicain se leva d'un bond et rugit :

— Je veux le calme !

Sa compagne emmena les enfants dans l'autre pièce et les deux hommes poursuivirent leur jeu dans un silence absolu, seulement troublé par le fracas des pions sur le damier.

Au cours de la troisième manche, la maîtresse de maison apporta un plat de dattes. Le religieux la suivit d'un regard exaspéré jusqu'à ce qu'elle eût quitté les lieux. Puis il demanda au médecin :

— Où habitez-vous ?

— Dans une hacienda à l'extérieur de Saragosse.

— Nous nous retrouverons chez vous la semaine prochaine.

Comme tout le monde à Saragosse, Reyna connaissait l'inquisiteur de réputation et sa visite ne l'enchantait guère. Elle le pria d'entrer et l'invita à s'asseoir à son aise, puis

301

annonça son arrivée à Yonah. Après leur avoir servi du vin, elle se retira aussi vite que possible.

Le lendemain, elle ne posa aucune question à son maître. Elle avait toujours pris soin de ne pas outrepasser ses fonctions et de rester à sa place de servante en toute occasion – sauf dans l'intimité d'une chambre. Une semaine plus tard, elle alla séjourner dans son village natal pendant trois jours. À son retour, elle informa Yonah qu'elle y avait acheté une maison et qu'elle quittait son travail.

– Quand ? demanda le médecin, surpris.

– Très bientôt.

– Mais pour quelle raison ? N'êtes-vous pas heureuse sous mon toit ?

– Je veux rentrer chez moi. Nuño m'a laissé assez d'argent pour vivre largement.

– Vous me manquerez beaucoup, balbutia-t-il.

– Pas tant que cela !

Yonah protesta, mais elle l'interrompit.

– Allons ! Je suis assez vieille pour être votre mère. Il est certes agréable de partager de la tendresse, comme nous le faisons parfois. Mais je vous considère surtout comme un fils ou un neveu que j'aime de tout mon cœur.

Puis elle ajouta :

– Ne vous inquiétez pas. Je vous enverrai une fille robuste et travailleuse pour me remplacer.

Dix jours plus tard, un garçon de son village aidait Reyna à charger son ballot dans une carriole tirée par un âne.

– Êtes-vous certaine de votre décision ? lui demanda le médecin.

Pour toute réponse, elle lui caressa la joue en un geste affectueux mêlé de respect, signifiant un irrévocable adieu.

Elle se cala dans la charrette qui s'ébranla, laissant un vide atroce dans la maison.

Yonah avait oublié le goût de la solitude. Il se plongea à corps perdu dans son travail, voyageant toujours plus loin pour soigner les malades, s'attardant en leur compagnie, bavardant avec les commerçants de leurs affaires et avec les fermiers de leurs récoltes, recherchant les contacts humains à la moindre occasion. Sur la propriété, il tailla une douzaine d'oliviers. Il se consacra également davantage à sa traduction du *Canon* d'Avicenne. Il approchait de la fin de son labeur et cela décuplait sa motivation.

Fidèle à sa promesse, Reyna lui dépêcha une robuste gaillarde. Carla Santella ne rechignait pas à la tâche et tenait bien la maison, mais ne se montrait guère loquace et se révélait piètre cuisinière. Il la congédia au bout d'à peine un mois. Vint le tour de Petronila Salva, une veuve aux talents culinaires confirmés, mais qui l'abrutissait de bavardages. Elle resta quatre jours.

Après quoi la servante ne lui envoya plus de candidates.

Il appréhendait désormais ses rencontres avec Bonestruca, ne sachant pas s'il aurait affaire à l'adversaire brillant ou à l'individu imprévisible et colérique, susceptible de perdre la raison d'un instant à l'autre.

Un mercredi soir, María Juana le conduisit dans le bureau. Le frère était assis devant la table sur laquelle était posé un livre ouvert. Le religieux étudiait son propre visage dans un petit miroir.

Il ne parut pas remarquer la présence de son visiteur. Puis soudain, il lui demanda, de but en blanc :

— Voyez-vous les stigmates du Malin sur ma physionomie, docteur ?

Yonah choisit ses mots avec précaution.

— Je vois un visage des plus harmonieux.

— Des traits pleins de grâce ?

— Très beaux, señor.

— La face d'un homme juste ?

— Celle d'un être que le temps n'a pas altéré.

— Connaissez-vous le long poème de l'auteur florentin Dante Alighieri, intitulé *La Divine Comédie* ?

— Non, señor.

— Quel dommage !

Il tourna les yeux vers son interlocuteur.

– La première section de ce texte décrit les profondeurs de l'enfer.

Un lourd silence s'abattit sur la pièce. Mal à l'aise, le médecin finit par le rompre :

– Cet écrivain est mort depuis longtemps, n'est-ce pas ?

– Oui...

Bonestruca continuait à fixer la glace.

– Voulez-vous que j'installe le damier et les pions ? proposa Yonah en allant jusqu'à la table.

C'est alors qu'il aperçut, au dos du miroir, en argent dépoli, les initiales HT gravées sur le manche. Il sut immédiatement qu'il s'agissait d'un des articles confectionnés par son père pour le comte de Tembleque.

– *Fray* Bonestruca... dit-il, conscient de la tension qui perçait dans sa voix.

Mais l'autre semblait abîmé dans ses pensées, les yeux scrutant le vide comme un somnambule. Alors, il se tut.

Pourtant, il désirait ardemment examiner de plus près le précieux objet. Lorsqu'il tenta de l'ôter des mains de son hôte, il s'aperçut que ses doigts étaient crispés dessus, telles les serres d'un oiseau de proie. Subitement, il se dit que l'inquisiteur simulait la folie pour le démasquer. Il l'abandonna donc, rempli de terreur, et quitta les lieux en trombe.

– Señor ? le héla María Juana, cependant qu'il traversait le vestibule.

Mais dans son trouble, il passa sans la voir et s'enfuit comme un voleur.

Le lendemain après-midi, en rentrant chez lui, il trouva la compagne du dominicain qui l'attendait près de la grange, son nourrisson dans les bras.

Il la pria d'entrer dans l'hacienda, mais elle refusa son invitation, car elle devait retourner au plus vite s'occuper de ses deux autres petits.

– Que va-t-il advenir de Lorenzo ?

Le médecin secoua la tête en signe d'impuissance. Il éprouvait une immense compassion pour cette femme qu'il se figurait jadis belle et insouciante.

— Au début, il me battait. Ensuite, il n'a plus levé la main sur moi durant des années. Jusqu'à maintenant. J'ai l'impression qu'il perd la raison.

— Quand cela a-t-il commencé ?

— Il y a plusieurs mois. Mais cela empire de jour en jour.

— Je ne sais que vous dire, señora. Nous ne connaissons pas grand-chose à la démence. Elle demeure encore un mystère. La nuit dernière, combien de temps est-il resté immobile devant sa glace ?

— Quasiment toute la soirée. Un peu avant minuit, je lui ai apporté du vin chaud. Il l'a bu et s'est effondré sur son lit.

Yonah avait lui aussi veillé tard. Il avait consulté tous les ouvrages traitant de la folie. L'année précédente, il avait notamment dépensé une fortune pour se procurer le livre d'Arnau de Vilanova, *De Parte Operativa*, dans lequel le savant attribuait ces troubles à une chaleur excessive du cerveau, entraînant de l'agitation, des cris et de l'agressivité. Avicenne quant à lui conseillait de réchauffer le patient en cas d'épisodes de stupeur. Il s'inspira de ces deux auteurs pour lui donner ses recommandations.

— Lorsqu'il vous paraîtra un peu agité, donnez-lui une infusion froide de tamarin et de bourrache. Si au contraire, il semble hébété, comme hier, mélangez des piments pilés à du vin chaud.

María Juana était au désespoir.

— Il se comporte d'une manière si étrange. Il est capable d'actes inconsidérés. Je redoute les jours prochains.

Il lui écrivit sa prescription qu'il lui recommanda de faire préparer par l'apothicaire. Puis il la regarda s'éloigner, résignée, sur son mulet, son nourrisson serré contre sa poitrine.

Il se rendit à la *finca* à la première heure le lendemain. Non qu'il fût impatient de retrouver Bonestruca, mais il craignait pour le bien-être de sa compagne et de ses enfants.

Le frère se tenait immobile dans un fauteuil du bureau. María Juana dit à mi-voix au médecin qu'il pleurait. Le religieux le salua d'un signe de tête.

— Comment vous sentez-vous aujourd'hui, *fray* Bonestruca ?

— Mal. Quand je vais en selle, j'ai les fesses qui brûlent.

— Ce désagrément est dû aux piments que je vous ai prescrits. Ça va passer.

— Qui êtes-vous ?

— Ramón Callicó, le médecin. Vous ne vous souvenez pas de moi ?

— Non.

— Et de votre père ?

L'inquisiteur le contempla, hagard.

— Peu importe, cela vous reviendra un autre jour. Êtes-vous triste, señor ?

— Bien sûr. Je l'ai été toute ma vie.

— Pour quelle raison ?

— Parce que Notre Seigneur a été assassiné.

— C'est un juste motif d'affliction. Peut-être souffrez-vous aussi de la disparition d'autres défunts ?

Le religieux ne répliqua pas.

— Vous rappelez-vous Tolède ?

— Tolède, oui...

— La Plaza Mayor ? La cathédrale ? Les falaises surplombant le fleuve ?

Bonestruca le fixait en silence.

— Un soir, vous chevauchiez dans la nuit. Vous vous remémorez ce moment ?

Aucun mot ne sortait de sa bouche

— Vous chevauchiez dans la nuit, répéta Yonah. Avec qui étiez-vous ? Qui vous accompagnait ?

Au bout d'un long moment, l'ecclésiastique finit par dire :

— Le comte.

— Vasca, c'est bien cela ?

Pas de réponse.

— Vous revoyez le garçon qui livrait le ciboire au prieuré ? Celui qui a été tué dans l'oliveraie ?

Bonestruca détourna les yeux et murmura entre ses dents, se parlant à lui-même :

306

– Ces satanés juifs nous encerclent ! Qu'ils soient à jamais maudits !

Le jour suivant, María Juana revint seule, plongée dans le plus grand désarroi.

– Ils l'ont emmené dans la prison où l'on enferme les forcenés et les gueux ! annonça-t-elle d'une voix nouée.

Yonah lui ordonna de retourner chercher ses enfants, qu'elle avait confiés à une voisine, sans plus attendre.

Dès qu'elle fut partie, il sella son cheval. En chemin, il acheta deux miches de pain et deux fromages de chèvre : le fortin était réputé pour sa nourriture aussi infecte que restreinte.

Avant même de passer la lourde herse fermant l'accès de l'enceinte, il fut saisi par une cacophonie assourdissante de hurlements et de plaintes, d'imprécations et de jurons, de rires et de sanglots. Ses entrailles se soulevèrent sous les relents nauséabonds de pourriture et d'excréments.

L'Inquisition ne se souciait guère de ces détenus : un sou glissé dans la main d'un garde suffit à obtenir la permission de pénétrer plus avant.

– Je souhaiterais voir *fray* Bonestruca.

– Eh bien, jetez donc un coup d'œil dans cette marée humaine. Ces aliments sont pour lui ?

– Oui.

– Alors je veillerai à les lui remettre. Si vous les lui donnez vous-même, ils se jetteront tous sur lui et les lui voleront.

– Je vous remercie, mais je préfère les conserver par-devers moi.

Yonah s'approcha de la grille formant un grand enclos, au sein duquel les captifs étaient tous regroupés.

Au milieu de cette masse de silhouettes aux gestes incohérents, aux yeux absents ou exorbités, il localisa enfin le religieux, prostré sur le sol, à l'autre extrémité de la cage.

Il l'interpella à plusieurs reprises, mais ses cris se noyaient dans le vacarme. Ils attirèrent cependant l'attention d'un homme en haillons, qui lorgna avec avidité sur le pain. Le

307

médecin lui en tendit un morceau à travers les barreaux, que l'autre avala goulûment.

— Si vous m'amenez le dominicain, là-bas, vous aurez la moitié de la miche, lui dit le médecin.

Le pauvre hère ne se fit pas prier. Quelques instants plus tard, il aidait Bonestruca à se relever et le conduisait jusqu'à son illustre visiteur.

Entre-temps, un certain nombre de prisonniers s'étaient rassemblés près de ce dernier, derrière la grille, dans l'espoir de mendier un peu de nourriture.

Bonestruca fixa Yonah avec des yeux où se lisaient une extrême lucidité et une indicible horreur. Pourtant, il ne paraissait pas le reconnaître.

— Je suis Ramón Callicó. Vous vous souvenez ? Le médecin.

Il lui tendit les deux fromages dont le frère se saisit sans un mot. Mais, bousculé par la horde d'affamés, il en lâcha un par terre. Un garçon nu le ramassa et tous se ruèrent sur lui. Une vieille femme chauve et édentée tenta d'arracher le pain des mains de Yonah qui recula pour échapper à son emprise. Dans la mêlée, Bonestruca frappait du poing tous ceux qui l'entouraient.

Lorsque le médecin décida de quitter la sentine, l'inquisiteur se tenait seul, le visage tourné vers les cieux et poussait un long rugissement de désespoir.

Bouleversé, Yonah se rendit à la *finca* et exposa à María Juana son intime conviction : Bonestruca ne recouvrerait jamais la raison. Elle l'écouta sans pleurer. Cette nouvelle, qu'elle redoutait pourtant, ne la surprenait pas.

— Trois prêtres se sont déjà présentés ici et ils reviendront nous chercher, les enfants et moi, afin de nous emmener dans un couvent.

— Je suis désolé, señora.

— Connaîtriez-vous, par hasard, une maison dans les environs, où on aurait besoin d'une gouvernante ? Je ne crains pas de travailler dur et les petits mangent très peu.

Le praticien ne voyait que sa propre demeure. Il s'imagina un instant vivre avec ces êtres affligés et perdus, les prendre sous son aile et leur apporter un peu de réconfort. Mais il se savait incapable d'un tel courage, d'une telle générosité, d'un tel dévouement gratuit. Il n'était pas un saint, dénué de tout égoïsme au point de sacrifier sa propre existence afin de soulager le malheur d'autrui.

Il chassa cette idée de son esprit et pensa à la collection d'objets juifs exposée sur l'étagère de la bibliothèque : les phylactères, la Torah...

– J'ai bien peur de ne pas pouvoir vous aider dans ce domaine. En revanche, je serais prêt à vous racheter certaines affaires appartenant à *fray* Bonestruca.

– J'aurais été heureuse de vous les vendre, mais ils ont tout pris. Regardez par vous-même.

Elle le conduisit dans le bureau. Plus rien ne restait à l'exception du jeu de dames. Ils avaient même emporté le livre de Dante, dont un feuillet s'était détaché et était tombé sur le sol. Yonah le ramassa et en lut les premières lignes :

Alors nous entendîmes les gens qui se lamentent
dans l'autre bolge, en soufflant du museau,
et se frappent eux-mêmes avec leurs paumes.
Les rives étaient encroûtées de moisi,
car les relents d'en bas s'y empâtent,
offensant à la fois les yeux et l'odorat.
Le fond est si obscur qu'on ne peut y voir
de nulle part sans monter sur la cime
de l'arc, là où la roche est en surplomb.
Nous vînmes là ; et de là dans la fosse
je vis des gens plongés dans une fiente
qui semblait tirée des latrines humaines.
Et comme des yeux je scrutais le fond
j'en vis un à la tête si souillée de merde
qu'on ne savait s'il était laïc ou bien clerc.

Il s'agissait d'une abominable description de l'enfer. Aucun châtiment humain ne rivalisait en cruauté avec le sort que subissait Lorenzo de Bonestruca. Encore habité par la vision apocalyptique du fortin, Yonah accepta le damier et les pions que lui proposait María Juana et déposa sur la table toutes les pièces d'or et d'argent qui emplissaient sa bourse.

— Que le Seigneur vous protège, ainsi que vos enfants, lui dit-il.

37

Voyage à Huesca

Vers la fin de l'hiver, le médecin dut affronter une recrudescence de toux accompagnées de fièvre. Tous ses patients se plaignaient des mêmes symptômes : douleurs, frissons, suées, difficultés à avaler...

Trois vieillards et un adolescent succombèrent, mais Yonah, fort des bons conseils de Nuño, concentrait son énergie sur les vivants, à qui il prescrivait boissons chaudes, miel et thériaque. La plupart du temps, cela suffisait à guérir l'affection en dix jours.

Il passait ses journées à courir de malade en malade et rentrait épuisé chez lui. Il n'avait plus la force de ranger sa maison ni même de se préparer à manger. Parfois, il sortait le jeu de dames et simulait tout seul une partie à deux, sans en éprouver de réelle satisfaction.

Lorsque enfin cette vague infectieuse se calma, il décida de s'octroyer un jour de congé et de rendre visite à son ancienne servante, celle qui avait si bien égayé ses nuits.

Reyna vivait dans un hameau regroupant des fermettes et des maisons de bûcherons, à une demi-heure de Saragosse. Ce lieu n'ayant pas de nom officiel, ses habitants l'avaient baptisé *el Pueblecito*, le petit village.

Une vieille paysanne indiqua à Yonah la demeure de Reyna. Non loin de là, deux hommes en hauts-de-chausses – l'un aux cheveux longs et blancs, l'autre plus jeune et plus vigoureux – sciaient un gros rondin de pin.

Il franchit la porte ouverte et trouva Reyna agenouillée et pieds nus, en train de frotter le sol. Toujours aussi robuste, elle semblait avoir pris quelques rides. Lorsqu'elle le vit entrer, elle cessa son ouvrage et lui sourit, en s'essuyant les mains sur sa robe.

– Je vous ai apporté du vin. Celui que vous aimez.

– Merci, dit-elle en se relevant. Asseyez-vous donc.

Elle alla chercher deux tasses et une jarre de cognac.

– *Salud* ! se souhaitèrent-ils mutuellement.

L'alcool était excellent, mais tellement fort qu'il grimaça.

– Alors, vous avez engagé une nouvelle domestique ?

– Pas encore.

– Celles que je vous avais adressées ne vous convenaient pas ?

– Disons que je m'étais habitué à vous.

– Il faut accepter le changement. L'existence n'est faite que de cela. Vous désirez que je vous recommande quelqu'un d'autre ? Il faudra bientôt penser au grand ménage de printemps.

– Je m'en chargerai.

– Vous ? Mais vous êtes médecin. Ce n'est pas à vous de vous occuper de cela.

Yonah préféra éluder la question, aussi la complimenta-t-il sur sa maison.

– J'ai l'intention de la transformer en auberge, répliqua-t-elle. Il en manque dans les parages, et nous sommes sur une route où circulent beaucoup de voyageurs. Seulement, avant d'accueillir des clients, j'ai encore quelques travaux de charpenterie à effectuer.

Ils bavardèrent un moment à bâtons rompus des derniers ragots de Saragosse, de la vie au village.

– Vous avez mangé ? demanda-t-elle enfin.

– Pas depuis ce matin.

– Alors je vais vous préparer quelque chose.

– Une poule au pot, peut-être ?

– Désolée. Je n'en sers plus, rétorqua-t-elle, une lueur malicieuse dans les yeux. Vous avez vu les deux hommes qui coupaient du bois dehors ? ajouta-t-elle d'un air sérieux.

— Oui.

— Eh bien, je vais me marier avec l'un d'eux.

— Le plus jeune ?

— Non, l'autre. Il s'appelle Álvaro. Ses cheveux blancs sont trompeurs : en réalité, il est très fort et très travailleur.

— Je vous souhaite tout le bonheur que vous méritez, Reyna.

— Merci, señor Callico.

Elle avait compris qu'il avait effectué ce voyage dans l'espoir qu'elle reviendrait chez lui. À présent, les choses étaient claires et ils purent se détendre autour d'une collation de pain, d'œufs durs, d'olives, de fromage et d'oignons frais.

Même s'il n'était pas certain de la date exacte du calendrier hébraïque, Yonah savait que la Pâque juive, Pessah, approchait. Alors, il entreprit de nettoyer son logis de fond en comble. Il secoua les tapis, dépoussiéra chaque objet, lava placards, sols et murs. Il profita de sa solitude pour confectionner une version approximative des galettes de pain azyme au moyen d'une plaque de métal suspendue dans l'âtre. Il put donc célébrer un *seder* solitaire, au cours duquel il mangea ses galettes ainsi que l'agneau pascal et les herbes amères rappelant la terrible existence des enfants d'Israël au pays de Pharaon.

— « En quoi cette nuit est-elle différente de toutes les autres nuits ? » récita-t-il.

Il entendait Eléazar poser cette question de sa voix cristalline et Helkias raconter la sortie d'Égypte, à la lumière d'une foisonnante exégèse. À présent, il était à la fois l'enfant qui s'interrogeait et l'adulte qui détenait les réponses. Ses ancêtres s'étaient libérés du joug de l'esclavage pour cheminer vers la Terre promise. Lui se retrouvait le dernier juif dans l'Espagne de l'Inquisition.

Le printemps semblait avoir fait une percée, mais le froid s'en revint avec ses averses brutales qui rendaient les routes impraticables. En raison du mauvais temps, Yonah restait de longues heures devant sa table, perdu dans ses réflexions. À présent riche et respecté, il habitait une demeure confortable, au cœur de terres fertiles. Et pourtant, il éprouvait une sensation d'insatisfaction.

Il songeait à s'exiler en France ou au Portugal. Mais même s'il parvenait à franchir la frontière et à s'évader du pays, il devrait justifier de sa foi catholique, car les contrées voisines ne traitaient pas les juifs avec plus de clémence. Au moins, à Saragosse, il jouissait d'un statut honorable et son métier lui apportait bien des compensations.

Outre cet isolement, il se sentait en proie à un manque indéfinissable. La nuit, de terribles cauchemars agitaient son sommeil et il se disait parfois que la folie le guettait.

Lorsque enfin le beau temps refit son apparition, la vision du soleil chassa quelque peu ses idées maussades.

Un jour qu'il passait dans la boutique de *fray* Luis Guerra Medina, l'apothicaire lui annonça que les stocks de thériaque étaient épuisés dans la région.

– Heureusement que l'épidémie de fièvre s'est assagie. Mais nous en aurons certainement besoin d'ici peu. Comment peut-on s'en procurer ?

– Je ne sais pas, lui répondit le franciscain. Je ne connais qu'un endroit où ce produit est fabriqué. C'est à Huesca, chez les Aurelio. Tous les ans, je m'y rends, mais le trajet dure cinq jours et mes jambes ne sont plus vaillantes.

– Pourquoi ne pas envoyer un commis ?

– Non. Il faut quelqu'un de respectable et de suffisamment averti, sinon on lui vendra des marchandises périmées. Ce médicament perd ses effets au bout d'un an.

Yonah vit cette circonstance comme une chance d'échapper à la morosité de son quotidien.

– Eh bien, j'irai moi-même.

Il s'arrangea avec Miguel de Montenegro pour que celui-ci se charge de ses patients en son absence. Il lui avait rendu le même service six mois auparavant et de nouvelles réserves de thériaque seraient profitables à tous les confrères des environs.

Il sella donc son cheval arabe et emmena aussi un *burro*. Il recouvra un peu de sérénité dès qu'il se remit à cheminer dans la campagne. Il aurait pu chevaucher à une allure plus vive, mais il s'autorisa à profiter de la douceur du climat. Du reste, il souhaitait aussi épargner son étalon, qui commençait à se faire vieux. Il appréciait le paysage luxuriant, croisant çà et là un troupeau ou une ferme, et choisissait toujours un endroit agréable pour camper la nuit.

Bientôt, les collines firent place aux montagnes et il atteignit Huesca. Les Aurelio travaillaient dans une écurie reconvertie, qui embaumait toutes sortes d'herbes. Trois hommes et une femme broyaient des plantes séchées, tandis que le maître des lieux, Reinaldo Aurelio, l'accueillait poliment.

— En quoi puis-je vous être utile, señor ?

— Je suis le docteur Ramón Callicó de Saragosse et je viens de la part du frère Medina. J'aurais besoin de thériaque.

— Ah ! C'est pour *fray* Luis ! Comment se fait-il qu'il ne soit pas venu lui-même ?

— Il va bien, mais il redoutait le voyage. C'est pourquoi il m'envoie.

L'herboriste ouvrit une huche en bois.

— Voilà. Quelle quantité vous faut-il ?

— Pourrais-je l'examiner auparavant ?

— Je vous en prie.

Le médecin tâta le mélange entre ses doigts puis secoua la tête.

— Non, dit-il doucement. Si je rapportais cela à l'apothicaire, il me gronderait et il aurait bien raison.

Son interlocuteur sourit d'un air entendu.

— Je peux vous fabriquer de la thériaque fraîche, mais cela prendra un certain temps.

— C'est-à-dire ?

— Au moins dix jours. Peut-être plus.

Yonah n'avait pas d'autre choix que d'accepter. D'ailleurs, il se réjouissait secrètement de cette opportunité de prolonger son voyage dans les Pyrénées. Comme il ne désirait pas s'encombrer de pièces d'or et que le franciscain s'était porté garant de l'honnêteté d'Aurelio, il paya d'avance et confia à ce dernier le soin de garder son âne en attendant son retour.

— Je reviendrai d'ici deux semaines. Cela vous laissera tout loisir de préparer ma commande.

Il se dirigea vers le nord, au pied des montagnes. Il avait entendu dire que, près de la France, elles s'élevaient si haut qu'elles paraissaient toucher le ciel. La rumeur avait dit vrai : bientôt des pics enneigés poignaient dans le lointain. Dans une prairie fleurie, il trouva un ruisseau rempli de petites truites et, comme il avait emporté son matériel de pêche avec lui, il lança sa ligne et en attrapa suffisamment pour son dîner. Il embrocha les poissons sur une baguette encore verte et les fit griller au-dessus d'un feu de bois.

Puis il reprit son ascension sur le sentier escarpé. À mesure qu'il montait vers les sommets, les bouleaux, noisetiers et chênes laissèrent place à des sapins et des cèdres odorants, puis à une végétation plus clairsemée, sillonnée par des torrents.

C'est au milieu de l'après-midi qu'il vit la neige pour la première fois de son existence. Il crut même distinguer dans l'étendue blanche les empreintes d'un ours. L'air s'étant rafraîchi sur les crêtes, la prudence lui dicta de redescendre afin de ne pas dormir dans le froid. Il s'abrita sous un grand arbre dont il utilisa le bois mort pour allumer un feu et attacha son cheval à proximité de lui. Durant la nuit, il se réveilla régulièrement afin d'éloigner les bêtes sauvages en alimentant les braises et en brisant des branches aussi bruyamment que possible.

Au bout de trois jours, il dut arrêter l'escalade : la neige était trop profonde pour grimper plus avant. Il chercha donc un chemin lui permettant de contourner le mont. À travers les arbres, il distingua une piste rocailleuse longeant un rapide qui, au fil des ans, s'était creusé un lit dans le roc.

Il le suivit un temps. Au bout d'un moment, il sentit une odeur de fumée et, sortant d'un bosquet, il aperçut une vallée où se profilait un village. Une douzaine de maisons aux toits d'ardoise étaient regroupées autour d'une église. Des vaches et des chevaux paissaient dans un pré et, plus au nord, s'étendaient plusieurs champs au sol noir.

Il passa devant deux chaumières sans croiser personne. En arrivant à la troisième maison, il vit une demoiselle revenir du ruisseau, portant un seau rempli d'eau. Dès qu'elle eût remarqué sa présence, elle pressa le pas pour se réfugier chez elle. Mais il la rejoignit avant qu'elle fût rentrée.

— Bonjour ! lança-t-il d'un ton joyeux. Auriez-vous l'amabilité de m'indiquer le nom de ce lieu ?

Elle se figea sur place.

— Pradogrande, señor, répondit-elle, sur ses gardes.

Il s'approcha d'elle et, discernant mieux les traits de son visage, il reçut un choc.

— Inés ? Est-ce bien vous ?

Il mit pied à terre maladroitement et elle eut un mouvement de recul.

— Non, señor.

— Vous n'êtes pas Inés Saadi Denia, fille d'Isaac Saadi ?

— Non, señor. Je me nomme Adriana Chacon.

Évidemment ! Cette jeune fille avait l'âge d'Inés quand il l'avait rencontrée et, depuis, plus de dix ans s'étaient écoulés.

— Inés était ma tante, que son âme repose en paix.

La nouvelle de sa mort le toucha en plein cœur. Une autre page de sa vie était définitivement tournée.

— Qu'elle repose en paix, murmura-t-il à son tour.

Puis soudain, il eut un éclair de conscience.

— Je me souviens de vous. Vous êtes sa nièce, la fille de sa sœur aînée. Nous nous promenions ensemble dans les rues de Grenade, vous ne vous rappelez pas ?

Elle le regarda, hésitante.

C'est alors que des cris résonnèrent. Alertés par l'arrivée de l'étranger, trois hommes se précipitaient sur Yonah, brandissant leurs outils de travail comme des armes.

38

La vaste prairie

Avant que la rencontre ne tourne au pugilat, un homme mince et robuste sortit d'une demeure voisine. Il avait certes vieilli, mais, à sa tache lie-de-vin dans le cou, Yonah reconnut aussitôt Micah Benzaquen, l'ami des Saadi à Grenade. Ce dernier étudia le visage du médecin, puis sourit :

— La maturité vous sied, señor. La dernière fois que je vous ai vu, vous étiez un jeune berger, massif, hirsute et déguenillé. Veuillez me pardonner, mais votre nom m'échappe. Je me rappelle qu'il évoquait une ville, mais laquelle...

— Toledano.

— C'est bien cela ! Yonah Toledano ! Où habitez-vous à présent ?

Le médecin jugea trop risqué de lui décliner sa véritable identité à Saragosse.

— À Guadalajara, répondit-il.

À son grand regret, Adriana s'était esquivée durant cet échange. En revanche, les trois individus qui avaient accouru pour protéger la belle se tenaient tout près.

Micah les lui présenta :

— Voici Pedro Abulafin, David Vidal et Chazan Halevi.

Joachim Chacon, Asher de Segarra, José Diaz et Fineas ben Portal les rejoignirent. L'un d'entre eux s'occupa de la monture du visiteur pendant que Benzaquen conduisait celui-ci à l'intérieur de sa *finca*. Son épouse, Leah Chazan, apporta de l'eau chaude et un linge afin que Yonah pût se laver et se rafraîchir dans la grange. Puis il pénétra dans la maison qui sentait bon l'agneau rôti. Son hôte avait disposé une jarre de cognac sur la table.

– *Salud !* dit-il en remplissant deux tasses. Dans notre vallée, il ne passe presque personne. Alors votre venue est un événement qui se fête.

– *Salud !*

Benzaquen avait remarqué la noblesse du destrier et l'élégance de la mise de son invité.

– Il me semble que la misère n'est plus pour vous qu'un lointain souvenir.

– En effet. Je suis devenu médecin.

Pendant qu'ils se délectaient des mets préparés par sa femme, Micah raconta ce qu'il était advenu de leur communauté de *conversos*.

– Nous avons quitté Grenade en direction de Pampelune, la principale cité de Navarre. Notre caravane comptait trente-huit chariots et le voyage fut lent et laborieux. Nous sommes restés là-bas deux ans et plusieurs d'entre nous se sont mariés. Inés Denia a épousé Isadoro Sabino, un charpentier.

Il avait ajouté ce détail avec douceur : il se remémorait la désagréable conversation qu'ils avaient eue naguère au sujet de la jeune fille.

– Hélas, poursuivit-il, après une période de bonheur relatif, notre groupe fut frappé par la tragédie.

Nombre de ces nouveaux chrétiens avait succombé à une maladie fatale et la famille Saadi avait été décimée. Isaac et Zulaika s'étaient éteints à une heure d'intervalle. Puis leur aînée Felipa était décédée elle aussi. Et enfin ce fut le tour d'Inés et de son mari, dont on avait célébré l'union à peine trois mois auparavant.

– Comme à l'accoutumée, les autorités locales nous ont décrétés responsables de cette épidémie et ceux d'entre nous qui avaient survécu ont dû partir. Après bien des discussions sur le choix de notre destination, nous avons opté pour Toulouse. Toutefois, il s'agissait d'une décision assez controversée. Par exemple, moi-même, je n'étais pas d'accord. Premièrement, depuis des siècles, les actes de violence contre les juifs y étaient monnaie courante. Deuxièmement, cela impliquait de franchir les Pyrénées et je pensais que nous n'y arriverions pas.

Les autres avaient balayé ces deux objections, en arguant d'une part qu'ils se présenteraient à Toulouse en tant que catholiques et que d'autre part, ils trouveraient, au village de Jaca, des guides professionnels qui les conduiraient à travers les montagnes. Quant aux chariots, s'ils se révélaient trop encombrants, les fuyards n'emporteraient que leurs biens les plus précieux, qu'ils chargeraient sur leurs animaux.

– Comment se fait-il que vous vous soyez installés ici ? demanda Yonah.

– C'est un pur hasard, répondit Benzaquen. Nous campions où nous pouvions et le plus souvent sur le bord de la route. Or, une nuit, l'un de mes chevaux s'est enfui. Nous avons vite découvert son absence et je suis parti à sa recherche avec trois hommes. En suivant ses traces à travers les buissons et les arbres, nous nous sommes retrouvés sur un chemin que nous avons longé. C'est alors que nous avons aperçu le bel animal en train de faire bombance dans cette petite vallée, dit-il, le sourire aux lèvres.

Frappés par l'aspect accueillant des lieux, les quatre éclaireurs rejoignirent la caravane et proposèrent à leurs compagnons de s'arrêter quelques jours en cet endroit pour se reposer et reprendre des forces.

– Or certains d'entre nous furent séduits par la beauté du paysage et la fertilité du sol. Qui plus est, nous étions dans un coin très isolé, à deux ou trois jours à cheval des villages les plus proches – Jaca à l'est et Huesca au sud-est. Le site nous permettrait de vivre en paix, sans risquer de croiser un inquisiteur ou un soldat.

Là encore, les exilés parlementèrent longtemps. Finalement, sur les vingt-six familles ayant fui Pampelune, dix-sept décidèrent de rester. Tout le monde aida les neuf autres à réorganiser leur convoi qui s'ébranla après des adieux émouvants.

– Il a fallu nous établir en partant de rien. La plupart d'entre nous étions commerçants et, au cours de nos précédents périples, notre expérience des voyages et des affaires s'était révélée très utile. Mais à présent, elle ne servait plus à grand-chose. Heureusement, nous avions quatre fermiers qui ont pris la direction des opérations.

Ces derniers explorèrent les environs, réfléchirent sur la meilleure façon de les exploiter et déterminèrent quelles plantes y faire pousser.

– Trouver un nom à ce lieu n'a pas été difficile. Comme ses étendues verdoyantes regorgeaient de plantes fourragères, nous l'avons baptisé Pradogrande – « la vaste prairie ». Puis nous avons divisé les terres en dix-sept lots équivalents que nous avons numérotés et répartis entre les familles par tirage au sort.

L'équilibre et l'harmonie semblaient présider à la naissance du hameau. Afin de ne privilégier personne, une rotation annuelle des cultures sur les diverses parcelles fut instaurée. Quant aux maisons, leur exposition devait permettre de profiter à la fois de l'ombre et du soleil. Elles furent érigées non pas simultanément, mais l'une après l'autre, et la communauté entière participa à la construction de chacune d'elles. Elles étaient toutes en pierres, extraites des versants montagneux, et assorties d'étables et de granges.

Le premier été, ils bâtirent trois *fincas* où femmes et enfants se réfugiaient pendant l'hiver tandis que les hommes dormaient dans les carrioles. Il fallut encore cinq années pour achever toutes les habitations ainsi que l'église.

Les fermiers se chargèrent des achats. Ils se rendirent à Jaca et à Huesca d'où ils revinrent avec des moutons, des chèvres, des cochons, des poulets et des oies, ainsi que différentes graines, notamment d'arbres fruitiers.

– Parmi nous figuraient aussi un charpentier et un maroquinier dont le savoir-faire nous a été très profitable. Mais nous autres marchands avons dû changer d'existence. Au début, nous nous sentions découragés face aux éprouvantes rigueurs du travail agricole. Cependant, nous avions foi en l'avenir et peu à peu, nous nous sommes endurcis. Cela fait onze ans que nous vivons là. Nous avons défriché la terre et aujourd'hui, nous sommes fiers de nos cultures et de notre verger.

– Vous pouvez l'être, répondit Yonah, impressionné.

– La nuit va bientôt tomber, mais demain, je vous ferai visiter la vallée.

Le médecin acquiesça, l'air absent. Puis il demanda :

– Et Adriana ?... Elle a épousé un fermier ?

– Naturellement. À Pradogrande, nous sommes tous fermiers. Mais son mari n'est plus. Elle est veuve.

– Il dit qu'il se souvient de moi enfant, rapporta Adriana à son père le soir même. Cela me paraît curieux, car je ne le remets pas du tout. Et toi ?

– Moi non plus, mais je l'ai peut-être croisé. Ton grand-père Isaac connaissait beaucoup de gens.

Cela lui faisait tout drôle qu'un inconnu se rappelât son enfance à Grenade. Elle avait tout oublié de cette époque et ne conservait que des images éparses de Pampelune et de son long périple dans un chariot brinquebalant, bercée par le crissement des harnais en cuir et le claquement régulier des sabots.

Elle avait alors huit ans et venait de perdre les siens. Joachim Chacon traitait sa fille avec tendresse lorsqu'il y pensait. Mais la plupart du temps, il restait à l'avant, conduisant ses chevaux en silence. Et puis un jour, ils se sont arrêtés dans la vallée et leur errance prit fin.

Jadis marchand de soie, son père avait contribué intensivement à la construction des demeures et était devenu un excellent maçon. Les premières maisons étaient réservées aux familles nombreuses et les Chacon durent loger chez les autres durant cinq ans. Lorsque leur demeure fut enfin prête, la jeune fille connut l'époque la plus heureuse de sa vie à Pradogrande. Elle venait d'avoir treize ans et elle était la maîtresse du foyer. Elle accomplissait les travaux ménagers tout en chantant, satisfaite de son sort. Son corps se transformait et Leona Patras, une vieille femme mariée à Abram Montelvan, avait pris en main son initiation à la féminité.

L'année suivante, un premier deuil frappa la communauté. Carlos ben Sagan mourut d'une affection pulmonaire. Trois mois plus tard, Joachim annonça à Adriana son intention

322

d'épouser la veuve de Carlos, Sancha Portal. Il lui expliqua que le hameau redoutait les immigrants et qu'il fallait des bras supplémentaires. Aussi les célibataires étaient-ils incités à convoler pour peupler cette colonie. Comme sa nouvelle épouse avait déjà cinq enfants, il irait habiter chez elle, tandis qu'Adriana resterait dans son ancienne maison.

Une fois l'église érigée, Joachim partit pour Huesca, avec une délégation, afin de trouver un prêtre susceptible de s'occuper de leur communauté. Le *padre* Pedro Serafino les suivit jusqu'à Pradogrande et resta assez longtemps pour célébrer l'union de Joachim et Sancha. Puis il retourna dans sa ville, où il vanta les mérites de la nouvelle localité. Plusieurs mois après, il revint et annonça qu'il était officiellement nommé curé de la paroisse. La nouvelle enchanta les villageois. Non seulement ils se sentaient catholiques, mais désormais l'Inquisition ne pourrait plus douter de leur foi chrétienne.

Adriana se plaisait à vivre seule. En l'absence de son père, la tenue de la maison lui posait moins de problème. Elle s'occupait à cuire du pain, à cultiver son potager pour nourrir sa belle-famille et à filer la laine de ses moutons. Au début, les femmes comme les hommes regardaient avec bienveillance son visage harmonieux et son corps gracile. Mais bientôt, les épouses témoignèrent froideur et colère à cette rivale en puissance.

Au printemps, Leona Patras tomba gravement malade. La jeune fille prit soin d'elle et prépara les repas de son mari, Abram Montelvan. Mais elle eut beau user de cataplasmes, d'inhalations et d'onguents, l'état de la vieille dame s'aggrava et celle-ci mourut juste avant l'été. Adriana pleura amèrement la perte de sa confidente qui lui avait manifesté une affection constante.

Elle aida à laver son corps avant l'inhumation et cuisina plusieurs fois pour le veuf après les funérailles.

La saison chaude avait transformé la vallée en un véritable paradis de verdure exhalant l'herbe et les fleurs, où des oiseaux multicolores gazouillaient en toute liberté. Devant tant de beauté, l'adolescente éprouvait parfois un sentiment d'ivresse qui lui faisait perdre le fil d'une conversation. C'est pourquoi elle avait cru à un malentendu lorsque son père lui déclara :

— Tu vas épouser Abram Montelvan.

Joachim connaissait bien cet individu aux yeux exorbités, à l'odeur âcre et au caractère colérique. Mais il n'avait pas ménagé sa fille :

— Il veut bien de toi. Nous ne sommes que dix-sept familles et tous les hommes sont pris. Il te faudrait attendre la mort d'une autre épouse pour trouver un parti.

— Eh bien j'attendrai ! avait répliqué Adriana, indignée.

— C'est hors de question ! Il s'agit de ton devoir envers la communauté. Si tu ne m'obéis pas, j'en porterai la honte toute mon existence.

Alors elle céda.

Le jour de la noce, Montelvan semblait absent. Il ne lui adressa ni un mot ni un regard. Après la cérémonie, on avait organisé une somptueuse fête qui dura jusqu'à l'aube. Le *padre* Serafino s'isola avec le couple pour leur parler des liens sacrés du mariage.

Lorsqu'ils se retirèrent sous les acclamations et les rires, Abram, aviné, parvenait à peine à se hisser dans sa carriole.

Nue dans le lit où était morte son amie, la jeune mariée ressentait une peur mêlée de résignation et de tristesse. Lorsque son époux se dévêtit, elle regarda avec dégoût son corps bedonnant et flétri. Il approcha sa lampe pour mieux voir ses formes juvéniles et lui demanda d'écarter les jambes. Mais l'alcool et l'âge eurent raison de sa vigueur et, après une vaine tentative haletante, il sombra dans le sommeil. Adriana passa une nuit blanche, recroquevillée au bord du lit, incapable de toucher cet être répugnant.

Abram se révéla dès le lendemain sous un jour tyrannique et redoutable. Au lit, il poursuivait ses tentatives sans résultat et une nuit, environ trois semaines après leur noce, il parvint enfin à la pénétrer violemment. Il se retira presque aussitôt pour recueillir triomphalement les quelques gouttes de sang sur un tissu, la laissant endolorie, souillée et amère. Par bonheur, après cela, il ne l'importuna plus.

S'il l'ignorait en général, il la battait souvent et sans retenue. Tantôt des gifles, tantôt des coups de poing. Un jour où elle avait légèrement brûlé le pain, il lui fouetta les jambes.

— Je me vois contraint de sévir, avait-il expliqué à son père. Elle est insupportable.

Alors, ce dernier avait parlé à sa fille.

— Tu dois cesser de te conduire comme une gamine capricieuse et apprendre à devenir une bonne épouse, comme ta mère.

— Je ferai de mon mieux, avait-elle répondu en baissant les yeux.

À mesure qu'elle se pliait aux volontés de son conjoint, les brimades s'espacèrent. Pourtant, avec l'âge, le vieillard perdait toute patience. Il souffrait de terribles rhumatismes qui le faisaient gémir au moindre mouvement.

Un soir, après plus d'un an de mariage, les choses changèrent brusquement. En lui servant à boire au cours du dîner, Adriana avait répandu un peu d'eau sur la table. Aussitôt, il s'était levé et l'avait rossée. Mais, pour la première fois, elle avait riposté : elle lui avait asséné deux claques tellement fortes qu'il retomba sur sa chaise. Elle se dressa devant lui et lui déclara, avec une assurance mêlée de rage :

— Ne me touchez plus jamais, señor. Plus jamais !

Abram l'avait regardée, médusé. Puis il avait éclaté en sanglots.

Elle l'avait abandonné dans la salle à manger et était montée dans la chambre. En entendant ses pas lourds dans l'escalier, elle s'était dit qu'il s'apprêtait sans doute à la brutaliser, mais il s'était couché sans un mot, en lui tournant le dos.

Elle avait la certitude qu'il allait la dénoncer pour son impudence auprès de son père ou du prêtre et elle redoutait le châtiment que ceux-ci pouvaient lui infliger. Mais ne se voyant rien reprocher, elle comprit que son mari ne se risquerait pas à se plaindre, par peur du ridicule.

Alors, à compter de ce moment, elle passa ses nuits au rez-de-chaussée, sur une couverture pliée par terre en guise de matelas. Elle continua à s'occuper du jardin, de la cuisine, du nettoyage et de la lessive, en bonne ménagère. Et les mois s'écoulèrent dans une routine morose et silencieuse, mais du moins sans violence.

Leur deuxième anniversaire de mariage approchait quand Abram fut atteint d'une mauvaise toux qui le cloua au lit. Neuf semaines durant, elle lui administra du vin chaud ou du lait de chèvre, lui apportant le pot, lui faisant la toilette.

Ce dévouement lui avait permis d'accéder à une forme de paix intérieure et elle put accepter la mort du vieillard avec une sérénité dénuée de toute amertume.

À peine six mois après la disparition de son gendre, son père souleva la question de son statut à Pradogrande.

— Tu es veuve aujourd'hui, lui dit-il. Or il a été décrété que seul un homme contribuant à la production agricole peut posséder une propriété au village.

— Eh bien, soit ! Je participerai aux récoltes !

Joachim sourit.

— Tu n'as pas la force nécessaire. Ton labeur ne sera pas assez rentable !

— Je peux apprendre aussi bien que toi. Je sais jardiner et je travaillerai plus dur qu'Abram Montelvan, pour le moins.

— Inutile de discuter. Il s'agit d'une décision irrévocable. Si tu souhaites garder tes terres et ta demeure, tu dois te fiancer. Sinon, ta parcelle sera répartie entre les autres villageois.

— Je ne veux plus me marier. Jamais !

Son père fronça les sourcils, mais tenta de conserver son calme.

— Le fils d'Abram, Anselmo, souhaite que son lot reste intact et au sein de sa famille.

— Et alors ? Il ne projette tout de même pas de devenir bigame !

— Il propose que tu t'engages à épouser son fils aîné, Joseph.

— Mais c'est un enfant de sept ans !

– Oui, mais songe que c'est le seul parti disponible. D'ailleurs, qui sait s'il ne mourra pas avant la puberté ? Et puis, il mettra des années à grandir. Peut-être deviendra-t-il un adulte charmant avec qui tu te réjouiras de vivre.

Adriana n'avait jamais mesuré à quel point elle détestait son père. Elle le regarda avec rancœur fouiller dans son panier de légumes et en extraire les oignons verts qu'elle destinait à son propre usage.

– Je les emporte chez nous, car Sancha préfère les tiens à tous les autres, déclara-t-il, heureux du compliment dont il la gratifiait.

Trois ans s'écoulèrent, au cours desquels certains membres de la communauté lui firent quelques avances, mais son calvaire auprès d'Abram Montelvan l'avait dégoûtée des hommes. Adriana apprit à les repousser gentiment d'une pique ou d'un sourire moqueur.

Parfois, elle croisait son promis dans le voisinage. Joseph avait à présent dix ans. Fluet, avec des cheveux noirs bouclés, il s'amusait dans les champs comme un gamin. Une fois, elle le vit la goutte au nez. Elle s'arrêta, tira un mouchoir de sa poche et lui essuya les narines :

– Vous ne devrez jamais oublier de vous moucher avant de m'embrasser, señor, lui dit-elle sévèrement. Promettez-le-moi !

Le petit baissa les yeux, comme si sa mère venait de le gourmander, puis s'enfuit en courant.

Elle parvint à rire de l'ironie de cette scène. Mais au plus profond d'elle-même, un froid glacial s'installait sourdement. Elle n'avait aucun moyen d'échapper à son destin. Parfois, elle rêvait de grimper toujours plus haut dans les montagnes jusqu'à n'en plus pouvoir. Elle ne craignait pas de mourir. Cependant, la seule pensée des bêtes sauvages dévorant son corps la dissuadait de partir.

La vie lui avait enseigné combien il était vain de rêver au bonheur. Alors, quand cet étranger avait surgi des bois, tel un chevalier errant, elle s'était imaginée qu'il l'emporterait au loin sur son bel étalon gris.

Le lendemain matin, Benzaquen frappa à sa porte.

– Je dois m'occuper de mon troupeau aujourd'hui. Pourrais-tu faire visiter le village à notre hôte ?

Il lui raconta ce qu'il savait de Yonah, notamment qu'il était médecin à Guadalajara.

Elle n'eut guère d'autre choix que d'accepter.

39

Un médecin au village

Yonah avait passé la nuit bien au chaud dans la grange de Benzaquen. Afin de ne pas déranger ses hôtes, il s'était introduit dans la maison endormie et avait emporté quelques charbons ardents avec lesquels il avait allumé un feu près du ruisseau voisin. Utilisant son maigre reliquat de provisions, il s'était préparé une purée de pois cassés.

Il se sentait frais et dispos quand, au matin, Adriana lui annonça qu'elle serait son guide pour la journée.

– Ce n'est pas la peine de seller votre cheval. Aujourd'hui, je vous montrerai le versant oriental de la vallée et nous le parcourrons à pied.

Il s'étonnait toujours de sa ressemblance troublante avec Inés. Mais à y regarder de plus près, elle se distinguait de sa tante en bien des aspects. Elle était plus grande, de carrure plus large, quoique avec des hanches fines. Malgré la grâce de sa silhouette et de son visage, elle paraissait inconsciente de sa beauté et ne jouait pas les coquettes, ce qui ajoutait encore à son charme.

Il lui prit des mains le panier qu'elle avait apporté et ils se mirent en chemin. Ils passèrent d'abord devant un champ et saluèrent les hommes qui y travaillaient. Mais ils ne s'interrompirent pas pour accueillir l'inconnu.

– Celui qui sème les graines, là-bas, est Joachim Chacon, mon père, précisa-t-elle.

— Ah oui ! Je l'ai rencontré hier. Il faisait partie de ceux qui ont accouru à votre rescousse !

— Il ne se souvient pas de vous à Grenade.

— C'est normal. À l'époque, il voyageait dans le sud pour acheter des soieries.

— Micah Benzaquen m'a dit que vous vouliez épouser ma tante.

Quel bavard ! pensa le médecin. Mais après tout, pourquoi dissimuler la vérité ?

— En effet. Il était l'ami intime de votre grand-père et il a servi d'intermédiaire. Il m'a interrogé sur ma situation. J'étais jeune et pauvre, sans grandes perspectives d'avenir. Il m'a fait comprendre que votre famille n'avait nul besoin d'un gendre nécessiteux et il m'a congédié.

— Ce rejet a dû vous bouleverser, dit-elle d'un ton léger, en sous-entendant qu'il s'agissait d'une blessure d'adolescence depuis longtemps cicatrisée.

— En effet. En réalité, j'ai souffert de perdre Inés et aussi sa petite nièce.

— Moi ?

— Oui. Je vous trouvais très attachante. J'ai même long-temps conservé un caillou avec lequel vous aviez joué.

— Je ne vous crois pas !

— Je vous en donne ma parole. Dommage qu'Isaac ne m'ait pas accepté. Je serais devenu votre oncle et je vous aurais vue grandir.

— Ou vous seriez mort à Pampelune, comme Isadoro Sabino !

— Vous me semblez bien terre-à-terre ! Mais vous avez sans doute raison. Cela aurait pu m'arriver.

Ils s'arrêtèrent devant une porcherie où se bousculaient des cochons en pleine santé. Un peu plus loin, près d'un fumoir, ils rencontrèrent le propriétaire, Rudolfo García.

— Bonjour. On m'avait annoncé la visite d'un étranger.

— Je lui montre les splendeurs de notre vallée, lui dit Adriana.

Ils emmenèrent Yonah dans l'entrepôt où étaient suspendus de superbes jambons.

– Les bêtes sont nourries de glands que nous trouvons dans les montagnes, précisa l'éleveur. Nous enduisons nos viandes fumées d'épices et d'herbes qui leur donnent une saveur inimitable.

– Rudolfo possède aussi des champs, ajouta Adriana. Et ses cultures sont toujours les premières à pousser au printemps.

– Il faut dire que j'ai ma technique ! Chaque année, je déplace l'enclos des cochons. Avec leurs pieds et leurs museaux, ils malaxent l'herbe dans la terre. Ajoutez à cela leurs déjections et vous obtenez un excellent engrais.

Ils quittèrent l'exploitant et suivirent un cours d'eau menant à un atelier de menuiserie qui sentait bon le bois. Jacob Orbuena les accueillit avec chaleur.

– Je fabrique du mobilier, des outils et des éléments de charpente. Avec les forêts avoisinantes, je pourrais en confectionner beaucoup plus. Mais les demandes du village sont relativement limitées.

– Pourquoi ne pas vendre votre production superflue ?

– Nous vivons dans un endroit très isolé. Les marchés environnants se trouvent à plusieurs jours de voyage à travers les montagnes. Notre chargement risquerait de se perdre. D'autre part, nous ne souhaitons pas attirer l'attention sur notre communauté, par mesure de sécurité. Alors, dès que j'ai un moment de liberté, je travaille avec les autres dans les champs.

Comme ils s'apprêtaient à s'en aller, l'artisan s'adressa à Yonah :

– Excusez-moi, mais j'aurais une faveur à vous demander.

– Laquelle ?

– La señora Chacon dit que vous êtes médecin.

– C'est exact.

– Ma mère souffre souvent de maux de tête affreusement douloureux.

– Je me ferai un plaisir de l'examiner.

Une idée subite traversa l'esprit du praticien, admiratif devant la solidarité apparente de cette communauté.

– Dites à votre mère et à quiconque désirant voir un médecin que je les attendrai demain matin dans la grange de Micah Benzaquen.

– Merci beaucoup, répliqua le menuisier reconnaissant. Je transmettrai le message.

Comme midi approchait, Adriana décida qu'il était temps de s'accorder une pause. Ils s'assirent près d'une petite mare ombragée, peuplée de belles truites, et mangèrent le pain, le fromage, les oignons et les raisins que contenait le panier.

– Quel endroit enchanteur ! constata Yonah.

La jeune femme s'abstint de répondre. Elle jeta les miettes dans l'étang à l'intention des poissons, puis déclara :

– C'est l'heure de la sieste !

Elle s'adossa à un tronc d'arbre et ferma les yeux. Il l'imita, se laissant bercer par le clapotis de l'eau et le chant des oiseaux. Après un léger somme fort revigorant, il se réveilla. Elle dormait encore et il put la contempler à loisir. Elle possédait le nez droit et la bouche expressive typiques des Saadi. Il la sentait capable de passion, mais elle paraissait peu encline à se laisser séduire. Peut-être ne lui plaisait-il pas, après tout. À moins qu'elle ne portât encore le deuil de son défunt mari. Il envia un instant la chance de ce disparu d'avoir vécu auprès d'une telle compagne. C'est alors qu'elle rouvrit les paupières. Gênée d'avoir été ainsi observée, elle se redressa immédiatement.

– Nous repartons ?

– D'accord.

Il lui offrit la main pour l'aider à se relever.

Ensuite, elle lui montra les troupeaux de chèvres et de moutons. Ils rencontrèrent un villageois qui réunissait des pierres susceptibles d'être utilisées pour des constructions. Il les entassait près de chez lui, en prévision d'éventuels travaux dans la collectivité.

Tous deux étaient épuisés lorsque Adriana raccompagna Yonah chez Micah Benzaquen. Ils se dirent au revoir et, tout en s'éloignant, elle se retourna pour lui lancer :

– Lorsque vous en aurez fini avec votre consultation, je serai heureuse de vous faire découvrir l'autre versant de la vallée.

– Votre obligeance me touche. J'accepte avec joie !

332

Le lendemain, la première patiente, Viola Valenci, se présenta au tout début de la matinée.

– Cette dent me fait horriblement mal ! dit-elle en se tenant la joue. C'est un vrai supplice !

– Le contraire m'aurait étonné ! s'exclama le praticien après avoir inspecté ses mâchoires.

La canine en question était complètement pourrie.

– Si seulement j'avais vu ça plus tôt ! Maintenant, il va falloir l'arracher.

Il procéda à l'opération, en prenant soin d'extraire les racines.

– Voilà, conclut-il. D'ici quelques jours, la gencive aura cicatrisé et vous serez soulagée.

– Merci beaucoup, docteur, articula la femme, la bouche encore endolorie.

Plusieurs personnes s'étaient déjà rassemblées à l'extérieur. Il leur demanda d'attendre assez loin pour préserver la pudeur de ses malades. Il traita l'ongle incarné de Durand Chazan Halevi. Puis il écouta Asher de Sogarra lui décrire les reflux acides qui le perturbaient régulièrement.

– Hélas, je n'ai aucun médicament sur moi et j'imagine qu'il n'y a pas d'apothicaire près d'ici. Cependant, comme les roses fleuriront bientôt, vous pourrez faire bouillir une grosse quantité de pétales dans de l'eau mélangée à du miel. Une fois la mixture refroidie, versez-la dans un œuf de poule préalablement battu. Ce breuvage apaisera vos brûlures.

Les patients défilèrent jusqu'à midi. Leah Chazan lui apporta du pain trempé dans un bol de bouillon. Il avala rapidement ce déjeuner bienvenu avant de se remettre au travail, ouvrant furoncles et abcès, prodiguant des conseils sur l'alimentation et la digestion, analysant les urines, pansant ou recousant les plaies.

À un moment, il aperçut Adriana Chacon en train de discuter dehors avec les autres. Elle jeta plusieurs fois un coup d'œil dans sa direction. Quand il sortit pour lui dire bonjour, elle s'était déjà éclipsée.

Le lendemain, la jeune femme vint le chercher, chevauchant une jument brune nommée Doña. Ils se rendirent d'abord à l'église, où elle présenta le nouveau venu au *padre* Serafino.

– Où vivez-vous ?

– À Guadalajara.

– Vous avez fait un long périple ! remarqua le prêtre en pinçant les lèvres.

Au cours de son expérience, Yonah avait appris qu'un mensonge en entraînait beaucoup d'autres. Désireux d'éviter ce genre de complications, il changea vite de sujet.

– Vous avez une bien jolie église, mon père. Quel est son nom ?

– En réalité, elle n'en a pas encore. J'envisage d'en proposer plusieurs à la congrégation. Au début, je songeais à Saint-Dominique. Mais c'est une appellation trop répandue. Alors j'ai pensé à Saints-Côme-et-Damien. Qu'en dites-vous ?

– Qui étaient-ils ?

– Des martyrs. Ces deux jumeaux nés en Arabie sont devenus médecins et soignaient les miséreux gratis. Lorsque l'empereur romain Dioclétien entreprit de persécuter les chrétiens, il leur a ordonné de renier leur foi. Comme ils ont refusé, ils ont été décapités.

Le religieux sourit et ajouta :

– D'ailleurs, on m'a parlé d'un autre homme de l'art qui traitait les malades sans se faire payer...

Estimant qu'il ne méritait pas d'éloges, Yonah rectifia :

– D'ordinaire, je prends volontiers des honoraires. Mais dans le cas présent, je suis un invité et accepter de l'argent de mes hôtes constituerait une piètre marque de savoir-vivre.

– Dieu vous bénisse ! répliqua le *padre*.

Les deux jeunes gens cheminèrent dans la campagne, devant des champs, des fermes et du bétail, appréciant la douce harmonie de cette promenade à cheval. Du coin de l'œil, Yonah admira le maintien droit et assuré de sa compagne, son élégante posture en amazone, ses cheveux bruns volant au vent.

Comme l'avant-veille, ils firent la sieste sous un arbre près du ruisseau. Réveillé avant Adriana, Yonah alla se rafraîchir le visage. La jeune femme le rejoignit bientôt et s'agenouilla

334

près de lui. Tandis qu'ils se penchaient au-dessus de l'eau, leurs regards se croisèrent. Adriana détourna les yeux.

Quand ils arrivèrent devant chez elle, il l'aida à desseller sa jument.

— Mille mercis pour cette charmante visite ! lui dit-il d'un ton enjoué.

Elle sourit, mais ne l'invita pas à entrer.

Un peu déçu, il rentra chez Micah Benzaquen. De là, il vit des hommes occupés à creuser une digue d'irrigation pour alimenter les parcelles souffrant de sécheresse. Il se joignit à eux et transporta des seaux de terre pendant une heure. Mais même ce travail de force ne réussit pas à apaiser l'étrange émoi qui l'étreignait.

Le lendemain matin, il se leva avec un ardent désir de revoir Adriana. Mais son hôte coupa court à son projet.

— Bonjour ! lança Micah, d'une voix vibrante. Vous avez passé une bonne nuit ?

— Excellente, merci.

— Dites-moi, voudriez-vous accompagner quelques-uns d'entre nous dans les bois ? Vous pourriez nous éclairer sur les herbes médicinales, afin de nous donner les moyens de traiter certains maux après votre départ.

Micah s'interrompit un instant avant de poursuivre :

— À moins que vous ne comptiez vous installer ici définitivement...

Yonah sentit que cette remarque, formulée sur un ton badin, était chargée d'insinuations. Pour toute réponse, il secoua la tête.

Asher de Segarra et Pedro Abulafin les attendaient dehors et les quatre hommes se mirent en route. Le médecin savait qu'il omettrait sans doute certaines plantes par ignorance. Mais Nuño avait veillé à sa formation et les environs représentaient un paradis pour les apothicaires. Dans la prairie, il leur montra le lupin, apaisant les douleurs sciatiques, et la vesce, utile contre les ulcères ou, en cataplasme et mélangée à du vin, contre les morsures de serpent. Les jardins abritaient également-ment quantité de produits précieux.

– Les lentilles, cuisinées avec leur cosse, traiteront les problèmes de flux intestinaux, de même que les nèfles, coupées en dés et trempées dans du vinaigre. Contre la constipation, on peut employer la rhubarbe, contre les maux de tête les graines de sésame dans du vin, et, contre la goutte, les navets.

En forêt, il trouva du fenugrec – qui, combiné à du salpêtre et du vinaigre, soulageait les douleurs menstruelles – et des jacinthes – à faire brûler avec une tête de poisson et à lier avec de l'huile d'olive pour confectionner un onguent destiné aux articulations douloureuses.

Comme ils approchaient de la *finca* d'Abulafin, ce dernier alla chercher deux miches de pain et une jarre de vin fort et âcre qu'ils partagèrent, assis sur un rocher. Ils passèrent ainsi un agréable moment de camaraderie virile et rentrèrent un peu gris.

Yonah se demandait s'il lui restait assez de temps pour rendre visite à Adriana. Cependant dès que Micah et lui arrivèrent à la maison, Rudolfo Garcia l'aborda.

– Señor, je suis désolé de vous importuner. Ma meilleure truie est en train de mettre bas et elle n'y parvient pas. Je sais que vous soignez les hommes, mais...

Dans la porcherie, la pauvre bête était couchée sur le côté, haletante. Le praticien ôta sa chemise et se graissa les mains et les bras avec du lard. Après quelques manipulations, il réussit à extraire un porcelet mort-né.

– Il bloquait le passage, constata-t-il.

Effectivement, en l'espace de quelques dizaines de minutes, huit autres petits sortirent intacts et, bientôt, ils étaient tous agglutinés autour de leur mère, tétant avidement son lait.

Le médecin fut récompensé par un bon bain. Le porcher apporta un bac qu'il remplit d'eau chaude et Yonah se frotta avec délectation. En retournant à la grange, il trouva un plat recouvert de tissu, sur lequel Leah Chazan avait disposé du pain, du fromage et une tasse de vin doux. Il mangea, puis installa sa couche en hauteur près d'une brèche d'où il pouvait contempler les étoiles et la lune.

Le jour suivant, il se rendit à la messe dominicale avec Micah et Leah. En pénétrant dans l'église, il aperçut sa jolie guide sur un banc, à côté de son père et de sa belle-mère. Il se dirigea aussitôt vers la place vacante près d'elle, et ses hôtes s'installèrent à sa suite.

— Bonjour, lui dit-il.

— Bonjour, répondit-elle laconiquement.

Ils n'eurent guère le temps de bavarder davantage. L'office commençait. Parfois, tout en se levant ou en s'agenouillant, leurs corps se frôlaient. Le médecin avait conscience des regards qui se posaient sur eux. Mais peu lui importait.

Le *padre* Serafino annonça que dans la matinée, il bénirait la digue d'irrigation. Puis l'assistance entonna l'hymne final et les fidèles défilèrent pour communier. Quand le prêtre se dirigea vers le confessionnal, Leah chuchota au praticien :

— À moins que vous ne souhaitiez rester davantage, nous ferions mieux de rentrer vite. Les habitants de Pradogrande désirent vous présenter leurs respects et je dois préparer des rafraîchissements.

Fulminant contre toutes ces occasions avortées de parler à Adriana, il suivit les Benzaquen à l'extérieur.

Au cours de la journée, les visiteurs se succédèrent, chargés de toutes sortes de victuailles : des gâteaux, de l'huile d'olive, du vin, du jambon. Jacob Orabuena lui offrit pour sa part une superbe grive sculptée dans le bois.

Joachim Chacon vint avec son épouse et sa fille. Ils échangèrent quelques civilités, mais là encore, on l'empêcha de bavarder avec la jeune femme. En pleine conversation avec d'autres convives, il la regarda partir de loin, impuissant et déçu.

40

Adriana Chacon

Depuis qu'elle l'avait vu soigner les malades, Adriana portait à Yonah un intérêt accru. Sa concentration et le respect qu'il témoignait à chacun l'avaient impressionnée. Elle le sentait capable d'une grande tendresse.

En revenant de chez les Benzaquen, son père la sermonna :

– Anselmo Montelvan ne décolère pas. Il dit qu'on te voit trop en compagnie de ce docteur et que tu déshonores son fils – ton fiancé.

– Allons, papa. Tu sais bien qu'il n'a que faire de moi ou même du petit Joseph. Seules les terres du pauvre Abram comptent pour lui.

– Cela étant, il vaudrait mieux que tu évites de t'exhiber avec le señor Toledano, à moins qu'il n'ait des intentions honorables à ton égard. Du reste, nous aurions bien besoin d'un médecin dans la vallée.

– Je n'ai aucune raison de croire qu'il envisage quoi que ce soit de la sorte, répondit-elle d'un air maussade.

Le lundi matin, le cœur de la jeune femme bondit quand Yonah apparut à sa porte.

– Si nous allions nous promener, Adriana ? lui demanda-t-il avec douceur.

– Je vous ai déjà montré toute la vallée, señor, protesta-t-elle.

– Eh bien, j'aimerais revisiter certains endroits.

Une fois de plus, ils longèrent le ruisseau, tout en conversant agréablement. Vers midi, il tira une ligne et un hameçon de sa poche, ainsi qu'une petite boîte pleine de vers. Elle remonta jusque chez elle pour chercher un charbon ardent. À son retour, il avait déjà attrapé quatre truites, qu'ils firent griller et dévorèrent goulûment, en se léchant les doigts.

Ils s'endormirent assez près l'un de l'autre. Lorsqu'elle se réveilla, il était assis à la contempler avec un air affectueux et rassurant.

Les trois jours suivants, les villageois s'habituèrent à les apercevoir déambuler ensemble, absorbés dans une discussion ou cheminant en silence. Le jeudi, elle l'invita enfin à déjeuner chez elle. Alors qu'ils se dirigeaient vers sa *finca*, elle évoqua son passé. Sans entrer dans les détails, elle lui révéla sa malheureuse expérience conjugale. Elle lui raconta aussi le souvenir qu'elle conservait de ses proches.

— Inés était davantage une mère pour moi que Felipa. La perte de ces deux femmes et de mes chers grands-parents m'a terriblement meurtrie.

Il lui prit la main et la serra fort.

— Et votre famille ? demanda-t-elle alors, en relevant la tâte.

Yonah lui relata les événements tragiques qui avaient jalonné sa jeunesse : la mort de sa mère gravement malade, l'assassinat de son frère aîné et de son père, l'exil de son cadet.

— Depuis longtemps, je me suis résigné à la disparition des défunts. Mais celle d'Eléazar me paraît plus intolérable. En fait, j'ai l'intime conviction qu'il n'est pas mort. Je n'arrive pas à accepter le fait de ne plus jamais le revoir, alors qu'il vit encore, quelque part sur cette terre.

Tout à leurs confidences, ils ne s'étaient pas aperçus qu'ils avaient atteint la demeure d'Adriana. Il la suivit en silence dans le salon et, comme elle se retournait pour l'inviter à s'asseoir, elle rencontra son regard à la fois intense et bienveillant. Elle ne put détacher les yeux du visage de cet homme, qui s'approchait lentement du sien. Elle sentit son souffle chaud sur sa face, puis ses lèvres frôlant son front, ses joues, sa bouche. Submergée par une fièvre inconnue qui anéantissait sa volonté, elle s'abandonna à l'ardeur du premier baiser véritable de son existence.

339

Perdu dans le tourbillon de cet élan de passion, Yonah étreignait ce corps embrasé et offert. Presque malgré lui, ses mains caressèrent délicatement sa nuque, son dos, sa cambrure, puis remontèrent jusqu'aux épaules. Bientôt, elles effleuraient la peau veloutée de son pudique décolleté. Un instant, elle revit l'image écœurante d'Abram la couvant d'un œil obscène et elle prit peur. Mais les gestes précis et sensuels du médecin eurent vite raison de ses dernières résistances.

La respiration entrecoupée, elle se soumit au brûlant supplice du désir. À mesure qu'il lui ôtait ses vêtements et explorait son intimité, elle se laissa envahir par un plaisir incontrôlable. Elle l'accueillit en elle comme un soulagement. Des vagues toujours croissantes de bien-être submergeaient sa chair et son âme. Sur le point de s'évanouir, elle s'agrippa, suppliante, à cet être qui l'entraînait dans un gouffre vertigineux, avant de succomber à une ultime extase.

Les deux soirs suivants, Yonah fit mine de se coucher tôt et courut avec impatience dans la grange à la tombée de la nuit. Juste avant que la lune ne soit trop haut dans le ciel, il se faufilait dans l'obscurité jusqu'à la maison de sa bien-aimée. Elle l'attendait, fébrile, derrière la porte et à peine celle-ci refermée, ils se jetaient dans les bras l'un de l'autre comme assoiffés d'amour. Il repartait avant le lever du jour.

Les deux amants s'efforçaient de dissimuler leur liaison avec soin et croyaient y parvenir. Pourtant, le vendredi matin, Benzaquen entreprit le médecin :

— Il faut que nous parlions.

Le ton ne souffrait pas la contradiction. Yonah opina du chef avant d'emboîter le pas à Benzaquen. Ils atteignirent enfin un lieu assez proche de l'église, où s'étendait une prairie verdoyante, allant du ruisseau jusqu'au flanc de la montagne.

— Voici le cœur de la vallée. Il est facile d'accès pour tout villageois désirant consulter un docteur.

Le praticien repensa, non sans ironie, à l'époque où son interlocuteur l'avait éconduit, parce qu'il ne représentait pas un prétendant convenable.

— Ces terres appartenaient à feu Carlos ben Sagan – que

son âme repose en paix – et Joachim Chacon en a acquis la propriété à travers son mariage. Or il a constaté l'intérêt que vous portiez à sa fille. Il est disposé à céder ce lot à votre couple et m'a chargé de vous faire cette proposition en son nom.

À l'évidence, Adriana servait d'appât pour l'inciter à rester. Du reste, le cadre semblait extrêmement séduisant. Le paysage était superbe, le sol fertile. Une famille avec des enfants pouvait y mener une existence paradisiaque.

– Les hommes de Pradogrande vous bâtiront une belle *finca*. Cependant, notre population est réduite, ajouta Micah avec précaution. Vous devrez soigner les humains et les animaux, peut-être même participer aux cultures.

Cette offre généreuse méritait une réponse. N'ayant jamais envisagé de s'installer dans cette vallée, aussi accueillante fût-elle, Yonah s'apprêtait à refuser poliment. Mais songea aux répercussions que sa décision risquait d'avoir pour Adriana Chacon.

– Je vais y réfléchir, déclara-t-il.

Son hôte hocha la tête, heureux qu'on ne lui eût pas opposé une fin de non-recevoir.

Sur le chemin du retour, Yonah lui demanda une faveur :

– Micah, vous rappelez-vous les offices de Shabbat que vous organisiez à Grenade ?

– Naturellement.

– Voudriez-vous convier vos amis à une cérémonie similaire ce soir ?

– Si cela vous tient à cœur... répliqua Benzaquen, de mauvaise grâce.

– Oui, vraiment.

– Alors je ferai passer le message.

En fin d'après-midi, seuls Asher de Segarra et Pedro Abulafin se présentèrent. À leur attitude réservée, Yonah comprit immédiatement qu'ils n'étaient pas venus par conviction religieuse, mais par amitié pour lui.

Ils attendirent ensemble le coucher du soleil, marquant le début du Shabbat.

– Je ne me souviens pas très bien des prières, dit Asher.

– Moi non plus, répondit Yonah.

Il songea un moment à entonner le Shema. Mais il se rappela les paroles du *padre* Serafino au sujet de la Sainte Trinité, lors de la précédente messe dominicale :

– Le Père crée, le Fils sauve les âmes et le Saint-Esprit amende les pécheurs.

C'est à cela que croyaient désormais les nouveaux chrétiens de Pradogrande. Tant que l'Inquisition les laissait en paix, ils vivaient heureux dans la foi catholique. Dès lors, de quel droit, lui, Yonah Toledano, se permettrait-il de leur faire réciter : « Écoute, ô Israël, l'Éternel ton Dieu, l'Éternel est un » ?

Segarra lui posa la main sur l'épaule :

– Cela ne sert à rien de ressasser le passé.

– Vous avez raison.

Peu après, le médecin les remercia et leur souhaita bonne nuit. C'étaient de bonnes gens. Mais il préférait encore prier tout seul qu'avec un *minyan* de juifs convertis et attachés à leur nouvelle foi, qui ne se joindraient à lui que par complaisance.

Cette nuit-là, allongé auprès d'Adriana, il décida de laisser parler son cœur :

– Il faut que je te dise quelque chose, lui dit-il en murmurant.

Elle baissa les yeux, anxieuse.

– Tu as une autre femme ?

– Non, mais j'ai un autre Dieu.

Il lui expliqua alors, sans détours, qu'il était toujours juif et qu'il avait jusque-là échappé au baptême et à l'Inquisition. Elle l'écouta en silence, sans le quitter des yeux.

– Ton père et certains de ses amis m'ont demandé de demeurer ici. Mais je ne supporterai jamais de vivre dans un endroit où les faits et gestes de chacun sont connus de tous. Je ne renierai jamais ce que je suis. Tôt ou tard, quelqu'un me considérera comme une menace pour la communauté et me trahira.

– Et là où tu habites, tu te sens plus en sécurité ?

342

Il lui décrivit l'hacienda située à bonne distance de la ville, à l'abri des regards indiscrets.

— L'Église y est très présente, mais tout le monde me prend pour un ancien chrétien. Je vais à la messe et je donne de l'argent à la paroisse. On ne m'a jamais inquiété.

— Alors, emmène-moi loin d'ici.

— Plus que tout au monde, je souhaiterais faire de toi mon épouse. Mais si l'on me découvrait, je serais brûlé et toi aussi. En aucun cas, je ne voudrais t'entraîner dans ma chute.

— Tu sais, répondit-elle calmement, la mort peut nous frapper n'importe où et n'importe quand.

Alors, elle se blottit contre lui et lui dit dans un souffle :

— Je me sens honorée de la confiance que tu m'as témoignée. Tu as survécu et nous survivrons ensemble. J'ai la conviction que tu mourras dans mes bras, après de très longues années de bonheur.

Elle se détacha pour le regarder, le visage souriant, baigné de larmes. Puis elle ajouta :

— Nous devons partir dans les plus brefs délais. Les villageois d'ici sont si craintifs qu'ils n'hésiteraient pas à te tuer pour ne pas s'attirer les soupçons du Saint-Office.

Après un dernier baiser, elle se dégagea de son étreinte, se leva, et commença à rassembler quelques affaires.

— C'est drôle, dit-elle. J'appartenais jadis à ton peuple. J'étais encore bébé quand mon grand-père Isaac a décidé d'abjurer son judaïsme. Pourtant, jusqu'à sa mort, Zulaika préparait un bon repas et allumait deux chandelles le vendredi soir. D'ailleurs, j'ai conservé ses bougeoirs en cuivre.

— Nous les emporterons avec nous, décréta le médecin.

Ils s'éloignèrent aux premières lueurs de l'aube. Yonah surveillait constamment leurs arrières, hanté par le souvenir de sa tragique fuite avec Manuel Fierro. Ils ne ralentirent l'allure qu'une fois qu'ils eurent rejoint la route menant à Huesca.

La famille Aurelio avait préparé une bonne quantité de thériaque que le praticien chargea sans tarder sur son âne. À compter de ce moment, durant tout le voyage, il s'attacha à ménager sa compagne, en réduisant l'allure et l'épargnant de

343

trop longues journées de trajet. En route, il lui dévoila les derniers détails de sa vie qu'il avait passés sous silence : il n'habitait pas à Guadalajara mais à Saragosse, où il se faisait appeler Ramón Callicó.

— Ce nom me plaît bien, dit-elle.

Elle veilla alors à l'appeler ainsi afin que cela devînt une habitude.

Lorsqu'ils atteignirent la cité, elle se montra impatiente de tout découvrir et ils parcoururent les ruelles hospitalières de la ville. En arrivant à l'hacienda, Yonah ne rêvait que d'une chose : prendre un bon bain, manger un peu et dormir près de sa bien-aimée. Mais cette dernière le supplia de lui faire visiter toute la propriété et il céda à sa requête.

Lorsqu'ils eurent contemplé tour à tour le verger, les oliviers, la tombe de Nuño et le jardin laissé à l'abandon, ils purent enfin se reposer. Ils dormirent tout l'après-midi et jusqu'au lendemain matin.

Le jour suivant, ils célébrèrent eux-mêmes leur union selon le rite juif. Yonah fabriqua un dais au moyen d'une couverture qu'il déploya sur quatre bâtons fixés à des chaises. Il alluma des bougies et ils se tinrent, émus, côte à côte, sous cette *khoupa* de fortune.

— Béni sois-Tu, Éternel notre Dieu, qui nous as sanctifiés de Tes commandements et qui m'as donné cette femme en mariage.

Adriana répéta, en le fixant de ses yeux étincelants et humides :

— Béni sois-Tu, Éternel notre Dieu, qui nous as sanctifiés de Tes commandements et qui m'as donné cet homme en mariage.

Il plaça à son doigt l'anneau d'argent que lui avait confectionné Helkias pour ses treize ans.

— Il est bien trop grand ! s'exclama-t-elle en riant.

— Ce n'est pas grave. Tu le porteras sur une chaînette attachée à ton cou.

Il brisa un verre du pied, acte symbolisant le souvenir de la destruction du Temple de Jérusalem.

344

– *Mazel Tov*, Adriana.

– *Mazel Tov*, Yonah.

Puis ils sortirent dans le pré où se prélassaient leurs trois chevaux.

– Ma Doña va se plaire ici, commenta la jeune femme. À propos, pourquoi désignes-tu tes animaux de façon si impersonnelle, seulement par la couleur de leur robe ?

Comment le médecin aurait-il pu lui expliquer que jadis, il avait aimé et perdu un *burro* baptisé Moïse, et que depuis il n'avait jamais pu se résoudre à donner un nom à une monture ? Il haussa simplement les épaules.

– Tu me permets de remédier à cette lacune ?

– Si tu veux.

– Sultán conviendrait parfaitement à ton étalon arabe, déclara-t-elle.

Quant à la jument noire de Manuel Fierro, Adriana décréta qu'elle ressemblait à une religieuse et l'appela Hermana – « sœur ».

L'après-midi même, elle se lança dans un grand ménage de l'hacienda. Elle ouvrit portes et fenêtres. Elle lava, frotta, dépoussiéra, polit, rangea tous les objets et les meubles que contenait la maison. Elle mit la touche finale à son ouvrage en installant les bougeoirs de sa grand-mère ainsi que l'oiseau en bois de Pradogrande sur le manteau de la cheminée.

En vingt-quatre heures, la maison était devenue sienne, comme si elle y avait toujours vécu.

VII

L'homme sans voix

Aragon
Le 3 avril 1509

41

Une lettre de Tolède

Après Nuño Fierro, Miguel de Montenegro était le praticien le plus doué que Yonah eût connu. En outre, en tant que médecin attitré des dignitaires de l'Église, il représentait un allié fort précieux. Les deux confrères s'entraidaient sans aucune rivalité. Depuis peu, l'éminent praticien s'était associé avec Pedro Palma, son ancien apprenti.

– Pedro a certaines lacunes, confia un jour Montenegro à Yonah. Il a surtout besoin de se perfectionner en anatomie et je crois qu'il aurait beaucoup à apprendre de vous.

À l'évidence, il s'agissait là d'une demande implicite d'initier le néophyte à la dissection. Or, même si Yonah hésitait à refuser le moindre service à son collègue, il était désormais marié et ne souhaitait pas mettre en péril la sécurité d'Adriana.

– Vous êtes un excellent chirurgien, répondit-il. Alors pourquoi ne le formeriez-vous pas vous-même ?

Son interlocuteur hocha la tête sans rancœur, pour signifier qu'il avait compris la position de son ami.

– Et votre femme, Ramón ? s'enquit Montenegro avec bienveillance.

– Toujours rien, répliqua le jeune homme d'un air soucieux.

– Vous savez, dans la vie, chaque chose vient à point à qui sait attendre. Votre épouse est si charmante ! N'oubliez pas de la saluer pour moi.

Yonah se demandait qui, de sa bien-aimée ou de lui-même, souffrait de stérilité. À sa connaissance, il n'avait engrossé aucune de ses maîtresses jusqu'alors. L'impossibilité de concevoir un enfant constituait la seule ombre à son mariage. Il savait combien Adriana désirait fonder une famille et cela lui déchirait le cœur de lire la tristesse sur son visage dès qu'elle apercevait une mère accompagnée de sa progéniture.

Montenegro et lui avaient consulté tous les ouvrages sur la question et avaient prescrit à la jeune femme une potion recommandée par le savant musulman Ali ibn Ridwa en cas d'infertilité : une infusion de gousses d'ail, de camphre, de sucre, d'orgeat et de racine de mandragore dans du vin. Durant deux ans, elle avait consciencieusement absorbé ce breuvage, ainsi que d'autres drogues, en vain. Pour oublier son chagrin, elle mettait toute son énergie à cultiver un vaste potager ainsi qu'à entretenir les arbres du verger.

Le couple coulait des jours paisibles. Pour sauver les apparences, ils se rendaient à l'église plusieurs fois par mois. Et Adriana était très respectée de tous.

Quelques mois seulement après son retour de Pradogrande, Yonah avait atteint la dernière page du *Canon* d'Avicenne. Presque à contrecœur, il avait traduit l'ultime recommandation du philosophe, qui exigeait que l'on évite de saigner les patients trop faibles ou sujets à des diarrhées et des nausées. Enfin, il avait scrupuleusement recopié la conclusion :

Épilogue de l'ouvrage et remerciements

Que ce discours compendieux sur les principes généraux relatifs à la science de la médecine se révèle suffisant.

*Notre tâche suivante consistera
en une compilation des médicaments simples,
avec la permission d'Allah.
Qu'Il soit notre guide
et reçoive nos remerciements
pour Ses innombrables faveurs.*

*Fin du premier livre
du Canon de la médecine
par Ibn Sina,
Chef des médecins.*

Il avait saupoudré la feuille de sable fin, puis l'avait secouée et placée au-dessus de l'imposant manuscrit qui trônait sur sa table, en éprouvant la joie de l'érudit parvenu au terme d'un long labeur solitaire. Il déplorait seulement que Nuño Fierro ne fût plus là pour voir le résultat final.

Après quoi il avait rangé la version espagnole sur une étagère de sa bibliothèque et déposé l'original dans la niche dissimulée derrière la tenture. Il y avait pris le recueil de Maimonide et s'était aussitôt attelé à sa traduction.

Les Callicó ne fréquentaient que peu de gens. Quelques semaines après leur union, ils avaient convié Montenegro à passer une soirée chez eux. Le veuf leur avait rendu la politesse en les emmenant dans une auberge réputée de Saragosse, où ils prirent l'habitude de souper régulièrement tous les trois.

Adriana manifestait un grand intérêt pour l'histoire de leur hacienda. Apprenant que Reyna avait servi comme gouvernante auprès de trois maîtres successifs, elle s'exclama :

– Quelle personne exceptionnelle ce doit être ! J'aimerais la rencontrer.

Yonah espérait qu'elle oublierait cette requête. Mais elle insista tant et si bien qu'il se rendit jusqu'au *Pueblecito* afin de prier son ancienne servante et son époux de leur rendre visite.

Le jour convenu, Reyna et Álvaro Saravía portèrent à leurs hôtes une nappe brodée et du vin. Pendant que les deux femmes liaient connaissance, les deux hommes explorèrent la propriété. Le bûcheron avait grandi dans une petite ferme et, impressionné par le travail accompli sur le domaine, se mit en devoir de prodiguer quelques conseils à Yonah :

– Vous pourriez construire un petit entrepôt près de l'oliveraie et du verger, afin d'y ranger vos outils et de stocker vos fruits.

Cette suggestion paraissait avisée et ils discutèrent du prix d'un tel ouvrage et des matériaux à utiliser. Après un repas des plus agréables, les invités reprirent la route, enchantés par cette soirée.

Tout en débarrassant la table, Adriana ne tarit pas d'éloges sur Reyna :

– Nous nous sommes plu au premier coup d'œil. Tu sais, elle se considère un peu comme ta mère et elle souhaite ardemment que nous lui donnions un petit-fils. Elle m'a demandé si, par hasard, il n'y en avait pas un en préparation.

Conscient de la vulnérabilité de son épouse sur le sujet, Yonah regarda sa compagne, inquiet.

– Et que lui as-tu répondu ?

– Je lui ai dit : « Pas encore. Pour l'heure, nous nous entraînons ! »

Le 1er février se tenait le congrès annuel des médecins d'Aragon. Devant ses confrères, Yonah prononça un discours sur la circulation sanguine selon Avicenne. Son exposé fut fort apprécié et suscita de nombreuses questions. Après quoi, Miguel de Montenegro lut à ses collègues un message qui lui avait été remis par le diocèse de Saragosse.

Au docteur Miguel de Montenegro, j'adresse les salutations du diocèse de Tolède.

Mgr Enrique Sagasta, évêque auxiliaire de Tolède, dont je suis l'assistant, a été informé de l'état extrêmement critique d'un noble de Tembleque.

Le comte Fernán Vasca, chevalier de Calatrava et généreux donateur de notre Sainte Mère l'Église, est atteint d'une effroyable maladie qui l'a privé de l'usage de la parole et de ses membres.

Plusieurs médecins l'ont examiné, sans résultat. Se rappelant la haute estime dans laquelle vous êtes tenu, Mgr Sagasta considérerait votre venue en Castille comme une immense faveur. S'il ne vous est pas possible d'effectuer vous-même ce voyage, il vous prie d'adresser ce patient à l'un de vos confrères.

Naturellement, celui qui accourra au chevet de cet illustre partient recevra pour sa peine une digne compensation, dont le montant sera doublé en cas de guérison.

Nous vous remercions de l'attention que vous porterez à cette requête.

Le Christ soit avec vous.
Padre Francisco Rivera de la Espina.

– Je suis trop vieux pour m'y rendre, déclara le destinataire de cette missive. Je suis souvent par monts et par vaux pour soigner les prélats. Si je commence aussi à m'occuper des laïcs, je ne m'en sortirai plus. Quant à mon associé, Pedro Palma, il n'a pas assez d'expérience pour s'acquitter d'une telle mission. Alors, señores, quelqu'un parmi vous serait-il volontaire ?

Cette proposition fut accueillie par des sourires quelque peu ironiques.

– Le trajet est bien long, dit l'un des savants.

– Et les seigneurs sont de mauvais payeurs, ajouta un autre.

– Certes, mais l'évêque promet une rémunération, objecta Montenegro.

– Ce n'est pas une garantie, riposta un troisième praticien. Nous ne connaissons ni ce Mgr Sagasta ni son assistant.

– Si.

Tous les regards se tournèrent vers Ramón Callicó.

– J'ai rencontré le père Espina. Il est resté quelques mois à Saragosse et m'a paru tout à fait honnête.

Personne ne réagit. Devant ce silence éloquent, le doyen de l'assemblée haussa les épaules et remit la missive dans sa poche.

Cette nouvelle perturba fortement Yonah. Au début, il exclut catégoriquement l'éventualité de retourner à Tolède. C'était beaucoup trop loin et il ne désirait pas s'absenter aussi longtemps de chez lui en laissant Adriana seule. En outre, le comte de Tembleque méritait bien le châtiment qui s'abattait sur lui.

Pourtant, il entendait au fond de lui la petite voix de Nuño qui lui demandait : « Un médecin a-t-il le droit de ne traiter que ceux qui lui agréent ou qu'il aime, et d'abandonner les autres à leur sort ? »

À mesure qu'il réfléchissait à la question, il se rendit compte qu'il avait laissé certaines affaires en suspens à Tembleque. Cette requête du *padre* Espina lui avait peut-être été envoyée par le ciel afin de faire toute la lumière sur les meurtres de son père et de son frère.

Adriana le supplia d'abord de ne pas y aller. Puis elle exigea de l'accompagner.

— Ce n'est pas possible, lui répondit-il.

Il ne voulut pas l'inquiéter en mentionnant les dangers du périple ou les fâcheux événements qui pourraient survenir sur place. Il aurait préféré que son refus éveillât de la colère chez sa compagne. Or, à son grand désarroi, il ne lut que crainte et angoisse sur son visage. Aussi s'efforça-t-il de l'apaiser :

— Je sais que d'habitude, je pars pour deux ou trois jours seulement. Mais ne t'inquiète pas, je te reviendrai.

Cela ne semblait pas la rassurer.

— Je te laisserai assez d'argent pour que tu puisses faire face au moindre imprévu, dit-il encore.

Cette fois, elle explosa :

— Et si je le prends et que je te quitte ?

— Tu peux tout emporter, répliqua-t-il. J'ai enterré la cassette contenant l'or de Manuel Fierro dans le jardin, sous le tas de fumier.

— La déterrer me demandera trop d'efforts !

Des larmes emplissaient ses yeux. Il l'étreignit et la berça dans ses bras comme une enfant.

— Allons, allons, tout se passera bien.

Il s'arrangea avec Álvaro Saraviá pour que celui-ci rendît visite à Adriana une fois par semaine et qu'il veillât à l'approvisionner en bois et en foin pour les animaux.

Miguel de Montenegro et Pedro Palma acceptèrent, un peu à contrecœur, de le remplacer auprès de ses patients.

— Méfiez-vous des nobles, lui dit le vieux médecin. Une fois guéris, ils vous envoient paître !

Les forces de l'étalon arabe déclinant, Yonah sella la jument noire et fixa sur la monture sa sacoche médicale ainsi qu'une besace dans laquelle sa compagne lui avait préparé du pain, de la viande cuite, des pois et des raisins secs. Une fois ses préparatifs achevés, il embrassa tendrement son épouse et se mit en route en milieu de matinée, en direction du sud-ouest.

Pour la première fois, le fait de cheminer librement sur les routes ne l'emplissait pas de bonheur. Seule l'étreignait une furieuse envie de faire demi-tour pour retrouver Adriana.

Le soir, il campa derrière une haie d'arbres. En dessellant sa jument, il lui tapota l'encolure et lui caressa le chanfrein.

– Tu es vraiment brave, Hermana, lui chuchota-t-il à l'oreille, affectueusement.

42

Au château

Neuf jours plus tard, il traversait la plaine d'argile rouge de Sagra et apercevait au loin la muraille de Tolède qui se dressait dans le crépuscule. En franchissant la porte de Bisagra, il fut assailli par de douloureux souvenirs. Il passa devant le siège de l'Inquisition, marqué par un écusson de pierre dont David Mendoza lui avait jadis expliqué la symbolique :

— De part et d'autre de la croix, il y a le rameau d'olivier pour ceux qui acceptent l'autorité de l'Église, et l'épée pour ceux qui la refusent.

Il attacha sa jument devant le siège du diocèse, où il fut accueilli par un moine qui lui demanda le motif de sa visite. Après l'avoir invité à s'asseoir sur un banc, le frère s'en retourna aussitôt dans l'édifice d'un pas soutenu, pour prévenir ses supérieurs de l'arrivée du médecin.

Yonah n'eut guère à attendre. Le *padre* Espina vint à sa rencontre, le visage éclairé par un large sourire.

— Quel plaisir de vous revoir, señor Callicó !

Les traits de l'ecclésiastique avaient mûri et semblaient imprégnés d'une certaine assurance. Il n'avait pas l'air déçu que Montenegro eût dépêché son confrère à sa place et il s'empressa de lui donner quelques indications pratiques.

— En arrivant au château, précisez bien que vous êtes envoyé par Mgr Sagasta. Comme le comte n'avait plus d'intendant lorsqu'il est tombé malade, l'Église a détaché le *padre* Alberto Guzmán afin d'aider la comtesse à régler les affaires courantes. Cette dernière se nomme María del Mar Cano, fille de Gonzalo Cano, un puissant marquis madrilène.

Puis il ajouta :

– Ainsi que je l'ai écrit dans ma lettre, d'autres ont déjà tenté de secourir ce seigneur, sans succès.

– Je ne puis guère vous faire de promesses non plus...

Espina l'interrogea ensuite sur son existence à Saragosse, avant de décrire la joie que lui procuraient ses fonctions auprès de l'évêque auxiliaire.

– Mgr Enrique Sagasta se passionne pour l'histoire du christianisme et il a entrepris de rédiger un ouvrage traitant de la vie des saints. Son projet a d'ailleurs obtenu le soutien du Saint-Père à Rome. J'ai l'honneur et le plaisir de l'assister dans ses recherches.

Soudain, il se pencha vers son interlocuteur et lui dit, sur le ton de la confidence :

– Chaque jour, je consulte le bréviaire de mon père et je vous bénis souvent de me l'avoir rapporté. J'apprécie aussi que vous soyez venu de si loin pour répondre à mon appel. Je suis votre obligé à plus d'un titre. Si je peux vous aider de quelque manière que ce soit, de grâce, n'hésitez pas à me le dire.

Sur ce, il lui proposa de passer la nuit au monastère, mais Yonah n'avait nulle envie de coucher dans une cellule.

– Je vous en sais gré, mais je préfère me rendre séance tenante au chevet du comte.

Le prêtre lui expliqua comment rejoindre le château, le médecin feignant de ne pas connaître les environs. Avant de prendre congé, Yonah lui demanda un dernier renseignement :

– Je prescris des médicaments, mais je ne les fabrique pas. Connaîtriez-vous un apothicaire fiable dans les environs ?

– Oui. Santiago López. Son officine se trouve juste derrière le mur septentrional de la cathédrale.

– Pardonnez-moi d'avoir abusé de votre temps, *padre*.

– Dieu vous protège, señor.

Il régnait un désordre indescriptible dans la minuscule échoppe, qui embaumait les herbes de toutes sortes.

— Señor López ! cria Yonah.

Un petit homme chauve au regard vif descendit de son appartement.

— En quoi puis-je vous être utile ? marmonna l'apothicaire.

— D'ici peu, j'aurai peut-être besoin de myrte, de balsamine, d'*acacia nilotica*, de betterave acide, de coloquinte et de graines de *pharbitis*.

López sourit.

— Comme vous vous en doutez, il est impossible de tout avoir. Je peux vous procurer la plupart de ces produits. Quant aux autres, si vous me le permettez, je vous suggérerai des substituts équivalents.

— Entendu. Je vais sans doute vous commander des remèdes pour le comte de Tembleque.

— J'espère seulement que vous n'aurez pas fait tout ce voyage pour rien, señor !

— Nous verrons bien.

Yonah arriva au château bien après la tombée de la nuit.

— *Hola*, sentinelle !

— Qui va là ?

— Ramón Callicó, le médecin de Saragosse.

— Un instant !

Le lourd portail se souleva avec un grincement si bruyant qu'il fit reculer la jument noire. Lorsque le vacarme eut cessé, elle avança dans la cour, ses sabots claquant sur les grandes dalles en pierre.

Les épaules voûtées et l'air maussade, le *padre* Alberto Guzmán proposa au visiteur de quoi se restaurer.

— Un peu plus tard, si vous voulez bien, dit le praticien. Une fois que j'aurai vu le comte.

— Mieux vaudrait ne pas le déranger ce soir et attendre demain pour l'examiner, rétorqua le prêtre d'un ton revêche. De toute façon, il ne parle ni ne bouge et ne comprend pas un traître mot de ce qu'on lui dit. Alors, rien ne presse.

Derrière lui apparut un vieillard trapu. Le visage rougeaud bordé d'une chevelure et d'une barbe blanches, il était dépenaillé comme un vulgaire *peón*.

– Peu importe, insista Yonah. Il me faut sur-le-champ toutes les lampes et les bougies que vous pouvez réunir.

L'ecclésiastique eut une moue de désapprobation.

– Comme il vous plaira. Le *padre* Sebbo vous apportera de quoi vous éclairer.

Celui que le médecin avait pris pour un manant acquiesça.

En entrant dans la chambre en compagnie de Guzmán, Yonah fut saisi par une odeur fétide. Il approcha une lampe du visage du malade. Ce dernier avait visiblement perdu beaucoup de poids. Ses yeux fixaient le vide et sa bouche béait.

– J'ai besoin de toutes les lumières possibles, répéta-t-il.

Le prêtre se dirigea vers la porte et hurla des ordres dans le corridor. Juste à ce moment, son compagnon arrivait, suivi de trois serviteurs nantis de bougeoirs, qu'ils disposèrent tout autour du lit.

Le praticien se pencha au-dessus du patient.

– Comte Vasca ! Je suis Ramón Callicó, médecin de Saragosse.

Les pupilles du seigneur frémirent dans sa direction.

– Je vous avais bien dit qu'il ne pouvait pas parler, lança Guzmán, exaspéré.

Une fois la couverture rabattue, les émanations nauséabondes s'exhalèrent. Vasca reposait raide et souillé, les bras roides repliés sur son abdomen. Yonah eut du mal à lui prendre le pouls, qui résistait à ses palpations. Il en déduisit une forte pression sanguine.

– Son dos est rongé par une pourriture maligne, commenta le *padre*.

En retournant le corps inerte, le praticien poussa un grognement indigné. La peau était infestée de furoncles purulents.

– Des escarres... Dites aux serviteurs de faire bouillir de l'eau et de l'apporter séance tenante, avec des linges propres.

Guzman se racla la gorge, simulant l'hésitation.

– Le docteur Carlos Sifrina de Fonseca a bien insisté pour ne pas baigner le comte, de peur qu'il n'absorbe les humeurs de l'eau.

– C'est que l'honorable Carlos Sifrina de Fonseca ne s'est jamais retrouvé ainsi, vautré dans ses déjections !

Il était temps de faire preuve d'autorité. La voix de Yonah s'éleva dans la pièce, plus ferme que jamais :

– Je disais donc : de l'eau chaude en abondance, du savon et des linges. J'ai déjà un baume dans ma sacoche. Cependant il me faudra du papier, de l'encre et une plume, afin que je puisse écrire une prescription. Nous enverrons alors un émissaire au plus vite chez Santiago López, l'apothicaire de Tolède, dût-on le tirer de son sommeil pour qu'il prépare ces remèdes !

Le religieux semblait contrarié mais résigné. Il s'apprêtait à sortir quand Yonah le rappela.

– J'oubliais. Trouvez d'épaisses peaux de mouton pour l'allonger dessus. Qu'elles soient douces et propres. Et aussi une chemise de nuit et une couverture de rechange.

Il était plus de minuit lorsqu'il acheva de laver le corps décharné, d'enduire les lésions d'onguent et d'installer le malade sur une couche et dans une tenue convenables.

Il avala du pain, un morceau d'agneau gras et un verre de vin âcre, avant d'être conduit dans une petite chambre où il s'endormit sans tarder.

Le lendemain matin, il demanda aux serviteurs d'installer le comte dans une chambre plus vaste et plus lumineuse afin de l'examiner de manière approfondie.

En raison de l'atrophie musculaire du patient, ses doigts ressemblaient à des serres. Le médecin demanda aux serviteurs de confectionner au moyen de petites branches deux attelles autour desquelles il referma chacune des mains, fixées par un bandage de toile.

Les membres supérieurs et inférieurs semblaient paralysés. Avec le manche d'un scalpel, il tenta de stimuler la plante des pieds, l'arrière des jambes et l'envers des paumes, mais n'obtint aucune réaction. Apparemment, l'organisme entier était atteint. Seuls les paupières et les yeux bougeaient encore.

Yonah fixa donc le regard du malade tout en l'interrogeant :

– Sentez-vous quelque chose quand je vous touche ici ? Et là ? Souffrez-vous ? M'entendez-vous ?

Parfois un léger gémissement sortait de la bouche du comte, sans qu'il s'agît d'une réponse à ces multiples questions.

De temps à autre, le sarcastique Guzmán s'approchait pour observer les tentatives infructueuses du praticien.

— Je vous le répète : il ne comprend rien ! Absolument rien !

— Vous en êtes certain ?

Le prêtre secoua la tête.

— Docteur, vous n'aviez pas besoin de venir ! Il approche de l'ultime voyage vers le Royaume des cieux qui nous attend tous.

Une femme entra dans la pièce, portant un bol de gruau et une cuiller. Elle avait l'âge d'Adriana, les cheveux blonds, la peau blanche et un visage félin aux pommettes saillantes. Vêtue d'une robe élégante mais tachée, elle sentait le vin. Sur son cou gracile, Yonah distingua une petite marque écarlate, assurément provoquée par un baiser trop appuyé.

— Vous êtes le nouveau médecin ? demanda-t-elle.

— Oui.

— Je suis la comtesse.

— Je l'avais deviné.

L'inquiétude se lisait sur sa face.

— Pensez-vous pouvoir l'aider ?

— Il me paraît trop tôt pour en juger.

— Je vois.

— On m'a dit que sa maladie datait de plus d'un an.

— Quatorze mois exactement.

— Et vous êtes mariés depuis...

— Un peu moins de quatre ans.

— Vous étiez là quand l'attaque s'est produite ?

— Oui.

— Il m'est nécessaire d'en connaître les circonstances précises.

Elle haussa les épaules.

— Comment voulez-vous que je me rappelle ? Voyons... Il était parti à cheval tôt dans la matinée pour chasser.

— Que s'est-il passé à son retour ?

— Euh... Vers midi, nous avons fait l'amour.

Elle sourit en direction du malade, puis ajouta :

— Quand il s'agissait d'ébats, peu lui importait l'heure.

— Pardonnez mon indiscrétion, comtesse, mais ce jour-là, s'est-il montré particulièrement ardent ?

Elle regarda son époux avec fierté.

— Il était toujours ardent. Dans tout ce qu'il entreprenait d'ailleurs.

Elle resta un instant songeuse, puis reprit :

— Sinon, la journée s'est écoulée sans incident. En fin d'après-midi, il s'est plaint d'un mal de tête. Je lui ai demandé s'il voulait dîner au lit, mais il a insisté pour s'attabler. Quand on nous a servi la volaille, j'ai remarqué que sa bouche pendait. Il semblait avoir du mal à respirer et à tenir sur sa chaise. Nous avons tenté de l'aider, mais ses chiens ne laissaient personne l'approcher, alors nous avons dû les tuer.

— Et c'est ainsi qu'il s'est retrouvé paralysé ?

— Non. Par la suite, il bougeait sa jambe et son bras droit. Il parlait aussi, même si ses paroles étaient parfois incompréhensibles. Il a eu le temps de me donner des instructions concernant son enterrement. Mais deux semaines plus tard, il a subi une autre crise, qui l'a laissé tel que vous le voyez.

— Je vous remercie pour votre obligeance, comtesse.

— Il pouvait faire preuve de rudesse, comme beaucoup d'hommes, dit-elle en se tournant vers Vasca. Mais il a toujours été pour moi un bon seigneur et un gentil époux...

Yonah redressa le patient au moyen de plusieurs oreillers. Puis il regarda sa femme le nourrir à la cuiller.

— A-t-il des difficultés à avaler ?

— Il s'étrangle quand on lui donne des liquides et il n'arrive pas à mâcher. Mais comme vous le constatez, le gruau passe bien. C'est comme cela que nous sommes parvenus à le maintenir en vie.

Ils se turent un moment. Une fois le bol vidé, la dame se dirigea vers la porte. Puis elle s'arrêta pour demander :

— Rappelez-moi votre nom ?

— Ramón Callicó.

Ses yeux fixèrent un instant le médecin, puis elle inclina la tête et quitta la pièce.

43

La comtesse

La nuit suivante, en sortant de sa chambre pour vider son pot, Yonah aperçut dans le couloir un homme nu, tenant ses vêtements dans ses bras, qui refermait derrière lui la porte des appartements de la comtesse. Le médecin tenta de ne pas se faire remarquer, mais l'inconnu le vit et se figea.

— Bonsoir, lui dit Yonah, gêné.

L'autre ne répondit pas, s'engouffra dans une galerie et disparut.

Au matin, Yonah s'en retourna auprès du comte. Pendant qu'il l'installait plus confortablement, avec l'aide du *padre* Sebbo, l'individu qu'il avait malencontreusement croisé quelques heures auparavant fit irruption dans la pièce.

— Où diable est-elle passée ?

Quel rustre ! pensa le praticien. Il détailla son visage rond, sa barbiche noire, sa tonsure cerclée de fins cheveux bruns et raides, son corps musclé et ses mains massives, chacune ornée d'une imposante chevalière.

— Alors, où est-elle ? s'impatienta l'odieux personnage.

— Je n'en sais rien, señor, répondit le religieux sur un ton glacial et éloquent.

L'intrus repartit sans un mot.

Le vieux *padre* était la seule personne au château avec qui Yonah pouvait converser librement. Il lui demanda donc :

– Qui est ce grossier gentilhomme qui nous a fait l'honneur de sa visite ?

– C'est Daniel Fidel Tapia, un ami du comte Vasca qui se présente depuis peu comme son associé.

– Et la femme qu'il recherche, ne porte-t-elle pas de nom ?

– Il parlait de la comtesse. Ils entretiennent des rapports très étroits.

Le pouls du malade battait tantôt fort et régulièrement, tantôt de manière imperceptible et anarchique. Le *padre* Guzmán apparaissait une fois par jour dans la chambre, étudiait le visage de Vasca et constatait, avec un soupçon d'orgueil, que son état s'aggravait.

– Dieu me dit qu'il va mourir ! disait-il d'un air pénétré.

« Pourquoi Dieu vous parlerait-Il, à vous ? » pensait Yonah.

Il doutait de pouvoir sauver le comte, mais ne relâchait pas ses efforts. Au cours de sa carrière, il avait rencontré de nombreux cas similaires et il ignorait tout de la cause ou du traitement d'une pareille affection. Peut-être que, quelque part dans le corps humain, se trouvait un centre gouvernant les facultés motrices qui, chez Vasca, s'était endommagé comme le cœur de Nuño au moment de son décès. Il aurait souhaité pouvoir disséquer le cadavre après sa mort.

– J'aimerais bien vous emmener dans ma grange à Saragosse, murmura-t-il tout haut.

Les yeux du patient s'ouvrirent brusquement. Le chirurgien y lut une forme de surprise et une idée fulgurante lui traversa l'esprit : à certains moments, le comte comprenait ce qui se passait autour de lui.

Il resta longtemps au chevet du paralysé, attendant de croiser à nouveau son regard. Mais le plus souvent, Vasca dormait. Deux fois par jour, le *padre* Sebbo venait réciter une prière d'une voix lasse et enrouée. Comme il était atteint d'un rhume chronique, Yonah lui prescrivit une solution de camphre. Reconnaissant, le prêtre lui proposa de le relever quelques heures.

Yonah profitait de ces instants de répit pour déambuler à sa guise à travers le château presque désert. Dans le froid des pièces obscures aux cheminées éteintes, il essayait de retrouver certains objets façonnés par son père. En particulier, il désirait revoir la fameuse rose en or dont la beauté l'avait bouleversé dans son enfance.

María del Mar Cano s'était bel et bien acquittée des préparatifs en vue de la mort de son époux. Dans une salle trônait un majestueux cercueil, gravé d'une inscription latine : CVM MATRE MATRIS SALVVS.

Le médecin ne découvrit aucun objet familier, jusqu'à ce qu'il pénétrât dans la salle d'armurerie. Là, il manqua de chanceler devant le spectacle d'un glorieux chevalier immobile, en tenue de combat. Il s'agissait de l'armure qu'il avait jadis livrée avec Angel, Paco et Luis. Il effleura le métal, là où il l'avait lui-même travaillé, et repensa avec émotion à son cher maître, Manuel Fierro.

Au fil du temps, il se prit de sympathie pour le *padre* Sebbo, dont il avait remarqué les mains aussi rugueuses que celles d'un paysan.

– Parlez-moi un peu de vous, mon père.

– Oh, vous savez, mon histoire n'a rien de passionnant.

– Pourtant vous êtes différent de vos semblables. Pourquoi, par exemple, ne vous habillez-vous pas comme eux ?

– Autrefois, je portais un élégant habit noir. Mais poussé par une vaine ambition, j'ai endossé une responsabilité que je n'ai pas su assumer. Ce manquement à mon devoir a provoqué le courroux de mes supérieurs qui m'ont condamné à prêcher la parole du Christ, en mendiant ma subsistance. Au début, trop fier, trop arrogant pour quémander, je me nourrissais de baies cueillies dans les bois ou de fruits volés dans les jardins – le Seigneur me pardonne. Mais j'ai découvert que l'homme pouvait faire preuve de bonté, et les plus démunis ont souvent partagé avec moi leur maigre pitance. C'est ainsi que j'ai survécu. Comme mon habit s'était transformé en haillons, les miséreux avec qui je priais et travaillais m'ont offert leurs vêtements. Pour la première fois, j'ai compris l'existence de saint François d'Assise, même si je n'ai pas eu de stigmates.

Je ne suis qu'un simple prêtre dont on s'est souvent moqué. Et, depuis des années, je suis le vagabond de Dieu.

– Mais si vous vous occupez des pauvres, que faites-vous chez un noble ?

– Il m'est arrivé régulièrement de séjourner ici, le temps de confesser ou de faire communier les domestiques et les gardes. Cette fois, le *padre* Guzmán m'a demandé de rester jusqu'à la mort du comte.

– Je crois que je n'ai jamais entendu votre nom en entier.

– En effet. Sebbo est le diminutif de Sebastián. Je m'appelle Sebastián Alvarez.

Yonah le dévisagea, médusé. Désireux de s'assurer de l'identité de son interlocuteur, il lui demanda :

– *Padre*, quelles étaient vos fonctions avant de devenir prêtre itinérant ?

– Je n'y repense que très rarement, car cela me semble faire partie d'une autre vie. Je dirigeais le prieuré de l'Assomption, à Tolède.

Cette nuit-là, tandis qu'il veillait le malade, le médecin se remémora la période précédant l'assassinat de Meïr, au moment où Helkias dessinait encore les croquis du ciboire. À l'époque, il n'avait rencontré le prieur que deux fois et conservait de lui le souvenir d'un ecclésiastique impatient et tyrannique. Depuis, le destin avait métamorphosé cet être du tout au tout.

Cependant, il avait la certitude que le *padre* se trouvait au château pour la même raison que lui : il savait que Fernán Vasca avait ourdi le vol du reliquaire et de l'ossement de sainte Anne.

Le praticien continuait à parler au comte, dans l'espoir de ranimer sa conscience. Mais, fatigué par sa propre voix évoquant le temps, les récoltes, les oiseaux, le paysage, il se dit que le malade devait lui aussi se lasser d'un discours aussi monotone. Alors, il opta pour une autre tactique :

– Comte Vasca, il est temps à présent de discuter de mes appointements. Pour cela, nous devons tenir compte de ce que nous nous devons déjà l'un à l'autre. Voilà dix ans, j'ai livré une superbe armure confectionnée par Manuel Fierro et vous m'avez donné dix maravédis pour ma peine. D'autre part, je vous ai entretenu alors des fragments d'un saint reposant dans une grotte de Gibraltar et, en échange, vous avez fait assassiner deux brigands qui menaçaient de me tuer.

Derrière les paupières closes, il vit les globes s'agiter. Il poursuivit.

— C'est ainsi que vous vous êtes débarrassé de vos rivaux et que vous avez acquis les reliques. Vous vous rappelez ?

Les yeux s'ouvrirent lentement et Yonah y distingua une lueur d'intérêt.

— Aujourd'hui, je ne suis plus armurier, mais médecin, et je tente de vous aider. Vous devez collaborer avec moi.

Durant toutes ces journées passées auprès du patient, il avait eu le temps d'imaginer une technique lui permettant de communiquer.

— Je sais qu'il est difficile de ne pas pouvoir parler. Mais voici comment nous procéderons. Je vous poserai une question, vous me répondrez en clignant des yeux, une fois pour oui, deux fois pour non. Vous avez compris ?

Vasca le fixait, sans ciller.

— Je répète : clignez une fois pour oui, deux fois pour non. Vous saisissez ?

Un clignement !

— C'est bien ! Très bien ! Comte Vasca, avez-vous des sensations dans vos bras ou vos jambes ?

Deux clignements.

— Dans votre tête ?

Un clignement.

— Éprouvez-vous de la souffrance ou une gêne dans une partie de votre visage ?

Oui.

— Dans votre bouche ou votre mâchoire ?

Non.

— Dans votre nez ?

Non.

— Vos yeux.

Oui.

– Est-ce une douleur aiguë ?

Non.

– Une démangeaison ?

Le malade cligna une fois, longuement, comme pour insister.

Comblé par cette victoire, le praticien baigna doucement les yeux avec de l'eau chaude et envoya un commis chez l'apothicaire pour chercher un onguent particulier.

La comtesse entra dans la chambre en fin de matinée. Yonah la prit à part et lui expliqua ce qui s'était produit. Elle pâlit d'émotion.

– Cela signifie-t-il qu'il va mieux ?

– Je ne sais pas, mais j'en doute. Il s'agit peut-être d'un état de conscience temporaire, à moins qu'il ait toujours gardé ses esprits.

– Alors nous devons prier et garder espoir.

– Certes, cependant...

Il n'osa pas ajouter que son époux risquait à tout moment de succomber à une autre attaque.

Elle s'approcha du lit et prit la main de son mari, qui gardait les paupières baissées.

– Messire, chuchota-t-elle.

Il ne réagit pas. Elle réitéra son appel.

– Peut-être s'est-il rendormi, dit Yonah.

Mais María del Mar Cano insistait.

– Fernán, je t'en prie, regarde-moi, pour l'amour de Dieu !

Il se réveilla. Alors elle se pencha sur lui.

– Messire, êtes-vous mon bien-aimé ?

Vasca cligna une fois des yeux et le visiteur se retira pour laisser le couple à son intimité.

Cette nuit-là, en proie à l'insomnie, Yonah se dit qu'un interrogatoire plus agressif stimulerait peut-être davantage son patient. Le lendemain matin, il le questionna d'abord sur son état. Apparemment, ses escarres l'embarrassaient moins, ses yeux aussi, mais son talon gauche lui faisait mal. Après avoir massé la zone endolorie, le médecin se pencha sur le malade.

– Comte Vasca, vous souvenez-vous d'Helkias Toledano, l'orfèvre de Tolède ?

Le noble le scruta.

– Vous n'avez jamais réglé votre facture pour un certain nombre d'objets qu'il avait confectionnés à votre intention, notamment une rose en or, une pièce exceptionnelle. J'aimerais beaucoup admirer les œuvres de cet artisan. Savez-vous où elles se trouvent ?

Les paupières demeurèrent ouvertes, clignèrent plusieurs fois par réflexe, puis se refermèrent.

– Bonté divine ! Comte Vasca ? *Hola ?* Vous m'entendez ?

Aucune réponse.

– Écoutez-moi bien. Le juif Helkias était mon père. Et moi, je suis toujours juif. Le médecin qui tente de vous sauver la vie est juif !

Soudain, Vasca le regarda. Ses yeux exprimaient une telle dureté que Yonah sentit jaillir hors de lui un flot d'émotions réprimées depuis trop longtemps.

– Les œuvres de mon père, faites de ses mains, seigneur du Malin ! vitupéra-t-il. Les miroirs, quatre petits et deux grands ! La fleur en or avec une tige en argent ! Les huit peignes ! Les douze gobelets ! Sans oublier le reliquaire ! Où sont-ils, par tous les diables ?

Le comte continuait à le contempler. Sa bouche relâchée parut se relever un peu. Et, effaré, le praticien crut discerner sur son visage une expression d'amusement. Puis Vasca replongea dans le sommeil.

Le jour suivant, le patient réagit un temps aux sollicitations de son épouse, puis se rendormit. Yonah avait remarqué deux hématomes sur la pommette gauche de cette dernière.

– Auriez-vous besoin de mon aide, madame ?

– Non merci, señor, répliqua-t-elle sèchement.

Mais, le lendemain, il fut réveillé par un serviteur affolé :

– Señor Callicó ! Venez vite chez la comtesse !

Il enfila ses vêtements en vitesse et accourut auprès de María del Mar Cano. Il la trouva allongée en travers du lit, un linge ensanglanté sur le visage. Une entaille longue de deux pouces lui lacérait la joue.

— Il vous a blessée avec sa chevalière ?

Elle ne répondit pas. Le médecin lui fit boire une rasade de cognac, et tira de sa sacoche un peu de fil poissé et une fine aiguille. Une fois la plaie suturée, il la tamponna avec un chiffon imbibé de vin.

— Merci, señor, balbutia la jeune femme. Votre bonté me touche.

Elle éclata en sanglots.

— Comtesse...

Elle continua un moment de pleurer en silence. Puis, tentant de se ressaisir, elle s'essuya la face du dos de la main, comme une petite fille.

Le praticien se rappela que *padre* Espina avait mentionné qu'elle était issue d'une famille madrilène influente.

— Señora, je crois que votre mari va bientôt s'éteindre, lui dit-il doucement. Si cela devait se produire, avez-vous envisagé de vous réfugier chez votre père ?

— Tapia m'a menacée de me poursuivre et de me tuer si jamais je m'enfuis.

Aussi brutal fût-il, cet amant agressif n'était pas complètement insensé : peut-être se laisserait-il raisonner, pensa Yonah. Il en parlerait avec le père Sebbo.

— Je verrai ce que je peux faire, déclara-t-il, hésitant.

La comtesse secoua la tête.

— Tout est ma faute !

À contrecœur, il se vit contraint d'écouter ses confidences.

— Il avait des vues sur moi depuis longtemps. Je ne l'ai pas découragé, au contraire. Ses élans me flattaient. Je me savais en sécurité : il redoutait mon époux et n'aurait pas osé me toucher, car il travaillait pour lui. Il achetait des reliques sacrées en son nom. Fernán a de l'entregent et il parvenait sans peine à revendre à des communautés religieuses les fragments que son partenaire dénichait. Mais lorsque mon époux a eu son attaque, je me suis sentie seule et démunie. J'avais besoin de réconfort, alors une nuit, j'ai rejoint Tapia.

Elle soupira.

– Malheureusement, il s'est révélé bien différent de ce que j'imaginais. C'est une brute cupide et sans scrupule. Il veut m'épouser dès que possible. Le comte n'a pas d'héritier et, à ma mort, sa propriété reviendra à la Couronne. Daniel veillera donc à ce que je vive assez longtemps pour récupérer tout notre argent.

– Je vois.

– Attendez. Il y a autre chose. Il est convaincu que Fernán a dissimulé quelque part au château un objet de grande valeur. Il a enfin admis que j'ignorais tout de cette affaire. Mais il ne cesse de fureter dans chaque pièce, chaque recoin.

– S'agit-il d'une relique ?

– Je n'en sais rien. Et je souhaiterais que vous ne me tourmentiez pas davantage.

Elle se leva, accablée, et se dirigea vers le miroir.

– Vais-je garder une cicatrice ?

– Oui. Au début elle sera rouge, puis elle s'atténuera pour devenir presque invisible.

Le médecin reprit sa sacoche. La jeune femme immobile fixait son reflet dans la glace et ne se retourna pas quand la porte se referma derrière Yonah.

44

Le cercueil

Cet après-midi-là, quand le *padre* Sebbo vint le relever auprès du malade, Yonah reprit son exploration du château. Et, cette fois, elle se révéla plus que fructueuse.

Dans une remise poussiéreuse, encombrée de cadres et de chaises brisées, il découvrit, sur une étagère, une rangée de coupes. Le métal était noirci par le temps, mais en retournant l'une d'elles, il distingua la signature HT de son père. Il s'agissait de gobelets en argent massif, très sobres, mais de superbe facture. Deux d'entre eux présentaient d'importantes éraflures, comme s'ils avaient été projetés contre un mur dans un geste de fureur. Des douzes pièces répertoriées sur la liste des dettes dues à l'orfèvre, il n'en retrouva que dix.

Pour le simple plaisir de regarder et manipuler ces objets si chers à son cœur, il retourna par deux fois dans le réduit. La troisième, il surprit Daniel Tapia qui, à en juger par le désordre, avait fouillé les lieux de fond en comble. Celui-ci lui adressa un regard peu amène.

— Que voulez-vous ? aboya-t-il.

— Rien du tout, señor. Je me contente d'admirer les splendeurs que recèle ce château, afin de les décrire un jour à mes enfants.

— Le comte va-t-il mourir ?

— Je le crains, señor.

— Quand ?

Yonah haussa les épaules, imperturbable.

Adriana lui avait décrit avec force détail les violences qu'elle avait subies auprès de son premier époux. Au fil du temps, sa souffrance s'était estompée, mais il ne supportait pas l'idée qu'un homme pût battre une femme. L'indignation lui fit oublier toute prudence :

— Dernièrement, je me suis vu contraint de soigner les plaies de la comtesse. J'espère vivement qu'elle n'aura pas besoin de recourir à mes services à l'avenir.

Incrédule devant tant d'audace, Tapia répliqua :

— Personne n'est à l'abri d'une blessure. Par exemple, à votre place, je ne quitterais pas ce château sans escorte, de peur d'être pris pour un voleur et exécuté sur-le-champ.

— Je plains celui qui essaierait d'attenter à ma vie !

Puis il s'éloigna d'un pas lent et tranquille.

Cette menace ne fit que le motiver davantage dans sa quête. Le scélérat ne tolérerait pas que quiconque s'appropriât le trésor tant convoité. Yonah entreprit donc d'explorer les lieux avec un soin tout méthodique, examinant chaque mur, dans l'espoir de découvrir un compartiment secret.

Toujours bredouille, il retourna dans l'entrepôt où trônait le somptueux cercueil et tenta en vain d'en comprendre l'inscription. Cependant, dans l'escalier, il croisa l'intendant qui supervisait des travaux de réparation sur la balustrade.

— *Padre* Guzmán, vous êtes sans doute érudit en latin ?

— Naturellement, répliqua le prêtre d'un air important.

— Que signifient les mots qui figurent sur le cercueil du comte : « *Cum Matre Matris Salvus* » ?

— Que le maître de ces lieux reposera pour l'éternité auprès de la Vierge Marie.

Yonah ne parvint pas à fermer l'œil de la nuit, taraudé par l'idée que cette phrase énigmatique recelait la clé du mystère. Dès l'aube, il se leva et, muni d'une torche, se glissa le long des corridors, jusqu'au cercueil qu'il examina.

En milieu de matinée, le *padre* Sebbo entra dans la chambre du malade où le médecin l'attendait avec impatience.

373

– Mon père, pourriez-vous m'aider à traduire une expression latine ?

– Bien sûr, répondit le vieillard en souriant. Laquelle ?

– « *Cum Matre Matris Salvus.* »

Le visage du religieux se renfrogna.

– Où avez-vous trouvé ces mots ?

– Écoutez, nous ne nous connaissons que depuis peu. Mais une seule chose importe : me faites-vous confiance ?

Sebbo poussa un long soupir résigné.

– J'imagine que je n'ai pas le choix. Littéralement, ces paroles signifient : « Sauvé, avec la Mère de la Mère ». Autrement dit : « Ayant trouvé le salut, auprès de la Mère de la Vierge ».

– *Padre* Sebastián, je crois avoir mis la main sur ce que vous avez perdu jadis.

Tous deux inspectèrent le cercueil sous tous ses angles. Le couvercle, le fond et trois des côtés étaient constitués de blocs de pierre massifs.

– Regardez donc, murmura Yonah.

Le quatrième bord, sur lequel était gravée l'inscription, semblait différent des autres, et un peu plus épais. Il frappa légèrement dessus.

– Écoutez ! Il sonne creux. Il faut desceller la paroi intérieure.

– Certes, mais nous sommes trop près des chambres et de la salle à manger. Le moindre bruit risquerait d'éveiller des soupçons. Mieux vaut attendre un moment plus propice, quand les occupants du château seront accaparés par autre chose.

Les circonstances leur épargnèrent une trop longue attente. Le lendemain à l'aurore, le médecin fut tiré du lit par une servante qui veillait le comte durant la nuit. Ce dernier venait de subir une troisième attaque. Son visage avait perdu toute tonicité, son pouls s'était accéléré et sa respiration était lente et encombrée. À l'évidence, il agonisait.

– Allez vite chercher la comtesse et les prêtres, ordonna Yonah.

L'épouse arriva, échevelée, récitant son chapelet en silence, talonnée par le *padre* Guzmán, vêtu de sa soutane pourpre et de son surplis, et par le *padre* Sebbo.

Ce dernier ouvrit la petite fiole contenant le saint-chrême et en versa quelques gouttes sur le pouce droit de l'intendant, qui oignit les paupières, les oreilles, les mains et les pieds de Vasca. C'est alors que, dans cette atmosphère sombre et envahie par l'enivrant parfum de l'huile bénite, le quatorzième et dernier comte de Tembleque lâcha un douloureux et ultime soupir.

— Il a rejoint notre Seigneur, absous de tous ses péchés.

Sebbo et Yonah échangèrent un regard entendu : les funérailles étaient pour bientôt, il fallait agir vite.

— Nous devons informer les domestiques et les gardes de la mort de leur maître et célébrer une messe dans la cour, déclara le vieux prêtre.

— Vraiment ? s'étonna le *padre* Guzmán. Nous avons tant à faire !

— Il s'agit d'une priorité, insista le vieillard. Je vous assisterai, mais c'est vous qui prononcerez l'oraison funèbre, car vous êtes bien meilleur prêcheur que moi.

— Allons, vous exagérerez, mais j'accepte, répondit le régisseur, flatté.

— Entre-temps, le señor Callicó lavera le défunt et le préparera pour l'inhumation.

Yonah acquiesça. Une fois seul avec le cadavre, il entreprit de le nettoyer et attendit que s'élèvent les premières prières pour se précipiter jusqu'au cercueil. Au moyen d'une sonde chirurgicale, il gratta le mortier qui cimentait le panneau interne. Il avait déjà achevé les deux premiers côtés quand une voix le fit sursauter.

— Que faites-vous là ?

Daniel Tapia fixait l'intérieur du cercueil.

— Je m'assure que tout est en ordre.

— Je le vois bien. Donc, vous pensez trouver quelque chose là-dedans. Eh bien, j'espère que vous ne vous trompez pas.

Il libéra son poignard de son fourreau et le pointa sur le médecin. À l'évidence, il ne projetait nullement d'alerter les gardes. De stature plus robuste que son adversaire, il paraissait certain d'avoir le dessus et se jeta sur lui, prêt à lui enfoncer son couteau dans la poitrine. L'arme manqua Yonah de peu et se planta dans sa tunique, lui laissant tout juste le temps de saisir le bras de son agresseur. Celui-ci perdit l'équilibre et bascula par-dessus le rebord du coffre mortuaire. Par réflexe, le médecin se tourna vers le couvercle adossé contre le mur. Alors que Tapia se relevait, la main toujours serrée sur sa dague, le lourd bloc de pierre s'abattit sur lui avec un bruit sourd.

Dehors, la voix des fidèles répondaient à celle du prêtre. Le médecin désarma son opposant et entreprit de le dégager doucement. Mais cette précaution se révéla inutile.

— Tapia ? dit Yonah, encore essoufflé par l'effort.

La colonne vertébrale brisée, l'autre ne respirait plus.

— Bonté divine !

La situation ne prêtait guère à d'éventuels remords. Il transporta le corps dans la chambre voisine de la sienne, l'allongea sur le lit, lui ôta sa veste, ses chausses et ses souliers, et lui ferma les yeux. Puis il claqua la porte derrière lui.

De retour à l'entrepôt, il entendit le timbre nasillard de *padre* Guzmán faisant l'éloge de Fernán Vasca. La messe touchait à son terme. Il n'y avait plus une minute à perdre.

Il finit de dégager la paroi intérieure qui comportait en effet une niche. Il y glissa la main, palpa un tissu, qu'il extirpa de la cachette. À l'intérieur de cette enveloppe de linge se trouvait une pochette en soie brodée.

Lorsqu'il découvrit le précieux objet qui avait causé la perte des siens, Yonah tremblait de tout son être.

Peu avant le coucher du soleil, la comtesse trouva Daniel Tapia, gisant inerte dans son lit et manda aussitôt le prêtre et le médecin. Ce dernier s'était pardonné les morts qu'il avait provoquées pour sauver sa propre vie, mais le présent cas de conscience était différent. Il allait devoir mentir sur les causes d'un décès. Le souvenir de l'éthique sans faille de Nuño accrut son trouble. Pourtant, il déclara d'une voix ferme :

— Il a succombé à une attaque dans son lit.

– Est-ce un mal contagieux qui nous menace tous ? demanda le *padre* Guzmán, inquiet.

– Non. Le fait que le comte Vasca et le señor Tapia se soient éteints le même jour relève de la plus pure coïncidence.

Il lut une expression incrédule sur le visage blême de la comtesse, qui se ressaisit et décréta :

– Daniel Tapia n'a plus de parents vivants. Ses funérailles ne doivent pas interférer avec celles de mon époux.

On enveloppa donc le corps dans une couverture et on l'enterra dans une prairie avoisinante, où une tombe fut creusée à la hâte. Le *padre* Sebastián récita l'office des morts devant Yonah et deux gardes, qui comblèrent la fosse une fois la prière terminée.

Entre-temps, la dépouille du comte bénéficiait de tous les égards. Installée au crépuscule dans la plus grande salle du château, elle fut veillée jusqu'à l'aube par un groupe de servantes à la lumière d'une multitude de cierges.

En milieu de matinée, le cercueil fut transporté au centre de la cour par douze hommes d'armes, et bientôt gardes et domestiques défilèrent pour rendre un dernier hommage à leur maître. S'ils y avaient regardé de plus près, ils se seraient aperçus qu'une des parois internes avait été grossièrement colmatée au moyen d'un mastic des plus rudimentaires.

Par bonheur, nul ne prêta attention à ce détail : tous les yeux se posaient sur l'occupant du cercueil. Fernán Vasca comte de Tembleque reposait dans son armure d'apparat, les mains croisées sur la poitrine, entre son arme et l'épée confectionnée par Paco Parmiento. Avec les rayons du soleil qui se reflétaient sur le métal poli, il ressemblait à un saint dans un habit de lumière.

Des herbes aromatiques avaient été éparpillées sur les dalles afin de masquer l'odeur de putréfaction, encore amplifiée par la chaleur printanière. Cependant, les effluves fétides empestaient l'air et la comtesse dut se rendre à l'évidence. Il n'était pas concevable de laisser le cercueil ainsi pendant plusieurs jours, comme elle l'eût souhaité, afin que le petit peuple pût dire adieu au seigneur des lieux.

À l'issue de la cérémonie funèbre, les douze gardes s'apprêtaient à descendre le cercueil dans le tombeau, auprès de ceux des trois précédents comtes, quand la señora María del Mar Cano rompit le silence d'un cri vibrant :

– Attendez !

Elle courut vers le château et reparut quelques instants plus tard avec une longue fleur qu'elle plaça dans les mains de son époux.

Yonah, qui se tenait à quelques pas de là, fut saisi par une pensée fulgurante. De loin, il s'agissait d'une simple rose, quoique sans doute la plus belle qu'il eût vue de sa vie. Il s'avança un peu pour mieux l'admirer. Trop tard.

Le couvercle se refermait déjà sur le chevalier en armure et la rose d'or avec une tige d'argent.

45

Départs

Le matin, María del Mar Cano rejoignit Yonah alors qu'il sellait sa jument. Elle portait des vêtements de deuil assez épais, en prévision du voyage. Le voile de sa coiffe noire dissimulait la cicatrice de sa joue, dont les fils avaient été enlevés quelques jours auparavant.

– Je rentre chez moi. Un de nos administrateurs se chargera des procédures relatives à l'héritage et à la propriété. Voulez-vous m'accompagner à Madrid, señor ?

– Je crains que cela me soit impossible. Mon épouse m'attend à Saragosse.

– Quel dommage. Cela étant, il faut que vous veniez nous rendre visite. Mon père sera heureux de vous dédommager grassement, car Daniel Tapia aurait pu se révéler très dangereux pour moi.

Il comprit qu'elle avait mal interprété son geste, pensant qu'il avait tué son amant pour la protéger.

– Vous vous méprenez quant à ce qui s'est produit.

Elle se pencha vers lui pour souligner le caractère confidentiel de ses propos :

– Je suis sûre du contraire. Si vous venez nous voir, je vous récompenserai aussi, à ma façon.

Sur ce, elle souleva sa voilette et l'embrassa à pleine bouche, ce qui le laissa en proie à une colère mêlée de désarroi. Quiconque entendrait sa version de l'histoire serait convaincu que le médecin de Saragosse avait empoisonné l'odieux individu.

Il ne désirait pas qu'une telle rumeur se propageât sur son compte. Et, bien que peu d'hommes eussent résisté à cette veuve séduisante, il était bien déterminé à l'éviter coûte que coûte.

Il remonta dans sa chambre afin d'emballer ses effets et aperçut par la fenêtre la comtesse de Tembleque qui franchissait à cheval le grand portail du château, escortée par un garde jeune et vigoureux. Sans doute María del Mar Cano saurait-elle pleinement profiter des attraits du trajet.

Une heure plus tard, prêt à partir à son tour, il redescendit dans la cour, où il trouva Guzmán et Sebbo en grande conversation. Ce dernier portait un baluchon et prenait appui sur un long bâton. Yonah tira parti de l'occasion pour soulever une délicate question :

— Concernant mes honoraires...

— Ah oui ! répondit l'intendant. Nous ne pouvons vous les verser tant que les détails de la succession ne seront pas réglés. Par conséquent, nous vous les ferons parvenir dès que possible.

— J'ai remarqué, parmi les biens du comte, dix gobelets en argent. Je serais disposé à les accepter en guise de rétribution.

Un instant alléché par ce marché, Guzmán se ravisa :

— Dix coupes en métal précieux ! s'écria-t-il. Cela me semble bien excessif pour un échec. Prenez-en quatre, si vous désirez.

La pique ne désarçonna pas Yonah, qui insista :

— *Fray* Francisco Rivera de la Espina avait promis une rémunération substantielle.

Le religieux savait par expérience qu'il était préférable d'éviter de mêler les autorités du diocèse à ce genre de transaction.

— Emportez-en six.

— D'accord. Mais à condition que je rachète les quatre autres.

Comme il fallait s'y attendre, le régisseur fixa un prix exorbitant. Cependant, compte tenu de la valeur sentimentale de ces articles, Yonah consentit à le payer, sans cacher sa désapprobation. Le *padre* Sebbo avait assisté à cet échange avec un léger sourire. Il dit au revoir aux deux hommes et reprit son chemin, tel un vagabond en route vers nulle part.

Une heure plus tard, le médecin s'apprêtait à passer le portail quand il fut arrêté par les gardes.

— Pardonnez-moi, señor, mais j'ai reçu l'ordre d'inspecter vos bagages, lui déclara le sergent.

Les soldats fouillèrent tous ses sacs et il s'efforça de conserver son calme, malgré l'angoisse qui lui étreignait le ventre.

— J'ai un reçu pour les gobelets, précisa-t-il.

— C'est bon. Vous pouvez y aller.

Il remonta en selle et quitta avec joie et soulagement le château de Tembleque.

Yonah et Sebbo se retrouvèrent à Tolède devant les bureaux du diocèse.

— La marche vous a-t-elle fatigué, *padre* ? demanda le médecin.

— Point du tout, répondit le prêtre. En chemin, j'ai croisé un charretier qui m'a pris avec lui et je suis arrivé ici comme un pape !

Ils pénétrèrent ensemble dans l'édifice, s'annoncèrent et attendirent en silence. Quelques minutes s'étaient écoulées lorsqu'on vint leur dire que le *padre* Espina était prêt à les recevoir en privé. Le prêtre les accueillit avec effusion, sans parvenir à dissimuler son étonnement de les voir côte à côte.

— Il faut que je vous relate une histoire, lui déclara le père Sebastián Alvarez.

— Je vous écoute, répondit Espina d'un ton affable.

Le vieil homme lui parla alors d'un jeune prieur pétri d'ambition, qui avait réclamé à ses supérieurs une sainte relique, dans l'espoir qu'elle ferait de lui un puissant ecclésiastique. Il lui décrivit les intrigues, le meurtre, le vol. Il évoqua aussi un médecin de Tolède, mort sur le bûcher pour avoir accepté une mission que lui avait confiée un prêtre.

— Cet homme dévoué à notre foi était votre père, *padre* Espina.

Le visage de ce dernier trahissait son trouble. Alvarez poursuivit :

— Au cours de toutes ces années d'errance, j'ai enquêté sur ce fragment sacré. Le plus souvent, je n'ai obtenu que des haussements d'épaules. Cependant, j'ai réussi à glaner une information par-ci, un mot par-là qui m'ont conduit jusqu'au comte Vasca. Je me suis donc rendu régulièrement à Tembleque. Mais il m'a fallu attendre cette année pour que le Seigneur mette sur ma route ce médecin de Saragosse – et je Lui en serai éternellement reconnaissant.

Sous le regard ébahi de son interlocuteur, il tira de son baluchon un objet qu'il dépouilla de son enveloppe avec grand soin.

Dans un silence déférent, tous trois contemplèrent le reliquaire. Malgré le métal noirci, on en distinguait avec netteté les motifs exceptionnels et les élégantes figures.

— Dieu a guidé les mains de l'orfèvre, souffla le *padre* Espina, émerveillé.

— En effet, confirma Sebbo.

Puis il souleva le couvercle et dévoila la relique. Les deux prêtres se signèrent.

— Emplissez-vous les yeux de cette vénérable vision, ajouta le vieux prêtre. Car l'ossement de sainte Anne et le ciboire doivent être expédiés à Rome dès que possible. Nos amis de la Curie sont particulièrement lents à affirmer l'authenticité d'un fragment volé. Il est possible que nous n'y assistions pas de notre vivant.

— Je suis sûr du contraire, et ce, grâce à vous deux. La légende de cet ouvrage est connue dans tout le pays et partout on chantera vos louanges. Vous êtes les héros de cet heureux dénouement.

Yonah ne pouvait s'y résoudre : la renommée le mettrait en péril.

— Vous m'avez proposé votre aide, en cas de besoin, dit-il. Aujourd'hui, j'ai une faveur à vous demander. J'aimerais que mon nom ne soit pas cité dans cette affaire.

Espina parut déconcerté devant un souhait aussi inattendu.

— *Padre* Sebastián, que pensez-vous de la requête du señor Callicó ?

— Je la soutiens sans réserve. J'ai constaté la bonté de ce docteur. Et parfois, dans des circonstances aussi inhabituelles que celles-ci, l'anonymat peut constituer une bénédiction.

Espina réfléchit un instant avant de conclure :

— Eh bien, soit ! Peut-être à une époque, mon propre père eût-il émis le même désir. Quelles que soient vos raisons, cher señor, je ne vous causerai pas de souci. Puis-je faire autre chose pour vous ?

— Non, *padre*. Je vous remercie.

Le religieux se tourna alors vers Sebbo.

— En revanche, vous devrez témoigner des événements qui se sont produits au château de Tembleque.

— Naturellement.

— Ne pourrais-je pas intervenir afin de vous trouver un emploi plus confortable ?

— Non. Je préfère poursuivre mon existence de mendiant. Voyez-vous, sainte Anne a changé ma vie et ma vocation, en m'entraînant sur une voie que je n'aurais jamais imaginée. Aussi aimerais-je que vous ne mentionniez mon rôle que dans les limites du nécessaire. De la sorte, je pourrai continuer mon humble travail auprès des pauvres.

Le *padre* Espina acquiesça et lui demanda d'écrire un rapport sur la restitution des objets volés.

— Mgr Enrique Sagasta a confiance en moi. Je n'aurai aucun mal à le convaincre d'envoyer le fragment sacré au Saint-Siège et de déclarer qu'il a été retrouvé par l'évêché de Tolède après la mort du comte Fernán Vasca, notoire trafiquant de reliques. Du reste, l'ancienne basilique de Constantin à Rome vient d'être démolie et l'on doit ériger un nouveau sanctuaire sur le tombeau de saint Pierre. Mon maître espère vivement être envoyé au Vatican. Son concours dans la découverte de l'ossement et du ciboire ne pourra que lui profiter et favoriser sa nomination auprès du pape.

Une fois sortis, les deux hommes restèrent un moment devant le siège du diocèse.

383

– Savez-vous qui je suis ? demanda le médecin.

Le *padre* Sebbo posa sa main calleuse sur les lèvres de son interlocuteur.

– Je ne veux pas entendre votre nom. Mais votre visage ressemble fort à celui de quelqu'un que j'ai connu jadis, un être au cœur noble et aux mains d'artiste.

Yonah sourit.

– Adieu, *padre*.

– Dieu vous garde, mon fils.

Sebastián Alvarez se perdit dans la foule, auréolé de sa chevelure blanche, son bâton de mendiant guidant ses pas.

Le médecin chevaucha jusqu'à la prairie où s'étendait autrefois le cimetière juif. L'herbe luxuriante recouvrait les tombes invisibles. Il laissa sa jument se nourrir un peu, tandis qu'il récitait le Kaddish pour sa mère, son frère et tous ceux dont les restes reposaient sous terre. Puis il remonta en selle et chemina dans ce paysage où il avait coulé une enfance heureuse et innocente.

La synagogue avait été partiellement démantelée par des bûcherons qui avaient entassé les planches le long de la façade. Il arrêta sa monture devant l'ancienne demeure des Toledano.

Je suis toujours juif, abba.

L'arbre planté au-dessus de la dépouille de l'orfèvre avait grandi et ses branches feuillues se balançaient sous l'effet du vent.

Il sentait intensément la présence de son père. En esprit, il lui relata les derniers événements en date. Il n'était pas question de ressusciter les morts, mais Yonah estimait qu'il avait enfin honoré leur mémoire en démasquant leurs assassins.

Il caressa Hermana tout en contemplant la maison où il était né. Sebastián Alvarez lui avait dit qu'il ressemblait à Helkias. Qu'en était-il d'Eléazar ? Si d'aventure il le croisait, le reconnaîtrait-il ? Il croyait apercevoir partout la silhouette du garçonnet à la voix fluette.

Yonah, tu m'emmènes à la rivière ?

Yonah, je peux venir avec toi ?

384

Les relents écœurants en provenance de la tannerie coupèrent court à sa rêverie.

Je t'aime, abba.

En longeant la maison adjacente, il aperçut le vieux Marcelo Troca occupé à passer un licou à son *burro*.

— *Hola !* lança-t-il.

L'homme tourna la tête.

— Bonjour, señor Troca ! cria-t-il en aiguillonnant sa jument.

Le fermier s'immobilisa, perplexe, et suivit du regard l'étrange cavalier sur sa sombre monture qui s'éloignait à l'horizon.

46

La resserre

Le printemps avait été précoce à Saragosse. Les arbres fruitiers regorgeaient de bourgeons lorsque Yonah arriva chez lui. Adriana lui sauta au cou en riant à travers ses larmes, comme s'il revenait après plusieurs années d'absence.

Elle se montra émerveillée devant les gobelets confectionnés par Helkias. La couche noire qui les recouvrait se révéla récalcitrante. Le fils de l'orfèvre récupéra la fiente accumulée sur le sol du poulailler au cours de l'hiver et, comme naguère, il se mit à frotter l'argent au moyen d'un chiffon doux trempé dans l'immonde mixture. Au bout de quelques heures, les coupes retrouvèrent leur éclat d'origine. Son épouse disposa le service sur une petite table, face à la cheminée, de sorte qu'il captât les brillants reflets des flammes.

Bientôt les oliviers se parèrent d'une multitude de petits fruits verts, pour le plus grand plaisir d'Adriana, qui projetait, au moment propice, de les presser afin d'en extraire l'huile. Une des chèvres qu'elle avait achetées pendant le voyage de son mari s'apprêtait à mettre bas.

Vers la fin de l'été, une heureuse nouvelle bouleversa la tranquillité du couple. À l'évidence, la jeune femme était enfin enceinte.

En septembre, Reyna et Álvaro leur rendirent visite. Les deux hommes choisirent l'emplacement et les dimensions de la resserre qu'ils avaient évoquée quelques mois auparavant. Álvaro s'étonna des exigences du médecin :

– Avez-vous vraiment besoin d'un local aussi spacieux ?

Yonah hocha la tête en souriant.

– Très bien, concéda son interlocuteur.

Ce dernier avait déjà construit plusieurs maisons et le praticien le chargea donc d'ériger la structure extérieure d'une imposante remise au toit de tuile, semblable à celui de l'hacienda.

C'est ainsi que, durant tout l'automne, le bûcheron et son assistant, Lope, rassemblèrent des pierres et les transportèrent en haut de la colline, sur une charrette tirée par des bœufs.

Le bébé vit le jour en mars, au terme d'une longue nuit de travail. Lorsque, au petit matin, Yonah accueillit le nouveau-né dans ses mains et entendit son premier cri, il lui sembla que les dernières traces de solitude s'étaient définitivement dissipées de son cœur.

– Nous l'appellerons Helkias Callicó, dit Adriana.

Et, quand il lui remit l'enfant dans les bras, elle murmura un nom qu'elle n'avait pas prononcé depuis leur mariage, même dans les moments les plus intimes :

– Fils de Yonah Toledano.

Au printemps suivant, les ouvriers établirent les fondations de la remise et commencèrent à dresser les murs. Le praticien se joignit à eux durant les quelques moments de loisir que lui laissaient ses patients. Il apprit à choisir chaque pierre et à les assembler. Il insista également pour être initié à la confection du mortier – un mélange de schiste, d'argile, de sable et de calcaire, lié dans de l'eau.

– Vous projetez d'abandonner la médecine et de devenir maçon ? plaisantait Álvaro en constatant son ardeur à l'ouvrage.

La première semaine de juin, la resserre était achevée.

Une fois qu'il eut payé et congédié les deux hommes, Yonah continua de collecter des matériaux de construction aux heures les plus fraîches de la journée et les empila à l'intérieur de la bâtisse.

En novembre, il en avait amassé une quantité suffisante pour entreprendre l'ouvrage auquel il les destinait. Il érigea une cloison interne, semblable au mur du fond, divisant le local en deux parties. À l'endroit le plus sombre de cette paroi, il pratiqua une ouverture devant laquelle il confectionna un grand casier en pin, équipé d'une trappe. Dedans, il entreposa du bois à brûler, en prenant soin de masquer la petite porte, sans la condamner.

Dans la pièce secrète ainsi obtenue, il disposa une table, deux chaises et tous les objets chers à ses origines juives : sa coupe à Kiddoush, ses bougeoirs de Shabbat, les deux manuscrits en hébreu et quelques pages sur lesquelles il avait griffonné des bribes de prières, de récits bibliques et de versets.

Le vendredi soir suivant, il se rendit près de la tombe de Nuño en compagnie d'Adriana et de son fils, où ils attendirent le coucher du soleil. Puis ils descendirent vers la resserre et Yonah libéra l'accès de la trappe. Au préalable, il avait pris soin de faire brûler une lampe dans le réduit, pour ne pas avoir à le faire une fois le Shabbat commencé. Il pénétra à l'intérieur, prit le bébé des bras de son épouse, qui entra à sa suite.

Le cérémonial fut bref. Adriana alluma les bougies et ils récitèrent ensemble la bénédiction d'usage. Puis le chef de famille psalmodia le Shema : « Écoute, ô Israël, l'Éternel notre Dieu, l'Éternel est un. »

Là s'arrêta la liturgie de cet office sommaire.

— *Shabbat Shalom*, Adriana.

— *Shabbat Shalom*, Ramón.

Ils s'embrassèrent et s'assirent un moment.

— Regarde bien ces deux lumières, mon petit Helkias, car tu ne les reverras plus avant de devenir un homme.

Désormais, l'âme juive de Yonah demeurerait vivante au fond de son être, là où nul ne pourrait l'anéantir. Il visiterait ce lieu seulement à l'abri de tout danger. Si l'existence lui donnait le bonheur de voir ses enfants atteindre l'âge de raison, il emmènerait chacun d'eux dans ce sanctuaire secret.

Il leur chanterait d'étranges prières et leur transmettrait l'histoire de leur peuple. Il leur parlerait de leurs aïeux, d'un noble artisan qui transformait le métal en œuvres d'art, de prêtres et de reliques sacrées, d'une rose en or. Il évoquerait une époque plus heureuse, une famille détruite et dispersée, un monde disparu.

Et puis Adriana et lui s'en remettraient au Tout-Puissant pour décider de leur destin et de celui des générations à venir.

Table des matières

Composition PCA
44400 – Rezé

Impression réalisée sur CAMERON par

BRODARD & TAUPIN

GROUPE CPI

La Flèche

pour le compte des Éditions Michel Lafon
en septembre 2001